U0141388

今天 *TODAY*

366天，每天打開一道門

國家圖書館出版品預行編目 (CIP) 資料

今天 : 366 天，每天打開一道門 . / 郝廣才文 .
-- 初版 . -- 臺北市 : 格林文化，2014.10
544 面 ; 14.8×21.5 公分
ISBN 978-986-189-542-0(精裝)

855   103016988

今天

366 天，每天打開一道門

文 / 郝廣才

總編輯 / 郝廣才
責任編輯 / 賴映竹、賴芳如、王彥筑、李咨誼
美術編輯 / 李燕玉、林蔚婷

出版發行 / 格林文化事業股份有限公司
地址 / 台北市新生南路二段 2 號 3 樓
電話 / (02)2351-7251 傳眞 / (02)2351-7244
網址 / www.grimmpress.com.tw
讀者服務信箱 E-mail / grimm_service@grimmpress.com.tw
ISBN / 978-986-189-542-0
2014 年 10 月初版 1 刷
定價 / 990 元（兩冊不分售）

格林繪本網
GrimmPress.com.tw

郝廣才

今天**TODAY**

366天，每天打開一道門

JUL.1 ～ DEC.31

格林文化
www.grimmpress.com.tw

目錄

7月 July

8月

August

9 月

September

10 月

October

11月

November

12月

December

7月
July

有一種人，在黑暗中覺醒；

有一種人，在光亮下沉睡。

我們是哪一種呢？

7.1 簡單

人，其實腦袋塞不進太多東西。但看到錯綜複雜的東西卻感覺很厲害，而不太相信看起來很簡單的東西。不過往往越簡單的創意越行得通。鉛筆要削尖才能寫字，尤其你在傳達意念時，資訊不能多，因為人的腦根本來不及吸收太多的東西。

「少就是多」Less is more，多沒有用！

現在公認最棒的標語是哪一句？ Just Do It，極簡單吧！這句話是廣告人丹・維登（Dan Weiden）為 Nike 製作廣告，無意間說出口的。在他與 Nike 的員工開會時，他欣賞客戶大膽嘗試的態度，說了一句讚美的話：" You Nike guys, you just do it." 最成功的標語由此而來。

1988 年 7 月 1 日，以 Just Do It 為標語的廣告第一次播出，這句極簡單的話，人人隨口就能說出。它之所以能深入人心，有個專家不願承認的主因，因為它夠簡單！

Nike 創辦人菲力・奈德（Phil Knight）大學時是田徑隊，他的教練比爾・鮑爾曼（Bill Bowerman）常說美國做的跑鞋，太重、太笨。奈德一直記在心裡，他取得企管學位後，說服鮑爾曼，兩人各出五百美金，在家裡地下室成立一家公司，買下日本鬼塚公司（Onitsuka）做的三百雙跑步鞋，顧客的反應很好，鞋子不久就賣光。這下使他們更堅信日本輕巧的設計，才是跑步鞋的王道。

於是他們仿照這個概念，自行設計自有品牌的跑鞋。1972 年奧運的選拔賽在奧勒岡舉行，他們說服了一些馬拉松

選手穿他們公司的跑鞋。比賽結果出爐，奈德大肆宣傳「馬拉松前七名的跑者，有四個是穿 Nike」，聽起來很厲害，使 Nike 一炮而紅。但他沒有說那場比賽，前三名的優勝者都是穿「愛迪達」。

Nike 的成功，告訴我們什麼？千萬不要懷疑「簡單」的東西和概念。你下決心時，頭腦也要簡單一點，要有「就是它！」、「就這麼做！」的直覺。

不要說：「這個想法不錯，讓我們仔細研究，看看能不能讓它更完備……」

成功的路上，沒有猶豫的人。Just Do It 吧！

●廣告人丹‧維登為 Nike 創造出 "Just Do It" 的標語。

7.2 小心同黨

　　政治的「理想」是選賢與能，「現實」是用人唯親。古代是「一朝天子一朝臣」，到現代的民主政治，還是擺脫不了分贓、分肥，還是會「一人得道，雞犬升天」。

　　不要小看雞和犬，他們並不看低自己，他們自我感覺功勞最大，他們如果欲求不滿，會反目成仇咬死主人。

　　美國第二十任總統詹姆斯·加菲爾德（James A. Garfield），他上任前，美國的政治瀰漫著腐敗的風氣，政客一但選上，立刻論功分贓，把能掌握的職位，分派給選舉出錢出力的人。買官、賣官是半公開的交易，利益交換是江湖第一法則。

　　加菲爾德是一個牧師，他是美國第一個有神職身份的總統。他給自己的使命就是要推動公務員的改革，杜絕貪腐。因此他上任，堅持不肯照慣例「政黨分肥」，他要不分黨派，用人唯賢。所以許多與他同黨的共和黨人，沒有得到他們預期的職位，對他心懷不滿。

　　加菲爾德在選舉前就已經表明態度，但共和黨人以為這是「選舉口號」。改革是說給人民聽的，只要選上，「分肥」才是給政客用的。沒想到加菲爾德來真的，真的要跟他說的一樣做，那老子們出錢出力不是白費？雞犬不能升天，就要搗亂，鬧個雞犬不寧。

　　查爾斯·吉托（Charles J. Guiteau）就是其中一個雞犬。他還是牧師、作家、律師呢！他為加菲爾德寫過一些文宣、講稿，他自認加菲爾德能當選總統，他的功勞很大。所以他

應該分塊肉，他想要做大使，法國最好，瑞士也可以。他跟其他雞犬一樣，每天到國務院去排隊，等著分肉。最後國務卿詹姆斯布萊恩（James G. Blaine）親口對他說，不要妄想求官，他最好死了這條心，新政府不會滿足他的要求。他很氣，氣得想殺人⋯⋯。

1881 年 7 月 2 日，加菲爾德和夫人準備去渡假，在華盛頓火車站被一個傢伙從背後連開兩槍，緊急送醫後，雖然暫時搶救回來，但不到三個月就因傷重而去世。他是繼林肯之後，第二個被刺殺的總統。兇手是誰？正是求官不成，心懷怨恨的吉托。其實加菲爾德並不知道吉托有來求官，吉托也不知道加菲爾德不知道，就這樣打死了一個可能是好總統的改革者。吉托被抓時，還大喊：「現在亞瑟是總統啦！」

亞瑟是賈斯特・亞瑟（Chester A. Arthur），他是當時的副總統，當然順理成章成為總統。亞瑟跟吉托一樣是共和黨裡的保守派，也就是贊成「大家來分派」的那一派。所以吉托感覺他打死加菲爾德，雖然有罪跑不掉，但終究「分肥派」是勝利，他犧牲自己，至少證明改革是空想，自肥分肥才是真理。

亞瑟過去當紐約的海關長官時，因不遵守公務員行政中立的命令，被前任的海斯總統開除。所以在共和黨人眼中，他是公務員改革的受害者。照理他一上台，大家又可以回到分贓的美好日子。沒想到，亞瑟接了總統後，居然不計過去的私仇，搖身一變成為改革派，而且比加菲爾德更前進。美國歷史上最重要「彭德爾頓公務員制度改革法案」Pendleton Civil Service Reform Act 就是在他手裡通過，這個法案確立公務員的錄用、升遷，完全要以能力和績效為依據。公務員不

得因政黨歸屬，或政治原因而被免職。強力遏止黨同伐異、大家分肥的歪風。

你說亞瑟是良心發現？還是有其他原因？

加菲爾德出殯時，華盛頓有七萬多人站在沿街目送靈車，他的家鄉俄亥俄州的克利夫蘭，有十五萬人參加追悼。可見他的改革立場深得人心，加上他被分肥派刺殺，更激起人民的義憤。亞瑟現在幹總統，他能不順應民意嗎？

不管怎樣，加菲爾德的被刺，直接推進了美國吏治的改革。從歷史的角度來看，是很值得。他的被刺還幫助了另一個進步，當他重傷時，子彈卡在身體取不出來。當時華盛頓正值7月炎夏，醫生怕天氣熱會造成發炎，所以海軍的工程師在白宮想辦法安裝了「世界第一台冷氣」，把室溫降到攝氏11度，但他還是感染發燒，後來轉到紐澤西的海邊靜養，還是抗不住發炎，在9月19日過世，死時只有五十歲。

你說為什麼一般人對他很陌生，因為他是第二個被刺的美國總統。第二個人是誰？往往被世人忽略！

●加菲爾德總統遭吉托從背後連開兩槍，兩個月後傷重不治。

7.3 太太萬歲

一般人說，「成功的男人背後都有一個偉大的女人」，其實偉大的女人並不會躲在男人的背後，她們會跑到男人前面，帶領他走向成功。

1886 年 7 月 3 日，卡爾把他發明的不用馬拉，自己會走的「車」開到德國曼海姆的「馬路」上。走了一公里，卡爾非常高興，可是鄰居非常不高興。因為卡爾的怪物不但會發出可怕的噪音，還會冒出噁心的氣味。有人不斷向他抗議或抱怨，卡爾為了能把車子開到馬路上，特地去申請了一張許可證明，從此他可以堂堂正正的在馬路上開車，不受干擾。但他的怪物確實不太爭氣，連結馬達和輪子的傳動鍊條常常斷裂，怪物就拋錨在馬路上，害馬車不能過。卡爾雖然努力改善，但工廠的資金很快就燒光。幸好他太太貝爾塔變賣自己的嫁妝、首飾，支持他，使他能堅持下去。

終於卡爾的努力，有了成果。他完成了一輛時速可以跑十六公里的三輪車，他叫它「1 號」。時速十六公里現在感覺不怎麼樣，當年和馬來比可是速度驚人。再來的就是要證明，這個三輪怪物可以跑長途，不會半路拋錨。「機器馬達」這樣才能取代馬，否則只是新奇，沒有市場價值。但卡爾信心不夠，他不敢開車上馬路，怕萬一又失敗，會被嘲笑。

貝爾塔決定自己走到前面。1888 年 8 月 5 日清晨 5 點，卡爾還在睡大覺時，貝爾塔叫醒兩個兒子，一個十五歲，一個十三歲，母子三人把「1 號」推出倉庫，發動馬達，上路，向一百公里外的娘家出發。

　　開了十四公里，油用光，她去路邊的藥房買汽油，加油後，繼續前進。一路上，人人側目。貝爾塔完全不在意旁人的目光，堅定駕駛前進。走到七十公里，遇到一個上坡爬不上去，貝爾塔叫小兒子駕車，她和大兒子推車。對優雅的女士來說，很傷形象，她根本無所謂。中途汽化器堵住，她還急中生智，拿出帽子上的髮針把堵塞搞通。點火導線和馬達發生短路，她拿出吊襪帶的橡皮襪帶當成絕緣墊，使導線絕緣。就這樣，女人的用品對工業文明做出重大貢獻。

　　到了太陽快下山時，貝爾塔母子三人終於到達目的地。他們雖然又餓又渴、灰頭土臉，但他們完成汽車第一次「長征」。小城的居民都跑來圍觀「怪物」，有人為了爭論怪物為什麼會跑？還大打出手。貝爾塔沒閒著，立刻拍了一個電報給先生，「考驗成功，請速申請參加慕尼黑博覽會」。卡爾接到電報，才知道太太和孩子跑到哪兒去了？

　　當然他的怪物在博覽會上，大受注目，生意從此源源不絕。他的車廠成為德國最大車廠，日後成為世界汽車帝國。卡爾的全名是卡爾‧賓士（Carl Benz），他的三輪怪物叫「賓士1號」。他申請的上路許可證明，就是世界第一張駕照。世界第一位汽車駕駛員，就是他的太太。

　　今天開著賓士的男人請記得，要是沒有女人走到男人前面，今日就沒有賓士可以開。

●賓士汽車的創始人卡爾‧賓士和他的太太貝爾塔

7.4 媽媽的力量

「報告總理，外面出事了。」

「什麼事？」

「有九個媽媽，在外面絕食抗議。」

「天啊！抗議什麼？」

「她們要抗議剛蓋好的茨文騰多夫（Zwentendorf），要求禁止核電廠運轉。」

「記者呢？」

「已經圍上去，來不及擋了。」

「這種事擋也擋不了，沒關係，幾個家庭主婦小打小鬧幾天，成不了氣候！」

「總理，話是這樣講沒錯，但怕的是一根火柴不小心點起汽油庫。還是趁火小時先滅火。」

「所以啦，我用你是幹什麼的？你有什麼想法？」

「首先把她們打成無知的家庭主婦，用專業的專家、學者在報紙寫文章、上電視節目，跟大眾說明核電有多安全、多環保。」

「好極了，趕快去辦。對了，要記住什麼？」

「不可以讓人知道，是我們在背後策動。」

1972 年奧地利在茨文騰多夫興建第一座核子電廠，花了一百四十億奧幣，相當於現在十億歐元，在 1977 年完工。在核電廠試運轉時，有九個媽媽在 **1977 年 7 月 4 日**，到總理府前絕食抗議。掀起反核的浪潮，持續抗爭三年。

「報告總理，又有幾個學生團體加入反核，聽說他們已

經有五十萬成員。」

「眞是的，想不到幾個媽媽眞的能點起火來。」

「不重要，現在滅火還來得及，再讓他們這樣燒下去，就麻煩大了。」

「你說怎麼滅？」

「我們有工會和商會支持，工會支持核電帶來的就業機會，商會支持核電的經濟效益。我們可以舉辦一次公投。」

「由公投決定核電，會不會有問題？」

「報告總理，我們做過民調，基本上沒什麼人關心核電，他們只關心有沒有電？花這麼多錢蓋好卻不用，人民不會接受的。」

「對，只要公投贏了，大家沒話說，我們社會黨會得到更大的支持。」

「對，他們不過是無知媽媽、傻瓜學生，和吃飽沒事做的作家、導演，根本是烏合之眾。我們除了工會、商會，還可以動用資源買廣告、做宣傳。公投一定贏，總理你的江山一定坐更久！」

「有道理，就這麼辦！」

1978 年 11 月 5 日，奧地利核電公投，結果反核派以三萬票，50.4％取得勝利，廢止核電廠運轉。當時執政黨的社會黨總理布魯諾・克萊斯基（Bruno Kreisky）撥錯算盤，因此失去政權。之後，「茨文騰多夫」在歐洲，就是「白忙」、「白幹」加「白癡」的同義詞。

奧地利人民非常有遠見，這是世界第一個公投廢核的國家。但是八年後，蘇聯發生車諾比核災，大量外洩的輻射，還是嚴重影響奧地利。自此奧地利幾乎全民反核。

　　2005 年 EVN 電力公司以二百五十萬歐元買下茨文騰多夫核電廠和周邊二十四公頃的土地，他們準備把它改造成利用再生能源發電的電廠。

　　世界其他地方有沒有如此有遠見的媽媽？當然有，先看你的媽媽是不是？

● 第一座蓋好被公投廢止的茨文騰多夫核電廠

7.5 電腦女神童

　　荊棘地裡盛開的玫瑰，美麗百倍！

　　沈芯菱從小跟著父母擺攤到處跑，因為家裡沒錢讓她上幼稚園。

　　她是所謂輸在起跑點的孩子，小學二年級時收到一張電腦教學的傳單，爸媽省吃儉用。幫她報名，這是她和電腦的第一次接觸。當時教的是 DOS 系統，她完全搞不懂，上沒幾堂課，決定打退堂鼓。到了小學四年級，遇到以前的鄰居惠玲姊姊，接觸到 Windows 系統，才開始對電腦產生興趣。

　　惠玲姊姊發現芯菱有電腦天份，告訴芯菱的爸媽。一台電腦對他們來說，是一筆很大的開銷，爸媽向朋友借錢，結果換來：「沒錢跟人家學什麼電腦，顧腹肚比較要緊啦！」，於是媽媽把身上唯一還值點錢的玉飾拿去賣，湊足錢給孩子買電腦。

　　2005 年 7 月 5 日，十一歲的沈芯菱得到了她人生第一部電腦。如同亞瑟拔起石中劍，哪吒騎上風火輪，世界在等待她帶著電腦上戰場。

　　第一場戰役是「文旦大戰」。芯菱的阿公種文旦，每年中秋節一過，文旦總是剩下一大堆。爸媽要幫阿公賣文旦，也只能用超低的價格切出去，然後騙阿公說文旦賣光了，其實是爸媽用自己的錢賠給阿公，阿公並不知道真實情況。第二年快到中秋節，爸媽很煩惱，因為他們知道中秋節一過，他們又要幫忙處裡文旦，但不這樣又能怎樣呢？

　　芯菱想起自己在電腦裡，經常收到廣告信，別人可以用

電腦賣東西，我應該也可以！於是她用 e-mail 寄了一百多封信，推銷阿公的文旦，並且可以運送到府。隔天就收到訂購回信，她士氣一振，更努力寄發 e-mail，結果那年三萬多斤的文旦全靠電腦賣光，他們家過了一個最快樂的中秋節。

芯菱的父母這時搬回斗六，開了一家平價商店，剛剛安定一點，好死不死對面就開了一家大型連鎖量販店，生意當然完蛋。爸媽商量要把店收了，再回去擺攤賣衣服。

芯菱心疼父母賺錢辛苦，不甘他們做回流動攤販。於是她用電腦架設網站賣衣服，每天下課忙到半夜，不斷摸索嘗試，終於開站成功，第一天就收到五十件訂單。家裡的生意就此改觀，每個月可以收到三萬件訂單。

芯菱有了這個經驗，她就把阿公的文旦也用網站銷售，增加許多圖片和詳細的說明，不但讓阿公的文旦順利賣出十幾萬斤，破了紀錄，也打開了台灣農產品利用網路銷售的成功先例。

十二歲電腦女神童會用網路做生意，這下子可轟動武林，很多人跑上門找她幫忙架設網站，她也因此賺到了人生第一份酬勞。當她把錢拿給爸媽時，媽媽說：「我們沒有什麼能力栽培你，你擁有的天賦是老天爺恩賜的，如果你有多餘的心力，應該用在和我們一樣為生活所苦的人身上。」

芯菱在短短兩年為三十幾家公司架設網站，從農業、服裝業、旅遊業、醫藥業到傳播業。才十四歲，初中二年級的她，已經賺到人生第一個一百萬。但她懂媽媽的用心，她除了把錢用來增添電腦設備外，其餘的 2/3 全部捐出來幫助貧困的孩子，投入公益活動，並為窮孩子架設「安安免費教學網站」。

　　「其實我也失敗過，也有過挫折，也曾徬徨無助過，甚至懷疑過自己。我並不是一開始就知道自己一定會成功，如果眞要問我爲什麼？我想，我只是比別人多了一份執著和努力罷了！因爲，我相信，總有一天，庄腳囝仔也會有屬於自己的藍天。」

　　有這樣的孩子，未來怎麼會沒有希望？

7.6 一夥人同做一夢

「保羅，一起去伍爾鎮看演唱會，如何？」

「誰要演唱？」

「是一個叫採石工的新樂團。」

「有很厲害嗎？」

「帶頭的是一個十七歲，叫約翰的傢伙，聽說好像很有一套。」

「真的嗎？有比我行嗎？」

「看看不就知道了，而且真正的目的不是聽演唱。」

「那要幹嘛？」

「聽說他們每次演唱，都會來一堆正妞哦！」

「怎麼不早說，泡妞怎麼可以沒有我呢？」

1957 年 7 月 6 日，十四歲的保羅和朋友一起去聽「採石工」樂團 Quarrymen，演唱完畢後，保羅借了把吉他，用美妙的和弦唱了一首《二十個飛行石》Twenty Flight Rock。採石工的團長約翰雖然已經喝醉，但還是聽出保羅是天才，幾天後就邀他入夥。

是的，保羅就是保羅麥卡尼，約翰就是約翰藍儂。

保羅麥卡尼對約翰藍儂的第一個印象是：「他是天才，但喝醉了。」

麥卡尼開朗樂觀的性格和藍儂叛逆憤怒的情緒，形成強烈對比，結合在一起，激起意想不到的火花。後來又加入了喬治哈里森和林哥史達，搖滾樂最偉大的樂團「披頭四」Beatles 在 1960 年誕生。

　　你一個人做夢，就只是一個夢。你們一群人一起做夢，
那就會成為真實。

　　A dream you dream alone is only a dream. A dream you
dream together is reality.

　　這是約翰藍儂的名言。尋找夥伴等於尋找機會，抓住夥
伴也是抓住機會。

● 四個一起做夢成功的搖滾傳奇披頭四。

7.7 愛情敢死隊

有五隻黑猩猩關在同一個籠子，門上掛一根香蕉，只要有黑猩猩走過去想拿香蕉，你就用冰水去噴另外四隻黑猩猩，噴得牠們哇哇大叫！

這樣重複噴個兩三次以後，只要有黑猩猩走去門口抓香蕉，會發生什麼事？另外四隻黑猩猩會把牠打一頓，因為都是牠害大家倒霉！

再來，你把被揍的黑猩猩放出去，換一隻不知狀況的黑猩猩進去籠子裡，會怎樣？當新的黑猩猩看見香蕉過去拿時，牠便會被打一頓。

接著，你把香蕉拿掉，把籠子裡的黑猩猩一次換一隻，換到裡面沒有一隻黑猩猩看過香蕉。而只要有黑猩猩走近門口，原來放香蕉的位置，會怎樣？對，牠會被打一頓。被打的黑猩猩不知道為什麼被打？打牠的黑猩猩也不知道為什麼要打牠？

很好笑，對吧！人類的行為跟黑猩猩沒有兩樣，一種傳統一旦形成，不管它多荒謬，即使時空改變，早就不合時宜。這個傳統一樣會被人所固守，而且往往變本加厲！那就一點也不好笑，而是非常可怕！

印度有一個根深柢固的社會制度，就是「種姓制度」。這個制度的源起是二千六百多年前，亞利安人入侵、征服了印度，統治者為了方便統治，建立種姓制度。把人分成四個階級，第一級是「婆羅門」，他們的工作是司祭、教授經典，像中國周朝的禮官。他們不用交稅、不可處罰、不可殺害。

　　第二級是「剎帝利」，他們才可以當戰士、從政，是享有軍政大權的實際統治者。負責保護婆羅門，但沒有宗教權，政、教分離。

　　第三級是「吠舍」，是農人、牧人、商人，是生產者。

　　第四級是「首陀羅」，他們是沒有自由的奴僕。

　　還有一種人是在四級之外，叫「賤民」。他們不配分級，不准受教育、穿鞋，走路時連影子都不准和「有級別」的人影子重疊，這樣就犯了玷汙罪。所以他們完全沒有地位，隨便人殺來打去。

　　這個種姓制度，世代相傳，永遠不能越級翻身。所以不同級的人不准通婚，免得打亂種姓制度。到了後來信奉回教的蒙兀爾人打進了印度，統治了印度，本以為蒙兀爾人會打破原來的制度，結果卻剛好相反。

　　人們為了怕失去原有的傳統，反作用力更大，規矩更加森嚴。如果有人「跨級」結婚、相愛，長輩可以把兒女「榮譽處死」，不但沒有罪，還會受讚揚。英國人統治印度，也改變不了種姓制度。1947 年印度脫離英國獨立，憲法明文規定「任何人不得因種姓、宗教、出生地而受歧視」，並明文廢除「不可接觸」，還在國會保留一定席位給「賤民」階級，保障他們可以受教育，當政府公務員。升學考試，都有「賤民」保障名額。

　　政治法律上做了這麼多，社會有沒有改變？

　　有，變得更墨守、閉鎖，朝反方向變！誰想打破規矩，社會就把你的頭打破，打到死！真的是「法律歸法律，種姓歸種姓」！

　　哈金（Hakim）和梅葳許（Mehwish）是現代印度的梁山

伯和祝英台，他們倆相戀，爲了愛離開家鄉，幸好得到「公益組織」的幫助，一起在外地生活。不幸的是，哈金爲了病重的媽媽，偷偷回到家鄉，不到一星期，大白天在大街上被公開槍殺。警察根本放任不管，因爲這是「榮譽處死」！

像哈金和梅葳許這樣的悲慘案例，每年因跨級戀愛而白白丟掉性命的有幾千人，到底是幾千？根本查不清，因爲很多人都被冠上「強姦犯」的名目處死，很多根本不立案，死都白死。

夜再黑，總是有星光！

桑傑・薛達瓦（Sanjay Sachdeva）挺身出來，在 **2010 年7 月 7 日**成立了「愛情敢死隊」Love Commandos，桑傑做過記者，所以社會悲慘眞相，他是親身經歷的。他的義工都是律師、記者、商人，他們決心要改變。

「愛情敢死隊」會保護爲愛而有危險的情侶、夫婦，提供他們安全的庇護，避免他們被「父母追殺」。組織名爲「愛情敢死隊」，一看就知道義工也有生命危險，有一個宗教組織，懸賞八千美金，要買桑傑的人頭。

桑傑在成立愛情敢死隊之初，以爲一年只會接到一、兩百個案子，沒想到是每天就有三百對愛人來求援。被他們保護的人，還是經常經不起「親情」的勸誘，暴露行蹤，而被家人抓回去動私刑。有一個二十三歲的大學生和他二十歲的女友私奔逃家，受到愛情敢死隊的保護。但後來被親人騙回去家鄉，男生被砍頭，女生被活活打死！

所以桑傑雖是暗夜的「救星」，但夜實在太黑，星光實在太小。好消息是，救星不只一個，現在桑傑已經有超過六十萬的敢死隊員，分佈在全印度，並設立二十四小時救援

專線，義勇軍還在持續擴大中。桑傑說：

我們想向世界傳達一個信息，印度這個國家不是只有殺死愛的兇手，也有保護愛的人！

真愛將征服世界，真愛必將統治世界，

我相信一定會有這一天，到了這一天，世界才真的得到解放！

是啊，我們都在等這一天。如果我們想早一點看見這一天，要像桑傑那樣見義勇為，不要光是等待！

7.8 站上時代的浪頭

變化來臨，有人反應快，有人反應慢，有人不見不聞，不反應。反應快的以變應變，帶領新潮。

1853 年 7 月 8 日，美國東印度艦隊由司令馬修・伯里（Matthew Calbraith Perry）帶領四艘軍艦，共計六十三門大砲，強行開進日本江戶灣相州浦賀海面，也就是現在的東京灣神奈川縣。老美來幹什麼？他們要來談「開港通商」。日本當時是採「鎖國」，外國商人只能通過「長崎」一個口岸和日本貿易，限制很多。荷蘭、英國、法國都跟日本談過，但談不出頭緒。美國在太平洋的另一邊，這回可是來者不善，帶著龐大的武力，就是要強迫開港通商。

這四艘軍艦，船身是黑色的，所以稱為「黑船來襲」。黑船比日本最大的船還要大上十倍，嚇得江戶城一片騷亂，許多人跑去神社祈求，希望神降巨風摧毀黑船。當然沒用，美國可不是 13 世紀的蒙古軍，風怎麼吹得走？幕府不敢拒絕，推說要等天皇批准；伯里相信，帶船走了。

第二年，他帶了七艘軍艦，再度來到日本，迫使日本簽訂「神奈川條約」，後來加簽「下田條約」。日本二百多年的鎖國，自此終結。英國、荷蘭、俄國都跟著進來。

當黑船來襲的當天，一個高知鄉下的下級武士，聽人說有黑船來襲，冒冒失失從江戶趕去，想要驅趕黑船。當他看到美國軍艦，腦中一片黑。當下知道世界之大，決心放下劍術、漢學，改學西學。他就是十九歲的坂本龍馬。

坂本龍馬曾經跟好友檜垣直治說：「以後在室內亂打亂

鬥的狀況會變多，所以我現在喜歡小太刀。小太刀靈活，比太刀實用。」

幾天後，直治配著小太刀來找他，他掏出一把手槍，說：「這個比小太刀更有威力。」

後來，直治弄了把手槍，再來見龍馬，這回龍馬手上拿著一本書，一部《萬國公法》，說：「手槍只能殺死敵人，此書可以振興日本！」

龍馬是日本維新的第一推手，他提出《船中八策》：

一、大政奉還朝廷，政令應當出於朝廷。**大政奉還**

二、設立上下議政局，置議員以參萬機，展公議以決萬機。
設立議會

三、公卿諸侯，天下人才，舉其有能。削減有名無實之官。
成立內閣

四、廣採公議以交外國，檢討條約以定其當。**廢除治外法權**

五、參照萬律，制定完善法典。**日本帝國憲法**

六、擴張海軍。**陸軍、海軍並重**

七、設禁衛軍保衛都城。**設立近衛師團**

八、金銀貨物與貿易之事，應參照外國，定其宜當之法。
關稅自主

整個「明治維新」的政治綱領，就是出於龍馬的《船中八策》。他是日本第一個帶妻子渡蜜月的人，還是長崎蛋糕的發明者。可惜後來被政敵刺殺，死時才三十一歲。

龍馬有力行求變的精神，所以能走在時代前端，帶領日本維新的思想，鼓動浪潮。反觀同時期的中國，正是缺乏龍馬這種氣魄人物，以致抱殘守缺，不能全面革新，而招致百年的悲慘命運。其實龍馬的求變思想也是源於中國。

　　有一次西鄉隆盛對他說：「你前天所說的和今天所說的不一樣，這樣你怎麼能取信於我？你身為天下名士，必須有堅定的信念！」

　　龍馬說：「不是這樣的，子曰：『君子從時』。時間不斷在推移，社會形勢天天在變。順應時代潮流才是君子之道！西鄉，你一旦決定一件事之後，就只想貫徹始終。但是這麼做，將來你會落於時代之後的。」

　　所以，不是中學或西學的問題，而是你腦袋能不能變通！同樣看到黑船，龍馬改變自己，改變日本。不變的人，等著被龍馬改變！

● 明治維新的重要
　推手坂本龍馬

● 「黑船來航」的事件，使日本鎖國時期因而宣告結束。

● 美國艦隊司令官培理率領黑船，打開
　鎖國時期的日本國門。

7.9 有錢人才能擁有的普普藝術

你有兩個一模一樣的宋朝官窯青瓷，每件如果值一千萬，兩件就值二千萬，要是你不小心摔碎一件，可千萬不要去撞牆。

因為這下你不但沒有損失一千萬，反而因為這世界只剩這一件青瓷，它應該要值四千萬，為什麼？因為它獨一無二！但是你最好趕快賣掉，免得又摔壞這最後的一件！

藝術品的珍貴，不只是一件作品有多傑出，而是它還是獨一無二。梵谷畫的自畫像，雖然畫的都是他本人，但不可能兩張一模一樣，而且這是他親手畫的，全世界就只有這一張，其他人仿畫，畫得再像，也是仿冒、山寨，不值錢的。這個鐵律打不破嗎？

安迪想成為頂尖的藝術家，但卻一直搞不出什麼名堂。在藝術界不只要有好的技藝，還要能「創新」。1961 年 12 月，一個室內設計師慕瑞‧拉圖（Muriel Latow）對他說：「畫你所愛的東西，大家每天看到，再普通也不過的東西。」

安迪聽了她的話，第二天決定要畫「康寶濃湯」，這是他最愛的罐頭食物，而且他不用手畫，他用彩色「複印」，其實是絹印版畫。選好一張相片，把它放大，在絹布上轉製成膠水，然後用墨水滾過，墨水只會浸透絹布、不會穿過膠水。如此一來，你就能一再得到同一張圖像，但每次都有點不同。一切都很簡單、迅速。

1962 年 7 月 9 日，像複印機做的「康寶濃湯」在洛杉磯弗魯斯畫廊（Ferus Gallery）首度展覽。因為是複印的，每張

只賣六塊美金。安迪解釋這是對資本主義、工業文明的反射，他要闡述「大量生產」，而且他故意複印得不很準，有錯色。這一天「普普藝術」誕生了。爲什麼誕生的不是安迪做出作品的那一天？因爲作品完成只是一件「作品」，作品標上價，有人買走，它才成爲一件「藝術品」。所以囉！

　　安迪就是普普藝術的大師安迪沃荷（Andy Warhol）。安迪不只印康寶濃湯，他還複印可口可樂、貓王、瑪麗蓮夢露、毛澤東……。他曾想把作品捐給紐約現代藝術博物館（MoMA）收藏，結果被婉拒。現在這每一張「康寶濃湯」價值二百萬美金，MoMA 現在藏有超過一百張安迪的畫，都是高價收購來的！

　　安迪沃荷的「創新」是什麼？他創新了藝術的新說法、新解釋、新行爲。他爲有錢人的錢，找到一個新錢坑。坑越深，錢越多！他最有名的一句話：「未來每一個人都會成名十五分鐘！」不管他說得對不對？他做「複印畫」每一張看起來不用十五分鐘！

● 普普藝術大師安迪沃荷

● 安迪沃荷最初的代表作──「康寶濃湯」

7.10 轉機

有人能把危機變成轉機，有人會把良機搞成危機！

關鍵在「有人」，意思是時機當下有什麼人掌握歷史的鑰匙？

現在站在美國財政部大門口的雕像，是亞歷山大・漢彌爾頓（Alexander Hamilton）。他是美國的國父之一，十元鈔票上的帥哥像就是他。

1775 年到 1783 年美國打了八年的獨立戰爭，最後好像打勝了，但危機也同時降臨。什麼危機？政府沒錢，沒法開張！而且還欠了法國、荷蘭大筆的外債，加上各州募兵所欠的軍餉，以及向老百姓徵收糧食、物資所打的欠條。這些錢都得還，否則不是比英國國王還糟糕？當時算起來總共等同五千八百萬美金。

新成立的聯邦政府根本沒錢，所以一開門就會倒閉。英國人就等著看好戲，等著美國聯邦倒店，然後各州就會一一回頭來求爸爸，乖乖說：「爸爸，我錯了！」，讓你知道什麼叫「有錢才是爹」。

這時才三十出頭的漢彌爾頓想出一個偉大的創意。

第一步，發行一種新貨幣叫美金。各州的人民把手上亂七八糟的貨幣，按一比一全換成美金。先把全國錢的樣子統一起來。

第二步，發行聯邦的債券，規定只能用美金買聯邦債券，這樣就能把流通在市面的錢收回來。

第三步，拿收回來的錢去還外債和欠老百姓的債。

這樣一旋轉，美國聯邦就可以轉過來，財務的危機就解除了。這就是著名的「旋轉門計畫」。

可是另一個偉大的國父湯瑪士‧傑佛遜（Thomas Jefferson）反對這個計畫。傑佛遜繼承了龐大的莊園，有六百個奴隸，是當時美國最有錢的人。但他滿懷理想，對搞錢沒有興趣。他理想中的美國是人民純樸善良、安居樂業，他怕這種金錢把戲會破壞善良人性。而且錢早晚會集中到少數人手中，那就摧毀了人人平等的理想。他更怕聯邦政府以統一的美金，集中權力，控制各州，形成一個中央集權的政府，那就失去「聯邦」、「各州平等」的開國理想。

兩派相持不下，誰對？都對！但政府總要開張，沒錢怎麼開？最後漢彌爾頓和傑佛遜達成協議，傑佛遜支持漢彌爾頓的計畫。漢彌爾頓利用交易商賣出大量國債，吸金吸到歐洲本土，總共收回六千四百二十萬美金，這下靠著「信用」建立了美國的根基，開啓了「華爾街」。

華盛頓是在紐約就任第一任總統後，漢彌爾頓支持傑佛遜的構想，便把政治中心搬離紐約，建立一個新首都——華盛頓，不要讓政客和銀行家每天混在一起，以免政治被金錢腐化。

後來漢彌爾頓的好朋友副總統艾隆‧伯爾（Aaron Burr, Jr.）要選總統，對手正是漢彌爾頓長期的政敵傑佛遜。漢彌爾頓卻選擇支持傑佛遜，伯爾因此落敗，氣得要與他決鬥。

1804 年 7 月 10 日，漢彌爾頓在日記寫著：「明天我將不會開槍，一切交給上帝去決定……」

結果第二天決鬥，伯爾當然不知道對手不會開槍，漢彌爾頓不幸被一槍擊中，離開人世，此時他才四十七歲，他就

葬在華爾街與百老匯的交叉口。

　　傑佛遜也很偉大，他兩任總統做完，堅持不再選，建立美國總統最多只做兩任的傳統。而且他本來是個富有的莊園主，但卸任總統後，卻背了一屁股債。因為美國剛開國，用錢拮据，但國家總要有一定的排場，許多花費都是他拿自己的錢來貼。他的遠見也完全準確，美國每隔幾年，因為投機者的貪婪，就會出現金融風暴，把普通人民的錢騙光。

　　美國所以能成就偉大的民主，多虧這些開國先賢是既有遠見、又有才幹，而且人格高貴。看看歷史，想想現在，其實每一個時刻都是「轉機」，但要看是誰轉囉！

●十元美金鈔票上，印著開國元勳漢彌爾頓的肖像。

7.11 少年英雄

見義勇為，要即時反應。一有遲疑，就錯過時機。

魔鬼就是利用我們的遲疑，來擴大他的版圖。

2013 年 7 月 11 日，美國賓州，五歲的喬思琳（Jocelyn Rojas）在自己家的前院玩耍時，突然失蹤。警方推測她可能是被壞人用冰淇淋拐走。警察全面出動搜索，家人和鄰居也挨家挨戶問人有沒有看見喬思琳，但找了兩個小時，一無所獲，時間一分一秒的過去。

十五歲的柏格斯（Temar Boggs）和朋友也騎著腳踏車加入搜索，他們兩人在離小女孩家約半英里的地方，發現喬思琳好像在一輛車裡，他們兩個毫不遲疑，立馬跟上去。

柏格斯發現車子開始東繞西繞，顯然有意要甩掉他們。他這下更加確定這輛車子有問題，小女孩八成就在車上。兩個人跟得更緊，然後車子突然加速，他們死命踩腳踏車，不讓車子跟丟。從鎮上一直追到城外。最後車子停下，車門打開，一個小女孩跑下車，太好了，正是喬思琳。喬思琳跑向柏格斯，跟他說她要回家找媽媽。

這時歹徒開車離去，根據柏格斯描述，嫌犯是白種男性，年紀在五十歲以上，穿綠褲子、綠鞋子、紅白條紋上衣，有點跛腳。警方仍在搜捕中。

當然最慶幸的是小女孩安全回家。柏格斯說：

「喬思琳能平安回來，真是太棒了。我覺得我今天做了一件不得了的事！」

喬思琳的奶奶抱著柏格斯說：「你是我們的英雄！」

　　英雄之所以為英雄，是他行動不是出於利益的思考，而是出於仁義的反應。他沒在想，這樣做有沒有危險？有什麼好處？他就是路見有難，挺身相助。英雄不是不知道風險，而是他的正義感壓過風險計算，有時明明知道出手、出聲沒好處，但就是得出手、出聲，他是跟著「心」走，不是用「腦」算。壞蛋可是時刻在計算呢！

　　柏格斯也算一個小孩，而且騎的是腳踏車；拐騙喬思琳的嫌犯是大人，而且開的是汽車。如果不是嫌犯感受到柏格斯的「決心」，強大到不能動搖，已經到手的東西，怎麼會放手？因為英雄的心壓倒歹徒的心，邪不勝正。何況正義的一方不是人單力孤，是兩個英勇少年。

●柏格斯英勇救回被壞人拐走的小女孩。

7.12 一枝筆改變世界

電影裡，好人總會戰勝壞人。壞人的力量再大，好人也有「奇蹟」保護。壞人的子彈是打不中好人的，就算不幸被打中，也會奇蹟般正好偏離要害，死裡逃生！但我們都知道電影不是真實世界，真實世界沒有這麼美好。真的嗎？真實世界真的沒有奇蹟嗎？

在巴基斯坦，有個十四歲的少女馬拉拉・尤蘇芙札（Malala Yousafzai）放學搭校車回家時，有一個滿臉鬍鬚、警察打扮的男子突然上車，問：「誰是尤蘇芙札？」

一時沒有學生答話，但坐在馬拉拉身旁的女同學本能的看了她一眼，男子立刻對準馬拉拉的頭部開了一槍，就下車走人。

近距離頭部的中槍本來是死定的，但馬拉拉被送進醫院急救後，醫生發現子彈居然穿過頭和頸部，卡在肩膀，而沒有打爆她的頭。經過徹夜手術，子彈在清晨取出來，馬拉拉保住一命。這是第一個奇蹟！

更奇蹟的是小女孩的腦部沒有受損，所以她可以康復，而且行動自如、腦清目明！

你要問：開槍打她的是誰？為什麼要對一個純真可愛的小女孩下毒手？

原來凶手是一名「塔利班」。塔利班之所以要殺馬拉拉，因為她是爭取女性受教育的人權象徵。

事情要從 2007 年講起，當時塔利班佔領了馬拉拉住的小城，照他們的慣例禁止女生讀書，關閉所有女校。

到了 2009 年，巴基斯坦政府軍奪回那個地區的控制權，恢復女生上學。但塔利班隨時可能打回來，而且他們貼出公告，哪個女生敢去上學，就保證沒命。

馬拉拉很想上學，但也很害怕，她在 2009 年 1 月 2 日的晚上做了可怕的惡夢，夢見軍隊、直昇機、塔利班……第二天她不但勇敢的去上學，還上了英國廣播公司 BBC 的網站，用谷爾瑪凱（Gul Makai）的筆名寫部落格。揭露塔利班為禁止女生上學的種種暴行，寫出小女孩渴望上學的心聲。她真實、自然、發自內心的文字，激發許多少女和父母的勇氣，無懼塔利班的威嚇，去上學！

其實馬拉拉的爸爸祖丁‧尤蘇芙札（Ziauddin Yousafzai）本身就是一個教育家，平日就常常四處演講，推廣女童受教育。馬拉拉受父親的影響，自然勇敢過人。她不只寫部落格，還上媒體為女生受教育講話。

「我只是想上學，我什麼都不怕！」一個美麗善良的小女生，能有這麼大勇氣，能講出這麼有力簡單的道理，自然令人動容。

巴基斯坦政府頒給她「國家和平獎」，國際組織提名她角逐「國際兒童和平獎」，隨著她名聲越來越響亮，她在 BBC 的匿名部落格也成了公開的秘密。

殺機也隨之而來，塔利班的領袖說：「我們不想殺她，但我們沒有別的辦法。」

塔利班刺殺馬拉拉，想要使她靜默，卻反而更加大她的聲音！馬拉拉遇刺的消息一傳出，激起舉世的義憤。她不但登上《時代雜誌》的封面，還獲選 2012 時代年度風雲人物的第二位。

聯合國決定每年的 **7 月 12 日**，也就是馬拉拉的生日為「馬拉拉日」。

是不是？真實的世界一樣會有奇蹟，而且創造奇蹟的是一個小女孩！馬拉拉的老師說的好：「她是個普通的女孩，卻有著超凡的能力，但她從不覺得自己有多特別！」

真實的世界是有奇蹟，馬拉拉就是奇蹟！

但奇蹟來自什麼？其實很簡單，就如馬拉拉說的：

一枝筆，一本書，

一個學生，一個老師，

就能改變世界！

● 被塔利班刺殺，奇蹟生還的馬拉拉，是爭取女性受教權的人權象徵。

7.13 福島勇士的眞相

眞相就是眞相，不管它刺傷了誰！

2011 年日本 311 大海嘯，震驚全球，但更可怕的是「福島核災」！因爲核電災難沒有「災後」，它要持續不斷的處理，光廢廠至少就要四十年。

人力是個大問題，東京電力公司找不到足夠的人手。當然，誰會笨到去送死呢？可是確實有人進入福島核電廠工作，除了當時搶救的「福島五十勇士」，後面陸續有三千人的「福島勇士團」在善後。日本這個民族眞神奇，他們眞的有「神風特攻隊」的傳統，就是有那麼多人會犧牲自己，來拯救日本。東京電力公司的員工眞是太令人感動，別的國家絕對找不到這樣死忠的員工。眞的是這樣的嗎？

有一種人就是頭上有光，專門往黑暗的地方去。

日本一個自由記者鈴木智彥決定要找出眞相，他在 **2011 年 7 月 13 日**假扮成臨時工人，進入「福島勇士團」去臥底。他利用隱藏在手錶的針孔攝影機，偷偷拍攝工作的現場情況，並私下採訪，揭發了驚人的黑幕。

原來福島核災發生後，東京電力公司一開始根本找不到人。怎麼辦？用「錢」。東電當時從日薪五萬出價到日薪二十萬日幣，等於一天可賺台幣七萬塊。結果呢？還是找沒人。錢再多，沒命要幹嘛？外面找沒人，東電裡面的員工更不會去、不敢去、不願去。

但有錢能使鬼推磨，沒錯，是鬼爲了錢找倒霉鬼來推磨。什麼鬼？是黑道。

　　東電出這麼多錢，擺著不賺太可惜，黑道就來了。黑道負責出面找工人，對象有一種是欠黑道的高利貸，還不出錢的倒霉鬼。現在大哥叫你去福島核電，你賺的錢正好拿來抵債。什麼？你怕死不去？那現在就砍死你，看你要現在死，還是去福島核電以後慢慢死？

　　還有的是街頭的流浪漢，甚至是智能障礙者。這些人根本搞不清自己在幹什麼？只能被黑道擺佈無力反抗。實在湊不夠人數，就只好逼「小弟」去充數，所以歹路不好走，大哥會跟錢攀交情，哪會和小弟講義氣？

　　每人每日二十萬的工資，大部分都掉進黑道的口袋。後來核電廠情況穩定一點，行情是每日三萬日幣，但黑道抽走2/3。以前說逼良為娼，日本是逼良為核電廠送死。

　　鈴木智彥就這樣混在臨時工中，這些所謂核電處理人員根本沒有幾個是專業人員，等於是穿著防護衣的「雜牌軍」。問題是許多人根本沒有輻射的警覺和知識，甚至會摘下防毒面具來吸煙，還有人在現場吸毒。

　　鈴木說他們都會帶個輻射偵測器，本來規定偵測器如果響，就要撤離、暫停工作。但是不管走到哪裡，不管什麼時候，偵測器總是破表，響個不停，最後只好關掉，裝作沒事。整個作業流程非常馬虎，工人感覺身體不適，也沒有檢查是否受到輻射汙染，甚至給個感冒藥，就敷衍了事。反正這些人都是「死了，社會也無所謂的人」。

　　鈴木自己也出現大量掉頭髮、嘔吐的症狀。他在臥底六個星期後，出來寫下完整的調查報導。在311週年前夕，透過英國的媒體，向全世界揭露東電的謊言。

　　鈴木本來很擔心會招來黑道的報復，沒想到黑道反而有

點感謝他。因爲如果沒有他的報導，日本人還不知道原來在國家危難的的時候，政客、財閥束手無策時，是黑道挺身而出。其實在阪神大地震時，黑道就已經介入救災的工作。災難財太好賺，只是別人賺不來。

不錯，時間會審判一切。但如果沒有像鈴木這種勇者，真相不知哪一天才會被帶到陽光下，揭穿虛假的謊言。

當然，也是有人真的爲福島核災付出，但我們不能只看到我們想看到的，而在讚揚的光芒下，忽視更大的黑暗。

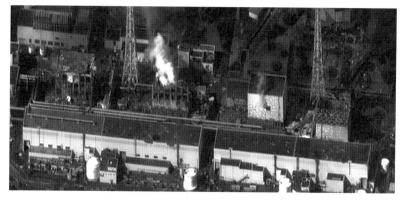

● 2011 年 3 月 11 日東日本大地震，福島第一核電廠發生世紀核災。

●鈴木智彥到福島核電廠臥底，揭發驚人的黑幕，他因此受輻射汙染，頭髮大量脫落。

7.14 今日無事可記

法王路易十六是唯一會每天寫日記的國王。

他的日記現在保存在法國國家檔案館。根據字體的仔細工整來推斷，這應該是叫專人按路易十六原稿重新謄寫的副本。真正原稿殘存不多，上面改動很大，有槓掉的、有加添的，塗來改去。這部日記總共記載二十六個年頭，仔細謄寫的工程也很可觀。可見路易十六多麼看重他的日記，他真的想給後世留下一部偉大法蘭西國王的寶典。

可是他的觀點和普世不同，就是他在意的東西會讓人哭笑不得。怎麼說？日記中最常出現的東西是「狩獵」，他認真的計算過，他十四年總共捕殺 189256 隻野獸。其中公鹿有 1274 頭。他在 1784 年 6 月 28 日，殺死 200 隻燕子。他還精心為他騎過的馬，寫了一份詳細的名單。二十六年中他洗過四十三次澡，得過兩次消化不良！

1789 年 7 月 14 日，憤怒的人民攻占巴黎的「巴士底監獄」，吹響法國大革命的號角。

你猜路易十六那天日記寫什麼？

無事可記。

沒錯，他就是只寫了 Rien，無事可記。

難怪前兩天，當人民開始暴動，攻擊稅務機關，警報傳來，路易十六問身邊的大臣昂古爾公爵：

「這是叛亂嗎？」

「不，陛下，這是一場革命。」

　　歷史的鑰匙通常掌握在最不該掌握鑰匙的人手裡，路易十六對國事無成，偏偏在國事如麻時，他是國王。

　　這不僅是他個人的痛苦，更是人民的悲慘，國家的災禍。在 1989 年 7 月 14 日慶祝法國革命二百週年的大典上，總統密特朗提到路易十六，說：

　　「路易十六是個好人，把他處死是件悲劇，但也是不可避免的。」

　　路易十六的問題不是他好打獵、荒廢國事，而是他的優柔寡斷、舉棋不定。他確實接下祖上留下的財政爛攤，但他也有機會改革，成為法國第一個「君主立憲」的開明國王。

　　革命前，他一下站左邊，一下站右邊的個性，造成內閣大臣們的內訌。革命後，他一下宣誓為「法蘭西人的國王」，一下又想逃到國外，尋求別國皇室的支援，大大惹惱了法國人民。

　　而當人民來凡爾賽宮抓他時，他貼身衛隊是瑞士的僱傭兵，瑞士的傭兵以忠誠舉世聞名，當然會誓死保護他。但路易十六因為面對的是法國人民，他又下令瑞士衛隊不准射殺法國人。可憐的瑞士衛隊既要保護主人，又不能殺敵，結果 138 人全數犧牲，無一活命。沒錯，你可以說路易十六有仁慈心腸，不忍心殺死自己的子民。但瑞士衛隊就不是人嗎？他們的命為什麼要白白送死啊？路易十六可以下令他們全數投降嘛！但他不，他又不想落入人民的手中，又不想擔上殺人民的罪名。這不是心慈手軟，而是懦弱。有這樣懦弱的老闆，跟著他不死誰死？但死了也是白死！白白死了 138 個忠肝義膽的好漢！

7.15 夢想的翅膀

要注意那些醒著做夢的人，因為他們真的會去實現。

英國的「國王之土小學」Kingsland Primary School 雖然有個高貴響亮的名字，但其實非常弱勢。學校所在的地區是經濟貧困區，年輕人多半出外謀生，地方上只有留下老人、小孩，很多家庭都是隔代教養。學校資源很少，學生學習動力低弱。

有一回，學校需要建一個新教室，問題是經費不足，沒錢！怎麼辦？校長把這個難題和學生一起想辦法。問大家除了一般正常的教室，大家想要什麼樣的教室？

雖然沒錢蓋真正的教室，同學們就當做好玩，放開來想。有的人說要蓋城堡來做教室，有的說海灘比較好……小朋友天馬行空，卻越討論越真實。最後大家決議：他們想要一架「飛機」來當教室。

夢想定案，然後要實現。同學們分工合作，高年級的負責去向政府申請，他們填了一大堆表格，向公務員做了一大堆說明，終於取得用飛機當教室的合法執照。中年級的負責買飛機，小朋友在 eBay 上找到一架要報廢的老飛機，這架機型 Short-360 的螺旋槳飛機，原來是用來飛短程的載客機。他們真的用低價把飛機買到手。

光有飛機不夠，裡面還要改裝才能當教室用。低年級的孩子在網上找到一個室內設計師，他們寄信給他，告訴設計師他們的夢想，拜託設計師可以收一點點錢幫他們設計。最後成交，設計師願意免費幫他們設計飛機教室。

　　於是機艙內大改裝，前頭有白板、投影機，走道淨空，兩旁靠窗裝上椅子和便桌，真的可以上課。他們把這個教室取名叫「國王的翅膀」King's Wings。

　　2009年7月15日，國王的翅膀正式啓用，小朋友們開始登機。這架飛機就成了地理教室。孩子登上飛機，今天地理課要上埃及，他們就出發到埃及。要上印度，他們就飛去印度！飛機超平穩，一點也不會晃，因爲「如履平地」啊！

　　這間神奇的飛機教室，讓孩子的學習動力大大提高，每個人都愛上地理課，因爲好好玩。而打造飛機教室的錢，總共花了兩萬英鎊，比建一間新教室便宜太多了。

　　茱莉亞羅勃茲有句話說得不錯：「人有兩種。一種是有翅膀的，一種是沒有翅膀的。」也許是：「人生來都有翅膀，只是許多人在長大前，翅膀被折斷了。」

　　國王的翅膀，正是一群孩子用他們夢想的翅膀，實現我們不敢想的事！

7.16 推動搖籃的手在統治世界

　　一個可愛的五歲小女孩，叫做珍。有一天下午，她太想知道：母雞到底是怎麼生蛋？於是便爬進雞籠想看個究竟，沒想到她一進去，母雞就全跑出來。於是她改變方法，自己先躲在一個空的雞籠裡，然後等著母雞下蛋。她等、等、再等，居然等了五個小時，才終於看到母雞如何下蛋。當珍興奮的跑出雞舍，她不知道她已闖了禍。

　　原來她失蹤了一下午，大人為了找她，整個小鎮都翻過來。不只鄰居朋友全部出動，警察、駐軍忙成一團。找了一下午，眼看天都黑了，到處都找不到珍，大家心情從緊張到沈重。就在此時，一個小小、頭髮凌亂的身影，全身沾滿麥草，出現在大家面前。

　　「找到啦！」有人大喊，所有人都過來圍著珍。

　　「你跑到哪裡去了？」珍的媽媽問。

　　「看一隻母雞。」

　　「你不見了五個鐘頭，你怎麼可能都在看母雞呢？」

　　小小的珍，疲倦的眼睛閃著亮光，興奮的說著，她如何躲在雞舍，靜靜等母雞下蛋……。大家聽完，只好苦笑。珍的媽媽趕緊向每個人道謝，打電話給警察局，請他們不用再找。然後她緊握珍的手，讓珍坐下來，聽珍繼續講母雞如何下蛋。換做一般的父母，少不了一頓責罵，搞不好還要挨幾下打。而珍的媽媽卻能給孩子最大的尊重，當孩子特立獨行時，有寬容接受的智慧，這樣才能使孩子有寬廣的視野。這個搞出「雞舍事件」的小女孩，就是後來聞名世界的動物保

育家珍古德博士（Jane Goodall）。

　　珍古德在二十六歲時，決定到非洲坦尚尼亞的岡貝，研究黑猩猩。當時的岡貝，沒有外人去過。一個年輕的白種女性要進入所謂的「黑色大陸」，政府怕出事，所以不放行。幾經交涉，政府提出一個條件，只要珍古德有人陪，不是一個人，就准，否則免談。結果，是誰在 **1960 年 7 月 16 日**陪伴珍古德踏上岡貝，開啟了她長達五十年的研究工作，改寫了人類動物學，成為 20 世紀最偉大的女性動物保育學家？沒錯，就是她的媽媽凡安·古德女士（Vanne Goodall）。

　　真的，如果沒有這樣的媽媽，就沒有今天這樣的珍古德。珍的媽媽在她的回憶錄裡，寫到珍出生後，醫生對她說的話：「這將是非常具有挑戰性的經驗，你會了解自己必須為另一個生命負責。而她的發展將有很大部分取決於你對她的回應。別忘了那句話：推動搖籃的手在統治世界。至少，也多少形塑了這個世界的未來。」真的，這是所有做父母的人都該牢記的道理。

●珍古德一家的全家福，
位於左下角的是珍古德。

7.17 幸運發明

1960 年代美國底特律的治安很糟，街頭動不動就上演槍戰，跟電影警匪片的畫面沒什麼不同，不同的是很多警察真的挨槍、真的死了。

有個人叫理查‧戴維斯（Richard Davis），他原本在海軍陸戰隊服役，退伍後在底特律當批薩店的送貨員。他的日子平平凡凡，不過為了自保，送披薩時也隨身帶槍。連普通一個披薩送貨員都帶槍，可見治安有多差！

1969 年 7 月 17 日，一個很平常的夜晚，理查像平常一樣出外送披薩。當他到達送貨地點，卻發現那裡是個廢棄的工廠，很不對勁。然後他認出來取披薩的三個人，就是報紙上登的殺警槍擊犯。這時有個歹徒發現理查的神情不對，便掏出槍來指著他。理查可是經過陸戰隊的嚴格訓練，而且他剛退伍不久，本能反應，在第一時間拔槍還擊。近距離連開三槍，這該死的三個壞蛋怎麼也沒想到會惹到這號傢伙，還沒來得及反應，就通通一槍斃命。

理查雖然逃過一劫，但他自己也嚇壞了。他想到警察在這樣惡劣的環境下，真的會隨時送命。而當時的防彈衣非常笨重，不穿還好，人穿上去動作遲鈍，反而死更快。

理查便把家裡的車庫改成實驗室，想要做出又安全又輕便的防彈衣。他開始收集材料，發現當時杜邦公司（DuPont）研發出一種材料叫「克拉纖維」Kevlar，這種纖維又輕又薄又防火，而且可以吸收高度衝擊力。

杜邦會做材料，但不知道拿這個材料做什麼用？正好

給理查拿來做防彈背心。這種新式的防彈背心可以穿在衣服內，人的動作完全不會受到限制，而且價格便宜。那防彈的效果呢？理查每次展示他的發明，都親自穿上防彈衣，自己對自己開槍，實驗給大家看，所以產品更容易得到信賴。

他在 1970 年成立「第二次機會」Second Chance 公司，生產克拉纖維防彈背心，不只美國，全世界的警界都採用。採用他的防彈背心後，光在美國就有超過二千名警察，因此保住了性命。

人生的際遇很難說，就像蜘蛛網一樣錯綜複雜。最早的防彈衣是由一位在芝加哥的神父所發明，他用四層蠶絲編織而成，又昂貴又笨重，效果有限，只能擋住黑色火藥所擊發的慢速子彈。

1914 年奧地利斐迪南大公遭到行刺，當時他就穿著這種老式的防彈衣。但是刺客使用的手槍，是用非黑色火藥所擊發的快速子彈！更要命的是，刺客那一槍打中斐迪南大公的頸子，那裡什麼保護也沒有。這一槍打死了斐迪南大公，也引發了第一次世界大戰。

反過來看，理查很走運，但可貴的是他能珍惜好運，不只成就自己的事業，也救了許多寶貴的生命。

7.18 性感

法國汽車工程師路易‧里爾德（Louis Réard），他在 1946 年繼承了母親在巴黎的內衣店。當時二次大戰剛結束，布料很貴，所以他想用最少的布，來設計一種女性的衣著。雖然里爾德從來沒做過服裝設計，連裁縫都不會，但外行的他真刀實槍做起來。

當他設計完成，卻想不出要給新產品取什麼名字好？正在傷腦筋的時候，看到報紙的頭條消息：美國在太平洋馬紹爾群島的一個小環礁，進行二次大戰後第一次原子彈試爆。這個只有 2.4 平方公里大的小小環礁島，這下名震世界。里爾德靈機一動，決定用這個小島的名字來爲他的新設計命名，他也希望能用少少的布而名聞世界。

名字剛解決，另一個問題又來了。里爾德的設計是前所未見的奇怪，豈止是顛覆傳統，簡直像神經病亂搞的結果。而且他在服裝界連靠邊站的位置都沒有。所以沒有一個模特兒肯爲他走秀，深怕穿上他的衣服，被他拖下水，一輩子休想翻身。最後里爾德找到一個脫衣舞孃來幫忙。

1946 年 7 月 18 日，里爾德公開發表他的產品，舞孃穿著新設計一亮相，尖叫聲四起，還有人受不了刺激，當場昏倒。是什麼鬼玩意兒這樣威力巨大？就是三片布四條繩子組合成的「比基尼」！你一定知道那個原子彈試爆的小島名，沒錯，就叫比基尼環礁（Bikini Atoll）。

第一件比基尼只用了不到三十英寸的布，認真折好可以塞進火柴盒。里爾德希望自己的作品，可以得到報紙大幅版

面的報導，還特地使用印有「報紙圖案」的布料。而爲他大膽走秀的脫衣舞孃也因此歷史留名，她叫米雪琳（Micheline Bernardini）。

傳說她後來一輩子，向她求婚的男子高達五萬個。

小小的比基尼，會讓人昏倒，也讓各國政府頭痛。

不只法國本地很多海灘「禁穿」，連周邊的西班牙、比利時、義大利等國也跟著「禁」。美國好萊塢也對比基尼不敢恭維，一直到1957年法國女星性感小貓碧姬芭杜（Brigitte Bardot）在電影《上帝創造女人》And God Created Woman 中，穿著比基尼大展風情，電影票房長紅，比基尼才出現「黃金交叉點」。好萊塢向「錢」看，接著跟進，一個個性感女星像瑪麗蓮夢露都穿上比基尼。從此比基尼熱潮一路向前衝，1969年美國《生活》Life 雜誌，有了比基尼的專題報導，到此比基尼大獲全勝，負面形象一掃而空。

我們現在回頭看，會以爲以前的人眞夠大驚小怪，就一件比基尼吧，也要被打壓幾十年，才有出頭天。其實人類的思想解放，是一個很緩慢的過程。人類社會過去許多的禁忌都十分荒謬，像台灣以前對學生的「髮禁」。在當時反抗髮禁的學生，幾乎等於「不忠不孝不仁不義」的小孩，如今看來毫無意義。花那麼大力氣搞髮禁，眞的是又笨又勤快！

嘲笑過去，不是對以前人刻薄。而是要以此爲鏡，照照現在還有沒有類似的荒謬？

我們自己是不是死硬荒謬大軍的一份子？

不錯，舊的荒謬或許會老死，但新的荒謬一定會長大。

●脫衣舞孃米雪琳穿著比基尼大膽走秀,一舉成名,傳說後來有五萬個男人
向她求過婚。

7.19 生意與道德

1+1=2，1+(-1)=0。

過去的思維是企業拼命賺錢，然後把賺的錢捐給慈善基金會。基金會不要賺錢，由基金會努力做善事。可是真實的情況呢？

是企業拼命賺錢，賺了錢它才不管別人的命，它會用各種名目逃稅，基金會變成它藏錢、逃稅的工具。而真正在做慈善的基金會，確實很「努力」，努力什麼？80%的力氣都用來募款、找錢，辛苦又洩氣，實在浪費力氣再加沒意義！

本來以為 1+1，其實是 1+(-1)。錢根本沒有流到該去的地方。就算錢到位，運用上也沒效率。有沒有好辦法可以改變呢？有，就是把 1+1 的這兩個 1 不要分開，把它們加在一起變成一個完整的 2，或者說雙 1。就是把企業和慈善合而為一，成為「社會型企業」。

企業販賣商品，先跟顧客講明，它賺的錢是為某個明確的慈善目的。所以顧客在掏錢消費時，知道自己花的錢除了買到東西，還會幫助做公益，而且知道是幫誰？幫什麼？這樣就一石二鳥，兩全其美。

2010 年 7 月 19 日，英國成立了「大社會資本」Big Society Capital，每年有六億英鎊的預算，由「大社會信託公司」負責營運，獨立於政府之外。這筆錢專門用來貸款給「社會型企業」，扶植它們成長。

例如有一個叫 Elvis & Kresse 的公司，它是一對設計師夫

婦創立的，產品是年輕時髦的包包。包包的質料是用高級橡膠做的，彈性、耐用，又很炫！

這些橡膠哪兒來的？答案是「消防隊」，消防隊的噴水管是用最好的橡膠，而他們每年都會做固定的汰換，以前都是當廢料處理掉，實在很可惜。現在消防隊把汰換的水管交給 Elvis & Kresse，他們做包包的材料等於不要錢。當他們把包包賣出去時，賺的錢分一半捐給消防的慈善組織。是不是兩全其美？

還有像 Give Me Tap，它賣的是環保的鋁製水壺，你買了這個水壺，可以隨時隨地到他們有合作的餐廳、咖啡廳免費裝水，非常方便。更重要的是你不用買瓶裝水來喝，製造地球承受不了的垃圾和汙染。Give Me Tap 把 70% 的利潤捐給「發展中國家」的乾淨水資源計畫。救地球，幫助人，又能免費喝水。是不是兩全其美？

六億英鎊相當三百億台幣，而且是每年撥，數目不小。因為它要扶植的是「小企業」，這樣小而美的企業越多，社會才會更好。否則很多大老闆、大公司，白天拼命賺黑心錢，然後捐錢蓋廟修教堂，妄圖慈善之名，只會讓世界更醜陋。哪有一邊哈利路亞一邊掏空公司，一邊阿彌陀佛一邊摻偽造假，還冀求蒙神庇佑升天堂？這實在太看不起神，神怎麼會不知道你幹過什麼好事？

手段和目的是一體兩面，不能分開。生意和道德不衝突，更應該合而為一。有道德的生意，生意有道德，才會有美好的社會。

● Give Me Tap 販賣環保鋁製水壺，並把 70% 的利潤捐給發展中國家。

● Elvis & Kresse 回收消防隊汰換的水管做成包包。

7.20 黑暗

不要以為黑暗過後一定有黎明，如果沒有太陽，世界會黑到底！不要以為傷口自己會復原，如果沒有縫合，傷口會繼續潰爛擴大！不要以為罪惡會自己消失，如果正義沒有行動，罪惡會吞沒善良，不會停止！

「洪仲丘」，一個讓台灣所有善良人震驚、悲痛、傷心的名字。洪仲丘是成功大學的碩士，他入伍服役擔任士官，本來 2013 年 7 月 6 日要退伍，沒想到卻在退伍前的 6 月 28 日被「非法」關禁閉，7 月 3 日被凌虐致死。事件發生後，全國輿論要求真相，軍方極力掩蓋不成，竟在 **7 月 20 日**，軍法檢查總長曹金生向媒體表示，有關洪仲丘致死原因關鍵的錄影光碟「完全沒有畫面」！

什麼？「完全沒有畫面」！說什麼？「完全沒有畫面」！為什麼？「完全沒有畫面」、「完全沒有畫面」……曹金生就是一直跳針講同一句話。不管你怎麼問，他就是「完全沒有畫面」！這下子關鍵的證據，完全沒有畫面！

這當然叫人憤怒，8 月 3 日，台北有二十五萬人上總統府前抗議。這人數是多是少？當年金恩博士發表「我有一個夢」的那場演講，在華盛頓聚集的抗議人數正好也是二十五萬。美國多少人口？台灣多少人口？一比就知道了。

政府屈於壓力，同意廢除軍法，改由普通法院審理，並成立「軍事冤案申訴」委員會，受理過去至少二千九百件類似的冤案，但洪仲丘案的被告全遭輕判。委員會至今連一件案子也沒辦！真相如同那消失畫面的錄影光碟，仍是 ——

　　有一種人，在黑暗中覺醒；有一種人，在光亮下沉睡。
我們是哪一種呢？
　　黑暗不能消除黑暗，
　　光明才能消除黑暗！

7.21 運動家精神

什麼叫「運動家的精神」？

2003 年的環法自由車大賽，給人們上了最佳的一課。

這次大賽奪杯最熱門的人選有兩個，一個是美國的藍斯·阿姆斯壯（Lance Armstrong），他之前已經奪下四次環法冠軍，而且人生充滿戲劇性。

他兩歲時，爸爸就拋下他和媽媽，他童年因此有成長挫折。他把滿肚子的怒氣，發洩在長時間騎單車上，反而使他成為一個自行車好手。在 1993 年和 1995 年拿下環法大賽的分站冠軍。想不到 1996 年他發現得了睪丸癌，而且癌細胞已擴散到腦部、肺部。但他意志不減，一心想要回到賽場，冒險使用高頻率、大劑量的鉑金屬類藥物治療法。他的全身皮膚由裡到外嚴重灼傷，而且移除一個睪丸，但卻從死神手中撿回生命。

他死中求生，意志更強。在 1999 年環法大賽，以抗癌鬥士奪下冠軍，自然成為運動界的傳奇。

另一個冠軍熱門人選，就是德國車手烏爾里希（Jan Ullrich），他緊緊追在阿姆斯壯之後，到了第十四站，只落後十五秒。

2003 年 7 月 21 日的第十五站就是賽程最艱難，勝負最關鍵的一站。開賽後，阿姆斯壯雖然取得領先，但烏爾里希一直緊追在後，雙方差距些微。比賽到了最後十公里，情勢拉到最緊張時，阿姆斯壯因為轉彎時，不小心勾到一位路邊觀眾的手提袋，摔車！

　　緊接在後的烏爾里希就此超越阿姆斯壯，超前向終點衝去，眼看逆轉戰局，冠軍即將到手。電視機前的德國觀眾，全部站起來歡呼！接著，電視機前的歡呼聲突然停止，所有人目瞪口呆，是烏爾里希也發生意外嗎？

　　不是，他把車速慢慢減低，然後停在路邊，回頭看著跌倒的阿姆斯壯。然後等阿姆斯壯重新騎上自行車，恢復正常車速後，才又奮力踩上踏板，繼續雙方的對決。最後，阿姆斯壯以總成績六十一秒的差距，勝過烏爾里希，奪下環法大賽的五連霸。

　　烏爾里希為什麼不抓住這致勝良機，而要停下來等阿姆斯壯呢？

　　原來兩年前，**2001 年的 7 月 21 日**，對，是同一天。雙方在比賽時，烏爾里希也是意外摔車，當時阿姆斯壯也停下車，等他！當時阿姆斯壯接受訪問時說：「我覺得等他是正確的決定。」

　　沒料到，兩年後的同一天，烏爾里希以「榮譽」回報阿姆斯壯。不但成就了最令人津津樂道的環法大賽，更成就了「運動家精神」的典範。

　　人生不是作戰，不是競賽。競賽只是人生的一部分，而輸贏只是競賽的一部分。為了輸贏而不擇手段，不計代價，那人生就毀在計算中。

　　遺憾的是，阿姆斯壯後來被發現服用禁藥，被摘去所有榮譽。但我們不以人廢「言」，也不以人廢「行」。他和烏爾里希在 7 月 21 日的美行，仍是競賽行為中最美的表現！

　　尤其烏爾里希是以榮譽完成這個比賽，毫無疑問，感動不減！

●自行車手烏爾里希，
　曾奪得環法賽冠軍。

●自行車手藍斯‧阿姆斯壯，曾先後七次奪下環法賽
　冠軍。

7.22 當你對生命微笑

生命像一面鏡子。你對它哭，它就對你哭。你對它笑，它就對你笑！

麥可・史都杉伯格（Michael Stolzenberg），住在佛羅里達州韋斯頓城（Weston），是一個運動細胞很強的小男孩，他最愛踢足球，八歲就已經是當地少年足球隊的主力，到處參加比賽。

2008 年暑假，有一天他被蟲咬後，身體不舒服，好像得了感冒。爸媽帶他去看醫生，醫生給他開了一些抗生素，以為吃幾天藥就會好。

沒想到不但沒好，**7 月 22 日**病情突然惡化，送到醫院時，已經停止呼吸，幸好醫生給他接上人工呼吸器，才救回一條小命。

但經過診斷，原來麥可患的不是感冒，而是一種罕見的疾病「慢性肉芽腫」Chronic granulomatous，是一種免疫系統病變。醫生在不得已的情況下，為麥可做了截肢手術。八歲的小孩，失去了兩手、兩腳。

麥可經過了幾個月的醫療，身體機能恢復，而且裝上了義肢。他的運動細胞好像沒有消失，很快適應了「義肢」，且行動自如。更強的是他的「心靈」，當他第一天回到學校，父母本來很擔心，怕他適應不良。結果，媽媽接他放學在路上問：

「第一天回到學校，感覺怎麼樣？」

「太好了，而且今天我們回家沒有功課呢！」

他利用義肢，不只用來走路、拿東西，還用來和兩個哥哥「踢足球」。命運奪走了他的雙手、雙腳，但奪不走他的樂趣，奪不走他的樂觀！

他跟家人去超市，爸媽把車停在「殘障人車位」時，麥可會跟他們說：「你們應該把殘障人車位，留給真正身體殘障的人！」

唯一不方便的是，麥可像小孩一天天長大，而且長很快。所以他要不斷更換「新的義肢」。小孩的鞋子，通常會買大一點，免得一下子就穿不下。但義肢要剛好才行，所以得不斷換新，這可是不小的負擔。

朋友替他發起各種運動比賽來募款。韋斯頓的青少年足球隊，每次訓練後都會為他做短跑比賽，教練說：「麥可現在不能跑，為了他，大家應該更努力跑，跑得更快！」

2013 年波士頓馬拉松大賽發生了恐怖炸彈事件，很多人重傷而被截肢。麥可和他的哥哥哈里斯為此成立了 Mikeysrun.com 網站，希望在哈里斯參加 2014 年波士頓馬拉松前，募到一百萬美元，捐給因炸彈攻擊而截肢的受害者。

當記者問這個十三歲的四肢都裝義肢的少年，那些受害者會有怎樣的想法？麥可回答說：

剛開始，他們會感到悲傷。他們失去某些再也不能回復的東西，這令人恐懼。

我曾經感到恐懼，但他們將會安然度過一切，只是現在，他們還不明白！

●手腳因病都被截肢的麥可和哥哥哈里斯成立網站，為波士頓馬拉松爆炸案的
受害者募款。

7.23 靈光一現

　　我們幫別人想點子的時候，往往比解決自己的問題更靈光。「無我」是一種思想的突破，當你放下「我」，界線就自然消失，你才能跳出框框。

　　1904 年 4 月 30 日，世界博覽會在美國聖路易開幕。來自敘利亞的爾納斯特・漢威（Ernest Hamwi），他家世代都是賣「炸拉比」Zalabia，這是一種中東的小吃，像脆脆的薄餅。他在世博會租了一個攤位，準備用祖傳絕活，好好賺一筆。

　　參觀世博會的人潮果然多，但人的眼睛對新奇的東西很好奇，嘴巴對陌生的食物卻不一定有興趣嘗試。

　　一到了夏天，天氣非常炎熱，漢威先生的炸拉比更是越來越沒人光顧。偏偏他隔壁一攤是阿諾・佛那丘（Arnold Fornachou）在賣冰淇淋，而參觀世博會的人路走多了，熱氣直冒，都想買個冰淇淋來解熱，所以生意超好。

　　7 月 23 日，佛那丘原先準備的杯碟就全用完，當時沒有免洗餐具，要等客人吃完，回收後洗乾淨再用，人一多根本來不及清洗，應付不了不斷上門的客人。

　　沒生意就算了，生意好卻看著大把的鈔票賺不到，那才叫嘔！漢威看佛那丘一臉煩惱，這個問題該怎麼解決呢？

　　他突然想到一招，他把他的炸拉比薄餅，用鏟子捲成一個「三角圓錐形」交給佛那丘，用手比劃一下，佛那丘立刻會意。

　　好聰明的主意，他把一球冰淇淋壓在三角錐的開口上。不用杯碟，客人拿著邊走邊吃，不用在攤位前吃完再走。

　　而且冰淇淋就著薄餅吃，滋味新鮮，吃法也新鮮。冰淇淋生意更好，原來賣不出去的炸拉比轉身變成「甜筒」，當然也賣光光。世博會有五十個賣冰淇淋的攤位，每個人都跑來向漢威買「甜筒」，漢威才真的是賺翻了。甜筒就是在這一天誕生的。

　　世博會後，漢威找到人合夥，開了一家專做甜筒的公司，他跑遍美國各地推銷這種冰淇淋的新吃法，並且申請甜筒製造機的專利。當然發了大財，許多人吃冰淇淋都是為了愛吃裝冰淇淋的脆脆的甜筒啊！

　　孫中山，那時也曾去聖路易看博覽會，不知道他是不是第一個吃到甜筒的中國人？

7.24 公民不服從

1985 年美國有個評選，在「十本構成美國人性格的書」中，《湖濱散記》排名第一。二十八歲的梭羅在 1845 年獨自來到華爾騰湖畔，嘗試貼近大自然，用最簡單的方式生活。他前後共待了兩年兩個月，後來把這期間的所思所想寫成了《湖濱散記》。這不只是心靈遊記的代表作，更是自然主義的「綠色聖經」。

而就在梭羅獨居湖畔期間，發生了一個小插曲，引發一個重要的政治概念，對後世產生巨大的影響。

1846 年 7 月 24 日，梭羅跑到華爾騰湖旁邊的康科特城，要去拿回修好的鞋子。結果有個警察叫住他，要他把六年沒繳的人頭稅繳清。

梭羅拒絕，因為當時美國和墨西哥在打仗，梭羅認為美國政府的行為是錯的，他不要繳稅去助長這種不義的戰爭，製造無辜的人流血。所以他不繳，警察便把他關起來。

他進了監牢，在牢房裡望著厚重的石壁，對政府的愚蠢有更深的感觸，他們只能監禁人的血肉之軀，不能囚禁人的心靈。

他才被關了一天，就被放了出來。因為有人幫他繳清稅款，應該是他姑媽救了他，因為梭羅獨居在湖畔的日子，仍是常常跑回康科特，請姑媽幫他洗衣服。

這一天牢獄之災，讓梭羅認真思考，政府與人民的關係是什麼，如何使民主政治不違背人民的良心？怎樣才能阻止政府為非作歹？

他把這些思考整理後，在 1849 年發表了一篇演講，提出「公民不服從」的概念！

一個民主社會的公民不應該呆呆的效忠政府，當政府訂立不符公義的惡法，施行壓迫人權的惡政，這個時候，公民有不服從惡法的義務！

我們的一生，應該成為反摩擦力，抵抗不義的事情，讓政府這部機器停擺。

這篇演說，當時並沒有引起注意，但卻在遙遠的俄國，深深感動了托爾斯泰。在快一個世紀後，更大大啟發了在南非執業的一個律師，就是甘地。甘地從梭羅「公民不服從」的概念，發展出「非暴力抗爭」的模式，展開對英國政府的「不合作運動」。

而甘地啟發馬丁‧路德‧金恩，推動美國的民權運動。所以一百年，地球繞一圈，梭羅的思想回到美國開花結果。

一隻蝴蝶在 1846 年 7 月 24 日被關進牢中，他張開翅膀，輕輕震動，一百年後改變了世界！

● 美國作家梭羅，代表作品為
《湖濱散記》，一天的牢獄之災，
引發他創造「公民不服從」的概念。

7.25 堅持

巫婆爲了報復國王，在都城的水井下了毒，喝了水井的水，不會死，只會瘋。國王的臣民都喝了井裡的水，都變瘋了，他們圍住王宮，要廢掉國王。

因爲現在他們眼中的國王是瘋子，不能讓瘋子做國王，他們要換一個國王。

坐在大殿上的國王看見侍衛長拿著兩杯水進來，問：

「現在是怎樣？」

「所有人都瘋了，只有陛下和我還沒有喝過井裡的水。只剩下我們兩個沒瘋。」

「你手裡拿的是什麼？」

「兩杯井裡的水。」

「你要幹嘛？」

「一杯給陛下喝，一杯我喝。」

「你瘋了？」

「不，只要陛下把水喝下去，所有人就會繼續擁立你做國王！快，再慢就來不及。」

侍衛長一口喝乾，如果你是國王，你喝還是不喝？

巴布迪倫（Bob Dylan）是 20 世紀最重要、最有影響力的鄉村樂歌手。他的地位就像流行歌曲的國王，他是反叛文化的象徵人物。他的歌曲不只對政治有批評，對社會有反省，更是有深刻哲學意味的詩歌。

他的曲風以鄉村音樂爲基調，揉合了搖滾樂、藍調音樂、爵士樂和搖擺樂。一曲《隨風而飄》Blowing in the Wind

在 60、70 年代反戰運動和民權運動中被大量傳唱，在當時的年輕人心中，那不只是國王的聲音，就算說是神的聲音也不為過。

但巴布迪倫本人對自己成為反戰和民權運動的「神」，心存反感，對人們的崇拜不以為然。

1965 年 7 月 25 日，他在新港民謠音樂節 Newport Folk Festival，這個民歌的神聖殿堂，上台演出時，第一次拿出「電吉他」來演奏。

哇，這等於是在聖彼得大教堂裸奔，在巴黎歌劇院穿牛仔褲。觀眾先是受到驚嚇，接著回報他噓聲，他們要聽鄉村歌曲，要木製吉他純樸之音，不要「電子音」。

大家都在期待他唱《隨風而飄》，人們並不想聽他有什麼創新？偏偏巴布迪倫就不想唱「老調」，你們愛吃炒冷飯，但我不愛炒。他就是要用電吉他，讓大家知道他不會媚俗，讓人滿足、自我滿足。他要飛向新的、未知的領域。

嘿，觀眾不吃這套，他在台上只唱了三首「插電」的新歌，就在大家的怒罵聲中，被憤怒的觀眾趕下台。在鄉村樂的場合使用電吉他，根本就是叛徒，十惡不赦。

而巴布迪倫在之後發行第一張搖滾專輯《重訪六十一號公路》Highway 61 Revisited，其中一首《像一塊滾石》Like a Rolling Stone 意外快速登上全美排行榜第二名，英國排行第四，這首歌還被《滾石雜誌》譽為史上最偉大的歌。妙吧！

不錯，巴布迪倫如果想好好賺錢，他應該滿足觀眾，投歌迷所好。

但如果你嘴裡塞滿黃金，你怎麼唱歌？

小河如果滿足，怎麼追逐大海？

種子如果滿足，怎麼形成森林？

天才能力有極限，但他不滿足。

如果他屈服，那才是對天賦真正的辜負。

● 巴布迪倫被視為 20 世紀最有影響力的
民謠歌手，他大膽使用電吉他，令歌迷
吃驚。

7.26 天才與白癡的下場

以前的科學家也有通俗的舞台，他們可以表演「科學實驗秀」，像變魔術一樣得到大家的掌聲。1746 年，英國的科學家亞奇博爾德‧史賓斯（Archibald Spence）來到美國波士頓講學，其實也是表演。他用玻璃管摩擦產生靜電，弄得紙屑滿天飛舞。你說這有什麼了不起，小時候誰沒玩過？

可是當時的人對電的知識等於零，所以很稀奇。更厲害的是，他用「萊頓瓶」，這是一個玻璃容器，內外包覆導電金屬箔片，可以儲存靜電，算是原始的「電容器」。他用萊頓瓶把一隻母雞活活電死，滿堂喝采！

台下有個觀眾叫富蘭克林（Benjamin Franklin），是的，就是美金百元大鈔的富蘭克林。他不只看熱鬧，他還想懂門道。回家後就一頭鑽進「電」的研究，有一次他的太太不小心碰到萊頓瓶，閃出一團火球，太太應聲倒地，差點被「電」死，在床上躺了一星期才恢復正常。

富蘭克林看到太太被電擊，想到大自然的雷電也會打死人，推論打雷閃電的放電現象，和實驗產生的電應該相同。他寫了一篇《論天空閃電和我們的電氣相同》的文章，寄到英國皇家學會，沒想到招來嘲諷和嘲笑，他們嘲弄富蘭克林是「妄想把上帝的雷電分開的狂人」！

富蘭克林決定做一次實驗來証明，1752 年 6 月 15 日，在費城，他和兒子威廉搭了一間四面敞開的木頭棚子，然後用絲綢做了一個風箏，風箏頭綁了一根細細的鐵絲，再用一條長繩繫著風箏，繩子的末端綁上絲綢的帶子，中間綁一串

鑰匙。好，等風雨交加，他們便把風箏放上天，人躲在木頭棚子下，這樣不會淋到雨。絲綢是絕緣，所以閃電時，電會順著鐵絲傳到沾水的繩子，富蘭克林看到繩子的纖維豎了起來，他知道「通電」了，而他手握的絲綢是絕緣的，而且在棚子裡保持乾燥，所以人不會被電到。

但富蘭克林忍不住伸手輕輕觸摸鑰匙，指尖突然出現火花，他左半身麻了一下，他興奮的對兒子說：「啊，這就是電！」這就是富蘭克林著名的「費城實驗」！

你說我是不是寫昏頭了？費城實驗是 6 月 15 日的事，這篇要寫的是 7 月 26 日啊！是的，不要急，還沒寫完。

1753 年 7 月 26 日，俄國的科學家羅蒙諾索夫（Mikhail Lomonosov）和德國的科學家李奇曼（Georg Richmann）在這一天把富蘭克林的實驗重做一次，結果實驗結果和富蘭克林的一樣，唯一不同的是李奇曼當場被閃電電死！

有人就是這樣。前人為你走的路，你大可享受成果，不必再走一趟。千萬不可花力氣，尤其是付出生命，去證明偉大的人有多正確！

●李奇曼重做富蘭克林的實驗，當場被電死。

7.27 誰才是禿鷹？

天上掉下來的東西，接住時要小心，因為它可能太重把你壓垮。

1994 年普立茲新聞攝影獎頒給凱文卡特（Kevin Carter），他得獎的作品是在蘇丹大飢荒中拍到的。照片裡一個瘦得只剩皮包骨的小女孩，蹲趴在地上低著頭，看起來頭比身體還大，正在生死線上掙扎，她的身後站著一隻禿鷹……。

這張照片像一把利刀直指人心，道盡蘇丹因內戰而飢荒的悲慘世界。這張照片引起重大的關注，改變美國政策，提供大量人道援助，不知拯救多少人命！這樣震撼人心的作品得獎當然沒話說。但問題來了，照片中的小女孩後來呢？凱文有沒有救她？還是只顧著自己拍照、只顧著自己得獎，而不顧小女孩死活？質疑聲、指責聲接連而來。

凱文解釋說，當時他和另一位攝影師西爾瓦（João Silva）一起搭聯合國運送糧食的直昇機，到蘇丹北方邊界的救濟站，他們被允許在卸下糧食的三十分鐘內可以拍照。直昇機一降落，他們看到成堆快要餓死的飢民，他為了要讓自己從悲慘景像中緩一下，便走進灌木叢，聽見了氣如游絲的啜泣，他轉身發現是一個小女孩正慢慢爬向食物救濟站。

他蹲下來，舉起相機，一隻禿鷹落在鏡頭裡面，他按下快門。拍完照，他趕走禿鷹，把隨身的一點兒乾糧和飲水給了小女孩，看著她爬到救濟站，便搭機離開。

但譴責聲不減反增，他們指責凱文自私、冷血、殘忍，為什麼不先去救小女孩，卻先拍照？到底良心何在？

　　凱文得獎後兩個月，**7月27日**的晚上，他開車到約翰尼斯堡一個小時候常去玩的地方，用汽車廢氣結束了三十三歲的生命。他留下一張字條：

　　我被鮮明的殺戮、屍體、憤怒、痛苦、飢餓、受傷的兒童、快樂瘋子的記憶糾纏不休……真的，真的對不起大家，生活的痛苦遠遠超過了歡樂的程度。

　　可是批評凱文的人都說，他是承受不了道德壓力、良心譴責，所以自殺。言下之意，一切是他咎由自取，該死！

　　但事情真的是這樣嗎？真相有這麼簡單嗎？

　　凱文於 1960 年出生在南非的約翰尼斯堡，父母是中產階級的白人。南非當時是實行種族隔離，小小年紀的凱文看不慣黑人受到歧視，他的大聲抗議，換來父母叫他閉嘴。他媽媽告訴他，黑人生來就習慣這種不平等的對待，誰也沒辦法。凱文大叫：「一定有辦法！」

　　就這樣他從憤怒少年，一路成為憤怒青年。服兵役時，更因為同情黑人，被軍中同袍排擠，甚至被暗算打成中傷。

　　退役後，他在一家照相器材店工作，開始接觸攝影。接著他考進《時代》雜誌約翰尼斯堡分部，才找到認同，和發揮才能的空間。凱文後來和志同道合的攝影師朋友共同組織了「砰砰俱樂部」The Bang-Bang Club，他們都是人道主義的拼命三郎，哪裡有戰亂、哪裡有災難，那裡就會看見他們拿著相機在拍照。

　　他們想用照片來揭露人間的不公、悲慘、苦難，喚起世人的關注，促使像美國這樣的強權大國無法置身事外。

　　和凱文一起在蘇丹拍照的西爾瓦，也是「砰砰俱樂部」

的一員。他描述當時的情形，跟凱文講的一樣。小女孩的媽媽正急著在救濟站領食物，來不及照顧她。西爾瓦自己也拍了相似的照片，只是他沒有得到普立茲獎。而且聯合國人員一再警告他們不可碰觸難民身體，免得傳染疫病。

我們了解凱文的過去，就不會懷疑他拍照的動機和善意，他可是在人間地獄出生入死啊！那些指責凱文踩著小女孩的屍體而得到榮譽的人，難道不是想踩著凱文而得到所謂道德的聲譽？

有時候上帝讓一個人倒霉，也許是在考驗我們的良知！

凱文十六歲的女兒接受採訪時說的話，很值得深思：

我覺得其實爸爸是那個無力爬行的孩子，而整個世界則是那隻禿鷹！

●凱文卡特拍下蘇丹大飢荒時的景象，得到普立茲獎，也招來無情的非議。

7.28 運動是最好的良藥

人會向軟弱投降，墜落軟弱的懷抱。即使是一片羽毛，他也不會動。他把自己看輕，沉入比輕更輕的無力中。一旦有放棄可以選擇，這就是最輕易、最輕鬆、最短的路。如何讓他從軟弱中站起來？最好的方法是比賽。比賽，可以點著灰燼，重燃鬥志。有了鬥志，他又可以找到力量。

路德維希·古德曼（Ludwig Guttmann）是頂尖的脊椎神經科醫生。他是波蘭的猶太人，十八歲那年他在家鄉的礦區醫院做志工，親眼看見脊椎受傷的礦工被醫生放棄治療，而傷者也因此放棄求生的意志，本來可以活下去的年輕人，卻五個星期就無疾而死。這個經歷重重的震撼他，深深的影響他的一生，彷彿也預告了他的未來！

1938 年維也納發生了「水晶之夜」，納粹在這一天晚上打破所有猶太人商店的玻璃，砸毀猶太人教堂，對猶太人的迫害拉開了序幕。當許多猶太人跑到古德曼的醫院避難時，古德曼指示醫院人員把他們當病人收留，即使他們的身體沒有受到傷害。當蓋世太保來盤查時，古德曼全力與之周旋，保住了至少六十人的性命。但是，在納粹的風暴下，他也保不住自己。於是在 1939 年他帶著家人來到英國，在牛津大學從事醫療研究工作。

1943 年 9 月，英國請他成立一個「脊椎損傷醫療中心」，為日後戰爭將帶來的龐大傷殘軍人做準備。全力專研如何使脊椎損傷能夠復原。他最後得到一個結論：「運動是最好的良藥，比手術有用得多！」

但是脊椎受傷的人，往往自認是殘廢，缺乏運動的企圖。身體各方面功能都會萎縮，古德曼決心不讓他十八歲時看到的慘痛經驗再現。但如何激起他們的企圖呢？

有了，來比賽！ **1948 年 7 月 28 日**，古德曼在斯托克曼德維爾（Stoke Mandeville）醫院草地上，辦了一場「射箭」比賽。參加比賽的有十四個男人，二個女人，共十六名全是坐輪椅的人。他們一箭一箭射向靶心，成績並不輸正常人。射箭比賽讓他們找回自信和力量。這個比賽從此年年舉辦，規模越來越大。

1960 年 9 月 18 日，二十三國的殘障運動員齊聚羅馬，一拼高下。演變成為第一次殘障奧運。

現在，殘障奧運不只是年度體育盛事，以運動克服身體的殘缺，更是殘障組織的靈魂。1960 年羅馬殘障奧運參加人數有四百人，2000 年的雪梨殘障奧運已經超過四千人。

古德曼正是殘障奧運的第一推手。他用體育比賽治療疼痛，也為殘障者開啟一條找回信心與力量的路。

● 古德曼醫生為坐輪椅的病患
　舉辦射前比賽，成為
　殘障奧運的起源。

7.29 天才的悲劇

一個人的天分，超越他所處的時代過多，反而造成他重大的限制，這就是悲劇。

梵谷的悲劇，實在叫人惋惜。

我是一個熱情的男人，但總是做一些愚蠢的事。

我感到一股可怕的沮喪正吞噬著我的精力，命運似乎壓抑著我的原始情感。

而令人窒息及厭惡的洪水包圍著我，我要狂喊：天哪！還要多久？

1890 年 7 月 29 日，梵谷畫下「麥田群鴉」，厚重的天空，沉鬱的下壓，黃金的麥田狂烈翻滾，一群烏鴉飛起，彷彿能聽見淒厲的叫聲…… 這是梵谷最後一件作品。

然後他對自己胸口開了一槍，那把槍是梵谷為了驅趕烏鴉，特別借來的。

死前，梵谷留給他弟弟西奧最後的話是：「別為我哭泣，我這麼做是為了大家。」在一年前的 5 月 8 號，梵谷住進了精神病院，他用繪畫來對抗幻覺，著名的「星空」就是這個時候的作品。西奧寫信來，催他快出院，因為布魯塞爾有一個新銳畫展，他們要西奧把梵谷的畫送過去。梵谷的信心、勇氣、熱情又恢復，意識也變為正常。

更讓梵谷驚喜的事發生了，他的「紅色田園」居然賣了400 法郎，差不多是現在的 2150 塊台幣。

這是梵谷一生唯一賣掉的一張畫。

梵谷出院後，西奧拜託嘉舍醫生（Dr. Gachet）幫忙照顧他。梵谷見到醫生的第二天，就爲他畫了一張像。

我希望畫一位藝術家的朋友，他滿懷理想，寬容待人，我希望畫進我個人的感覺和愛慕之心。我誇張他的金黃頭髮，我不畫普通的牆壁，用強烈、豐厚、深沉的藍色塗出背景，使金黃色的頭髮如星星嵌在天空。

梵谷長期受西奧接濟，他最後深怕拖累他的弟弟。他一直惦記他跟西奧借的五十法郎，現在的兩百二十塊台幣。

他決定一死，讓大家好過。

1987年倫敦佳士德的拍賣會，梵谷的「向日葵」拍出3989萬美金，12億台幣。

梵谷爲嘉舍醫生畫的像，在1994年以8250萬美金賣出，25億台幣。這是有史以來油畫賣出最高的價錢！

怎麼解釋？再多合理的解釋，都不免讓人悲憤！

● 梵谷生前最後的作品「麥田群鴉」

7.30 模稜兩可的後果

玩弄文字遊戲，是政治人物愛玩的把戲。一不說一，說不是零也不是二。想要不說想要，說「不伎不求」，直說是不嫉妒別人，不貪求非分名利，那意思是不要囉？不，真正意思是我不求，但可以給我，我還是想要。

玩這種伎倆有什麼好？好處是不把話說死，必要時可以推卸責任。我這樣說不是這個意思，是你沒聽懂，是你誤會了。必要時，可以唬攏你、忽悠你。不過在重大問題上，最好不要打迷糊仗，否則可能出現巨大的後果。

1945 年 5 月德國無條件投降後，日本陷於孤立。7 月 26 日同盟國發表「波茲坦宣言」，要求日本無條件投降，這是最後通牒。當時日本首相鈴木貫太郎明白，日本是山窮水盡，不可能有機會反敗為勝，應該越早投降，犧牲越少越好。

但是日本的軍政實權是操在軍人的手中，鈴木這樣的文人首相，只不過是一個軍方推責任的裝飾而已。軍方當時還沈浸在慷慨激昂的氣氛中，不斷宣揚要以「玉碎」的精神，與敵人同歸於盡，來保衛日本。期待以精神的力量，創造奇蹟。就以「神風特攻隊」的戰績，如果換算成每個日本國民都是神風特攻隊，那再多美軍也不夠死！

所以鈴木如果要接受波茲坦宣言，那一定不會被軍方接受。下台事小，怕是老命也不保。但他心裡清楚，不回應也不行。於是他絞盡腦汁，想出一個詞來回答，就是「默殺」。

「默殺」表面的意思是漠視、不予理會，背後的意思是「我現在靜觀其變，你可以來找我商量」。這是日本長輩對

晚輩的文雅用語。例如你去向未來的岳父求親，他說默殺。表示今天我沒說行，也沒說不行。改天你帶更大的禮物來，可以商量，說不定就答應你。

鈴木這樣講，也是欺負軍頭們學問差。你們逼我要強硬回應波茲坦宣言，那我說了默殺，看起來好像滿足你們的要求，日本沒有在壓力下「低頭」，其實背後是「點頭」。他希望同盟國能懂他的「搖頭」，是不說話，不是說不，不代表永遠說不。下次條件好，也許會「點頭」說好。這樣既能敷衍軍方，也能傳達求和的訊息。

於是他在 **1945 年 7 月 30 日**，這天的記者會，公開說出他對波茲坦宣言的回應，是「默殺」！日本所有報紙，都在頭版頭條登出鈴木首相的回應，「默殺」！問題是字裡行間的巧妙，日文都不見得讀得出來，何況是翻譯成英文。

默殺兩個字被日本同盟通信社的記者翻成 ignore，而同盟國方面再把 ignore 解讀成 reject，而且他們認真查了半天辭典，是不予理會，那就是拒絕的意思，應該沒錯。

當時日本駐莫斯科的大使，就警覺大事不妙，還發了緊急電報回日本，質問外交部到底有沒有把「靜觀其變」的真意傳給美國？

但是一切都來不及了，美國認為日本拒絕投降。好吧！那我們仁至義盡，就不客氣了。接著原子彈就投下去了！

戰後，鈴木貫太郎在自傳中，一再提到他對使用「默殺」一詞的用心良苦，也對「默殺」帶來的可怕後果遺憾終身，他怎麼知道後面來的是原子彈？但，一切都晚了！

7.31 尊敬上帝的標準

歷史上，我們值得尊敬的人，不是他的力量比較強大，而是他在面對選擇時，標準比較高。

甚至願意爲這個高標準而犧牲自我。他們之所以這樣做，是因爲他們「尊敬」這個標準。

1939 年 8 月，德國和蘇聯簽訂互不侵犯條約，9 月 1 日德國發動閃電戰率先入侵波蘭，9 月 17 日蘇聯也從東邊攻進來，波蘭被兩國瓜分。波蘭的猶太人大批遷往鄰國立陶宛，但納粹德國繼續西進，眼看隨時會攻入立陶宛。立陶宛本地也有猶太人，如果納粹一來，所有的猶太人就死定了。唯一的生路，就是拿到德國、蘇聯以外第三國的簽證，這樣就可以取道西伯利亞，逃離納粹魔掌。

於是荷蘭的代理領事茲瓦潭狄傑（Jan Zwartendijk）想出一個方法，他找日本領事杉原千畝合作。由他先發簽證給猶太難民去荷屬圭亞那和庫拉索島。這樣猶太難民就有理由向日本申請過境簽證，難民有了日本簽證，就可以過境西伯利亞，再逃往其他國家。爲什麼不直接發日本簽證給難民？因爲日本與德國友好，快要結盟，所以如果繞個圈，使日本有理由發簽證，又不得罪德國。

杉原不敢擅自行動，向日本外務省請示。得到的答案是「不准」。他又接連再發了兩次電報請求，得到的答案一樣是「不准」、「不准」。他拿著東京傳來的「禁令」，在房間踱來踱去，整夜無法睡覺。

1940 年 7 月 31 日，杉原決定「抗命」，開始給在立陶

宛的猶太人發簽證。這是難民最後的希望，大批人潮湧向日本領事館。他和妻子日夜工作，一天就發出三百個簽證，這是平常一個月的工作量。有天晚上，杉原實在太累，對太太幸子說：「我們盡力多救些人吧！」

此時，蘇聯已經占據立陶宛，要求日本關閉領事館。東京指示杉原在 8 月 28 日離開立陶宛，到柏林去報到，領事館關上大門前，杉原對猶太難民說：「我們會在旅館過夜，離開之前，我能發多少張簽證，就發多少張。」於是，他和幸子在旅館徹夜不眠，拼命簽發簽證。

直到第二天，人到了火車站，他還在發簽證。等上了火車，他還在簽發。火車開動時，他從車窗遞出一大疊簽證。最後，他索性把簽證用的「官印」交給一位猶太人。他離開立陶宛前，共發 2150 張簽證，拯救六千多個猶太人。

戰後，注意是「戰後」喔！日本外務省因他擅發簽證，把杉原「免職」。他改名叫杉原先方，在一家與蘇聯做貿易的日本公司做翻譯，勉強養家餬口，他自己不提，日本政府也完全抹殺他的事蹟。過了快三十年，有一位當年因他幫助而獲救的猶太人找到他，其他人和後代才不斷去找他，向他致敬、致謝，他的事蹟才逐漸受到注目。他在 1966 年過世，享壽八十六歲。

在以色列和美國的壓力下，日本政府才正式承認杉原千畝的義舉。在 2000 年 10 月 10 日，杉原的百年冥誕，為他立碑紀念。日本天皇到歐洲訪問時，還特意去到立陶宛的考納斯，瞻仰早已豎立在那裡的杉原千畝義行紀念碑。

杉原曾說：「我也許不應該違抗我的政府，但如果不這樣做，我就等於是在違抗上帝！」

　　是的，他在政府與上帝之間，選擇上帝，因為他尊敬上帝的標準。因為「他們是人，他們需要幫助。我很高興我找到了可以給他們的力量。」

　　壞人是什麼？就是他們不尊敬任何標準，不尊敬任何人。他們可以不擇手段，可以無義滅親。他們心中的標準很低，沒有任何「尊敬」，這是壞人所以成為壞人的原因！

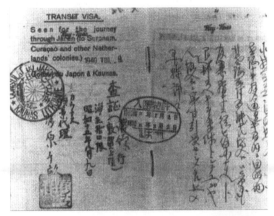

● 杉原千畝發出的救命
　簽證，拯救了六千多
　名猶太人的性命。

● 日本駐立陶宛領事
　杉原千畝，被譽為
　「日本的辛德勒」。

8 月
August

花瓶摔到地上，碎了就碎了，
碎片等於零，但如果摔的是撲滿，
那可能摔出真正的寶藏。

8.1 抗病魔童子軍

一歲的孩子要什麼？要吃奶，要人抱。……

兩歲的孩子會什麼？會走路，會講話。……

三歲的孩子愛什麼？愛聽故事，愛吃冰淇淋。……

四歲的孩子想什麼？和朋友一起玩，想要快樂長大。……

雅莉珊卓・史考特（Alexandra Scott）出生時和其他的孩子一樣，要吃奶、要人抱、會哭、會笑。

她一歲生日的前兩天，被醫生診斷出她得了罕見疾病，神經母細胞長了腫瘤。從此她的生命跟一般的孩子不一樣，她天天都在和癌症打仗！她知道這個仗很難打，因為癌症病魔比巨人還強大；她知道在打仗的小孩不只她一個，她決定要找更多援軍來幫忙。

2000 年 7 月她四歲，她在家門口擺起一個小攤子賣檸檬汁，她要募款來援助像她一樣的小朋友和癌症打仗！她的第一個援軍是她的哥哥派翠克，他們一起賣檸檬汁，攤子前面寫著：

Alex's Lemonade Stand for Childhood Cancer
雅莉的檸檬小舖為癌症病童募款！

第一年，她收入兩千塊，但她想募到一百萬。

第二年、第三年、第四年，她募到二十萬美金，就在此時，**2004 年 8 月 1 日**，八歲的雅莉珊卓，美好的仗，她已打完，這天她離開人世。

雖然她的生命停止，但她的仗繼續有人幫她打下去，沒

有停止。她用自己脆弱的生命去拯救其他脆弱的生命，想要讓他們健康強壯。她的故事感動了千千萬萬人，都來加入當她的援軍隊。

2008 年募到了一百萬美金！

雪球越滾越大，今天「雅莉的檸檬小舖」已經為兒童癌症研究中心募到兩千五百萬美金！

孩子的力量有多大？愛的心有多大，力量就有多大！

● 癌症女童雅莉珊卓，賣檸檬汁為癌症病童募款。

8.2 潘朵拉的盒子

如果你看到潘朵拉的盒子，最好不要掀開，因為一掀開，災難就降臨人間，不可收拾。可是，潘朵拉的盒子也許不只一個，我們怎麼確定別人不會掀開？

李奧・西拉德（Leó Szilárd）是 20 世紀最天才的物理學家，他原籍匈牙利。一次大戰結束時，匈牙利開始有反猶太人的氛圍，身為猶太人的他便離開布達佩斯，跑到德國。沒幾年，希特勒崛起，他看苗頭不對，從柏林跑到倫敦。戰亂使他養成居無定所的習慣，他多半時間以旅店為家，還曾經把一個小旅店的大廳，改為他的辦公室。因此他沒有屬於個人固定的物件，如衣櫥、櫃子、沙發。他永遠把隨身的物品打包好，放進兩個行李箱中，說走就走，隨時可以搬家。

因為他認為如果沒有擁有任何東西，那就永遠不會失去任何東西。因此手上的財物越少越好，就不會有失去財物的恐懼。這在哲學上說得通，真正現實中徹底實踐就很怪。你說他可以出家，不，他是無神論者，他不想對任何神失望。連愛情，他也這樣，他仰慕一個女性，不敢表白，因為怕失望。後來終於擋不住愛情的力量，大膽追求，娶到了暗戀已久的對象，卻大半輩子不在妻子身邊。他的妻子沒辦法像他這樣不要「家」，只要有落腳的「旅館」。

西拉德不是像竹林七賢，故意搞怪，來引人注目。他其實是戰亂的受害者，他這種恐懼引發的行為，當然有合理的解釋。但看在一般人眼裡，不只是怪怪的，而是超級怪。

1933 年 9 月 12 日他在倫敦南安普頓街上，正要過馬路，

紅燈換綠燈，該他過，他沒過。等綠燈換紅燈，紅燈再換綠燈，他都沒過。他停在路口，想什麼？他想出「能量的轉換」如何造成「核子分裂的連鎖反應」。對的，他的理論開啟核子彈，核能這個「潘朵拉的盒子」。人類如果最後是毀滅於核子彈、核能，那就是這個路口紅綠燈的「錯」！

但那個年代如果你是左撇子，是買不到右手的棒球手套。何況是個大怪咖講的話，大家都當它是不切實際的瘋狂想法，沒有引起各國軍方的重視。

二戰開打後，基於對納粹的恐懼，他就從英國跑到美國。這時他聽到一個消息，德國的科學家正利用他的核子分裂理論，秘密進行製造原子彈。糟了！潘朵拉的盒子如果掉在壞蛋手裡，那世界就會完蛋。焦急萬分的他向美國軍方建言，一定要趕快製造原子彈，否則希特勒先製造出來就慘了！但沒有人想聽科學怪人胡說八道。

天才的話一般人聽不懂，以為是異想天開，只有天才知道天才在說什麼。西拉德找到了愛因斯坦，愛因斯坦了解西拉德的憂慮，從西拉德的情報顯示，在德國研究原子彈的那幾個科學家，真的有可能製造出原子彈。

1939 年 8 月 2 日，愛因斯坦和西拉德聯名寫信給羅斯福總統，建議美國務必要搶在德國之前，製造原子彈，否則如果德國先造出來，那後果不堪設想。

信寫好後，怎麼送到羅斯福手上？如果照正常郵寄，不知會落到哪個官僚手裡，說不定石沉大海。最好找個有力人士來傳信。愛因斯坦找到紐約的金融家薩克斯（Alexander Sachs），他是羅斯福的好朋友，而且口才極佳。薩克斯立刻去和白宮約時間，結果排到十個禮拜後，他在 10 月 11 日帶

著愛因斯坦的信去見羅斯福。

　　羅斯福根本對什麼「鈾分裂」沒興趣，其實是不懂。要不是信是愛因斯坦寫的，他更懶得看。而且羅斯福當時是絕不參戰，他不想讓美國捲進戰爭，所以對研發新武器沒興趣！關鍵還是他不知道這「鈾分裂」是多可怕的力量！

　　所以薩克斯被羅斯福澆了一盆冷水，有點自討沒趣，起身告辭。羅斯福看出薩克斯不高興，為了安撫他，就邀他第二天一起共進早餐。

　　10月12日早上，薩克斯一坐定，羅斯福開頭一句就說：「今天早上我們不談愛因斯坦的信好嗎？一句也不要談。」

　　薩克斯當然只能說好，他看羅斯福有點調皮的微笑，便講了發明輪船的富爾頓，當年向拿破崙建議製造鐵甲戰船，因為拿破崙對科學無知，所以沒有採納富爾頓的建議，英國因此逃過一劫，否則歷史就要改寫。

　　羅斯福這下子聽懂了，立刻下了兩個決定，一個是組織一支特工隊，專門偵測德國有關原子能的情報。另一個就是全力去研發原子彈，所以有了「曼哈頓計畫」。終於在1945年7月16日，成功試爆第一顆原子彈。

　　當愛因斯坦從報紙看到日本廣島被投下原子彈時，他極度震驚。他極度後悔當初不該寫那封信給羅斯福，「我當時是想把原子彈這一個罪惡的殺人工具，從瘋子希特勒手裡搶過來，想不到又將它送到另一個瘋子手裡！」

　　這是他終身最大的遺憾！

8.3 宛如一齣勵志肥皂劇

花瓶摔到地上，碎了就碎了，碎片等於零，但如果摔的是撲滿，那可能摔出眞正的寶藏。

凱瑟琳 (Katharine Graham) 出身富貴豪門，爸爸尤金梅爾 (Eugene Meyer) 是一個成功的投資富商。他在美國胡佛總統和羅斯福總統任內，做過聯邦儲備局長，就是現在的聯準會主席，等於是中央銀行總裁。後來更成爲世界銀行第一任的總裁。

媽媽愛格妮恩斯特 (Agnes Ernst) 曾是《紐約太陽報》的特約記者，對文學、藝術，尤其是中國繪畫有很深的修養。她和尤金梅爾結婚後，更加活躍。寫作、演講、參與政治活動，是當時卓越傑出女性的代表人物。

凱瑟琳 1917 年出生於紐約，她才幾個月大，父母便往華盛頓發展，留下她和哥哥、姊姊在紐約，交給褓母和家教照顧。父母熱衷交際，幾乎沒有時間、心力理會孩子。

她大學畢業後，進入《舊金山新聞報》做記者，第二年進入《郵報》做讀者來函版的編輯，一個月只有二十五美元的薪水。這家報紙是她爸爸在 1933 年一次公司破產的拍賣，用八十二萬美金標下來的小報紙，發行量只有五萬份。當時華盛頓有五份報紙，這是讀者最少、品質最低、虧損最大的報紙，一年要賠一百萬美金。

這份報紙打開了凱瑟琳命運的另一條路，她在報社遇到了英俊迷人的律師菲利普·葛蘭姆 (Philip Graham)。兩人陷入熱戀，結婚共組甜蜜家庭。婚後凱瑟琳放棄工作，全心在

家帶小孩，做平凡的家庭主婦，很少社交，儘量不在公共場合露面。1945 年，她的爸爸把報紙交給菲利普，由他全權掌控。故事本來該停在這裡，從此他們過著幸福快樂的生活。

但聰明能幹的菲利普卻得了精神分裂，受不了長期病魔的摧殘，在 **1963 年 8 月 3 日**，他終於用獵槍結束自己的生命。四十六歲的凱瑟琳帶著四個兒女，悲傷彷徨中，在朋友的力勸下，勉強接下了這份報紙發行人的工作。是的，這就是日後名震天下的《華盛頓郵報》。

凱瑟琳雖然在報社工作過，但職位很低，經驗不足。她也不懂管理，沒做過生意，帳也不會看。連報社聖誕節的派對，她光是講一句「聖誕快樂」，都在家裡對著鏡子練了許多遍。報紙是她老爸跟老公的沒有錯，但當時社會沒有女人掌大權，新聞界更是男人的天下，本來就內向害羞的她，剛開始一點兒自信也沒有。但也許因為這樣，她反而沒有老闆的架子，能更虛心向各方請益。請來了諸葛亮布萊德利（Benjamin Bradlee）擔任新的總編輯，進行大刀闊斧的革新，網羅一批新的精英，使報紙扶搖直上。不但消息靈通，而且真材實料，可信可靠，文筆犀利，句句見血。

1971 年 6 月，《紐約時報》刊登了越戰的機密文件。政府向法院申請禁止令，結果成功。當時《華盛頓郵報》也得到那份機密，編輯主張刊登，但律師反對，怕陷入政府的法律報復。凱瑟琳回憶她當時害怕又緊張，深深吸了一口氣，居然說出：「去，去，去，登吧！」當時只有《紐約時報》和《華盛頓郵報》敢登，果然遭到美國政府控告，官司一路打到最高法院，最後以六比三，判決兩報勝訴。這是新聞自由史上重要的大事，從此《華盛頓郵報》和《紐約時報》成為少林、

武當，可以分庭抗禮。

　　1972 年 6 月 17 日，五名男子闖入設在「水門大樓」的民主黨競選總部被捕。所有媒體都把這條新聞當做小偷誤闖空門的小事件，但《華盛頓郵報》感覺事情沒那麼簡單，又得到「深喉嚨」密報。兩名記者伯恩斯坦 (Carl Bernstein) 和伍德華 (Bob Woodward) 死盯活追，讓「水門事件」的真相逐步浮現。

　　尼克森總統為了掩蓋「水門案」，全力打擊《華盛頓郵報》。當時報紙的股價大跌 50%，凱瑟琳在事業面臨崩盤的壓力，人身安全有危險時，卻親自指示伯恩斯坦和伍德華要追下去，她說：「我們已經游到河水最深的地方，沒有退路了！」終於「水門案」的報導，致使尼克森下台，這是美國歷史上總統第一次辭職下台。《華盛頓郵報》登上巔峰。聽說從此在白宮，每個總統起床看的第一份報紙，一定是《華盛頓郵報》。

　　故事到這裡，好像也可以結束。但在《華盛頓郵報》最輝煌時，遇到另一個大浪。凱瑟琳為了控制成本，和工會槓上。1975 年 10 月，報社的印刷工人和廣告部門決定大罷工。工人還火燒印刷廠，導致那一天無法出報。凱瑟琳帶領高級主管親自去拉廣告，編輯自己操作製版，用直昇機從報社天台把編好的版樣運到鄰近州的工廠印刷。這樣相持了五個月，最後談判成功，危機化解。世人又再一次看到凱瑟琳的堅強和能力。

　　1986 年 10 月 7 日，凱瑟琳親自帶隊在台北總統府專訪蔣經國，蔣經國總統就是透過她，透過《華盛頓郵報》向世界宣佈台灣將解除戒嚴，開放黨禁、報禁。這是台灣民主發

展上重大的一步。

　　凱瑟琳·葛蘭姆是怎樣看自己的一生？她說：

**　　我接掌報社時，好像閉上眼睛，朝懸崖一跳，令人驚訝的是我竟然能成功著陸。**

　　葛蘭姆女士從平凡的家庭主婦，不斷化危機爲轉機，成爲報業巨人。她沒有打破花瓶，卻跌碎所有人的眼鏡。她改變了《華盛頓郵報》，而《華盛頓郵報》也改變她的一生。

　　她常說自己的人生恍如一齣肥皂劇！

●凱瑟琳帶領《華盛頓郵報》
　走過越戰和水門案，
　成爲美國兩大報之一。

8.4 相信就會看見

　　《列子》說符篇中有個故事，有個人找不到斧頭，他懷疑是鄰居小孩偷的，他觀察鄰居小孩，看他走路、臉色、講話，越看越像是個小偷。結果他在家裡找到斧頭，他再回頭去看鄰家小孩，怎麼看，怎麼不像個小偷。

　　是的，人腦就是這樣運作，完全選擇看見它想看見的東西，完全選擇相信它想相信的事情。所以相信就會看見，不管真相有沒有？

　　1964 年 8 月 4 日，美國兩艘驅逐艦在越南東京灣外海，遭受北越向他們發射了十二枚魚雷，所以他們不得不還擊，總共向北越魚雷快艇發射了四百發炮彈和五枚深水炸彈。

　　這個事件是越南戰爭的轉捩點，美國詹森總統因此下令轟炸北越，作為報復。美國輿論也一片叫好，美國大規模增兵越南，越戰從此擴大。造成一場長達十年，北越死亡二百萬人，南越死亡七十萬人，美國死亡五萬八千人，受傷三十萬人，無數平民和兒童傷亡、殘疾，留下無數寡婦和孤兒的戰爭大悲劇。

　　但 8 月 4 日這個「東京灣事變」的真相是什麼？真相是現場根本沒有北越的魚雷快艇，那十二枚魚雷哪裡來的？最有可能是美國軍艦聲納故障，產生雜音，誤會成魚雷攻擊。也有可能聲納偵測到的是「海豚」，反正就是沒有魚雷。美國空軍飛行員詹姆斯‧斯托克戴爾（James Bond Stockdale）當晚正在事發上空執行任務，他說：「我坐在駕駛艙裡，注視著整個事件，我們的驅逐艦只是對著假想的目標開火，那裡

根本沒有魚雷快艇，除了漆黑的水面和美軍自己的砲火外，什麼也沒有！」

當時美國國防部長麥克拉瑪也懷疑事件的眞實性，他愼重的一再查證，歷經九個小時，兩個艦長和情報人員都信誓旦旦的說，眞的有魚雷攻擊。麥克拉瑪後來回憶說：

我得到一個教訓，就是眼見也不能爲憑。當你相信什麼，什麼就一定會發生。

偏見很可怕，集體的偏見就更可怕。可怕在中間就算有出現問題，有人提出疑問，但在集體的壓力下不敢說，說了也不敢堅持，說了也沒用。烏雲罩頂下，完全看不見陽光。

而且集體偏見的形成，往往一點兒道理都沒有。更糟的是錯誤形成，後來的人也不會得到教訓而學乖，只是讓錯誤一再發生。

美國打伊拉克，說是海珊有毀滅性武器，結果呢？打進去，什麼也沒找到，土都翻遍了，就是連「斧頭」也沒有。

是海珊太像有斧頭的壞蛋，而害了伊拉克？還是美國的偏見害了所有人？當然這種集體的偏見造成的盲目錯誤，不是美國的專利。

只是力量越大的，盲目時錯誤越大，傷害也越深！

8.5 千古留名

中國古代的畫家，並不是獨立的藝術家。畫家是被宮廷養的，畫家要畫什麼，不是自己能決定的，是皇帝出題目叫你畫什麼。畫出來的作品不屬於畫家的，是歸皇帝的。而且不能署名，就是這些畫是皇帝的，等於後世看到的是皇帝的文化功績。你不可現身，搶皇帝的光。

好像萬里長城是誰建造的？秦始皇嬴政，對，也不對。對是嬴政下令造的，但造萬里長城的人是那一批批工人，皇帝可沒動手。工人是賤民，不可、不必留名了。宮廷的畫師雖供養優渥，但還是等於「工匠」，是皇帝的工具。

范寬是北宋的大畫家，他本名中正，字中立，因為他性情寬厚，別人都叫他范寬，久了他也自名范寬。他作畫的特色就是把「大山」直立起來，創造出雄闊壯美的氣勢，正如他的名「寬」。他善用雨點皴和積墨法，來製造山勢的險峻，被譽為「畫山畫骨更畫魂」。

元代的大書畫家趙孟頫說他是「真古今絕筆也」，明代大書畫家董其昌說他是「宋畫第一」。說完中國，說老外。美國《生活》雜誌選他為上一千年對人類最有影響的百大人物，排名五十九。老外看中國，跟我們角度不一樣。

台北故宮博物院有一張鎮館之寶《谿山行旅圖》。

這張畫正面大山靜定，以濃密如雨點般的筆觸構成。近景部分兩側巨石開出一條留白的道路，一隊驢子駝著貨物，客商從側緩緩行進。動靜完美呼應，千古佳作，很像范寬的筆法，但不能確定，因為沒有署名。

　　所以董其昌在題跋中也只寫了「北宋范中立谿山行旅圖，董其昌觀」，而不是「董其昌鑑」。雖然上面有二十二枚印章，乾隆弘曆就壓了六枚，足可見這畫很受喜愛重視，但不能說一定是范寬之作。

　　1958 年 8 月 5 日，當時台北故宮博物院的副院長李霖燦和書畫處牛性群，在檢查此畫時，

　　忽然一道光線射過來，在那一群行旅人物之後，夾在樹木之間，范寬二字名款赫然呈現。

　　他們兩個人發現了「范寬」的簽名。證實此畫確是范寬的真跡，這是目前所有范寬現存作品，唯一確定是真跡的。

　　可見范寬完成《谿山行旅圖》時，他心裡明白，他創作了一幅偉大的傑作。但是畫不是他的，是皇帝的，他不能簽名。但他多麼想讓後世的人知道這是他的畫作啊！怎麼辦？他運用巧思將樹葉排成「范寬」，隱藏在畫中一角。終於在九百多年後，被人發現。

　　遙想范寬當年，我們怎能不被他微妙的心靈所感動！

●范寬在《谿山行旅圖》中，運用巧思將樹葉排成簽名。
國立故宮博物院藏品

● 范寬《谿山行旅圖》　國立故宮博物院藏品

8.6 認錯

　　人一旦進入政治之門，就會關閉思想之門、知識之門、友誼之門。

　　伽利略是現代科學之父，但他爲了追求眞理，後半生受盡屈辱和折磨。他是那種爲了眞理，不顧自身安危的人嗎？

　　不是，他知道明哲保身。知道食古不化的笨蛋，唯一擅長的就是丟石頭。被他們的石頭打到，白死。何況前面有血淋淋的教訓，布魯諾因爲支持哥白尼的「地動說」，就被綁在十字架上，活活燒死。哥白尼自己生前也不敢公開發表「地動說」。

　　地動說就是主張地球繞著太陽轉，太陽是恆星，不動，地球動。相反的就是「天動說」，主張地球是宇宙的中心，地球不動，是太陽、星星、月亮繞著地球動，所以是天動，地不動。這是自亞里斯多德和托勒密以來的傳統主張，教會也認定如此。到了 1616 年時，教會對哥白尼的地動說，判定違反聖經，是錯誤的理論。伽利略被警告，不可推行哥白尼的學說，但可以說是「科學的幻想」。

　　伽利略還被逼簽字，保證不宣傳哥白尼的地動說。所以他小心翼翼，想說又不敢說。只能在自己家裡，自問自答，偷偷做各種假設、研究、計算。這樣一悶也有七年，別說是人，石頭也給悶糊、悶爛。

　　1623 年 8 月 6 日，巴貝里尼（Maffeo Barberini）當選新教宗，成爲烏爾班八世。這一天，伽利略開心極了，他感覺打開科學之門的機會來了。爲什麼？

　　烏爾班八世還沒有當教宗前，是伽利略的好朋友。他愛好天文、數學，把伽利略看成老師。如今他當上教皇之後，以伽利略對他的了解，他一定會支持開明的方向。七年前，教廷有人主張懲罰伽利略，就是他給擋下來。所以伽利略感覺思想之門又打開了，他又可以飛向宇宙。

　　果然，新教皇烏爾班八世馬上接見伽利略，兩人會面有六次之多。教皇同意、甚至還鼓勵伽利略寫一本天動說與地動說的比較。只要不要明顯的說天動說是錯的，把地動說當作一種「可能性」來研究，就不會打擊教會的權威。只要承認最後的裁判者還是教會，只有教會說的才算數，那說說應該沒問題。

　　於是伽利略抓住機會，立刻動手寫《關於托勒密和哥白尼兩大世界體系的對話》，簡稱《對話》。這本書從 1624 年寫到 1632 年才完成。他之所以要用「對話」的形式，就是要避開正式的論說，故意設計三個虛構人物，用聊天對話的方式來寫，把真正的科學論說藏在裡面。這樣就算有地方和教會的立場不合，那也是「那個人」說的，是虛構的，不是我伽利略說的，我也沒說「他」說的對。如果用現在的話來說，就是「以上言論是來賓個人立場，不代表本台意見」，所以本台概不負責。

　　《對話》一出版，立刻轟動，裡面對世界有全新的觀點。烏爾班八世本來感覺這本書挺好，沒問題。但是保守派指出，書中代表天動說的角色「辛普利西奧」Simplicio，其實是 Simpleton 的諧音，這個字是義大利文「大笨蛋」的意思，比方你把人取名「達本旦」。在書中辛普利西奧講話常常自相矛盾，被另外兩人嘲笑。而這個「達本旦」就是暗指烏爾班

八世，暗指教廷。烏爾班八世沒想到保守派的力量這麼大，他為了保護自己的權位，顧不了伽利略，他下令傳喚伽利略到羅馬，接受審判。

1633 年，6 月 22 日，判決下來，重點有三樣。

一、伽利略被判「有強烈異端嫌疑」，因為他聲稱太陽是宇宙的中心，地球不是，而且會運動。他必須發誓「放棄、詛咒、厭棄」地動說。

二、他被判終身軟禁在家。

三、《對話》一書查禁，其他著作查封。不准再寫新書。

伽利略被迫跪在法庭，發誓自己說的，全是錯的。

之後他回到佛羅倫斯，軟禁在家，不准出門走動。頭三年每星期要大聲朗讀七遍懺悔詩，反正是一天讀一篇。後來被恩准可由他的女兒代讀。

教廷關得住身體，關不住腦子。

伽利略偷偷寫下一部《兩種新科學》，就是現在「運動力學」和「材料力學」的創始論著。

1638 年後他完全失明，1642 年離開人世，魂入宇宙。

你看，政治有多可怕。伽利略一時天真，以為烏爾班八世會罩他。不知政治厲害到可毀滅人心，讓你心不由己，摧毀友情。其實何止友情，連親情也是說毀就毀，中外皆然。而且力量之深遠，是你想像不到的。

三百年後，羅馬教廷在 1992 年 10 月 31 日，才承認迫害伽利略有錯誤，但說教廷也不是全錯。

門是開了，但推了三百年還是半開。還好教廷現在只管信仰，已經不再管全部，沒以前那麼大了。

8.7 只要轉動成功的鑰匙

寶藏，就在那裡，在那道門之後，就在隔壁。鑰匙，就在那裡，就在門上，插在鑰匙孔裡。

妙的是，大家都在找鑰匙。與其說沒有人「發現」鑰匙就插在門上，不如說沒有人「相信」鑰匙這麼簡單就可以找到。隨時，你只要去轉動它，門就開了。

1947 年貝爾實驗室（Bell Labs）發明了「電晶體」。所有人都知道電晶體早晚會取代又大又笨重、貴又不可靠的「真空管」，成為收音機、電視機的主要零件。

問題是「早晚」是多久？美國專家估計至少還要三十年。所以沒有人去轉動鑰匙，就讓鑰匙靜靜插在門上。

這時候，日本有一家小公司叫「東京通信工業」，它看中了「電晶體」那把鑰匙。當時日本製的電子產品等於是爛貨，品質低劣，跟美國的東西不能比。所以東京通信想向貝爾實驗室買電晶體的專利時，貝爾實驗室根本沒有警覺，還暗地嘲笑日本人白癡。就在 1954 年以兩萬五千塊美金的低價，秘密把電晶體的專利賣給東京通信。

為什麼秘密交易？因為收這種小錢，賣沒用的東西給小公司，有失大實驗室的面子，所以不好給人知道。東京通信拿到電晶體，想做什麼？做收音機。它以前做過收音機嗎？沒有。所以剛開始時，困難重重。

終於在 **1955 年 8 月 7 日**，推出第一台手提式電晶體收音機，名字叫 TR-55。重量只有同性能真空管收音機的 1/5，價格只有 1/3，內裝五個電晶體，可收聽多個調幅頻道，只

要有電池，就可以「手提」到處走。輕巧、便宜、實用，很快在日本大賣，接著銷遍全世界。

東京通信就此改名叫「新力」SONY，公司老闆就是盛田昭夫。

TR-55 的成功，改寫了日本產品的全球印象，從此日本擺脫劣質產品的代號，成為高品質精良產品的同義詞。

● SONY 製造出第一台電晶體收音機 TR-55。

8.8 回頭是岸

路燈在白天開，你根本沒感覺。但晚上一盞路燈你遠遠就看見。路燈有多亮？要看四周有多黑暗？

1977 年 8 月 4 日，鄧小平在北京召開科學與教育工作的座談會。**8 月 8 日**最後一天會議，他當場拍板「恢復高考」，重新開辦高等教育的大學入學考試，就像台灣的大學聯考。

鄧小平這個拍板，是他最被讚頌的功績之一。很多老一輩的人提起「恢復高考」，還不自覺會哽咽呢！這決定為何在中國人心中顯得如此偉大？

事情要從文革說起，1966 年毛澤東發動文化大革命，對教育採取「自願報名、群眾響應、領導批准、學校複審」，意思就是能不能上大學？不是用考試來決定，而是用「成份」來決定。

大學招收工人、農民、解放軍，只要有初中程度，「工農兵」就可以上大學。上大學也不是要來大學學習，而是要「上大學、管大學，用毛澤東的思想改造大學」，就稱為「上、管、改」。不只大學，所有學校的功能都沒了，學生每天搞批鬥老師，搞政治運動。整個中國文化陷入最黑暗的時代，一代人的教育完全空白。

這樣天翻地覆的亂搞，毛澤東後來也感覺不太對。1973 年又把在文革初被打成走資派的鄧小平拉回來，讓他復出主持政務，鄧小平便嘗試恢復高考，但不敢全面恢復，只在工農兵上大學選拔規則上，加了「文化考試」。

結果有一個叫張鐵生的，考試時交了白卷。文革造反派

立刻把他捧爲「白卷英雄」，更攻擊高考是「資產階級利用文化考查，趁機塞進舊高考的那一套，妄圖破壞大學招生制度的改革」。結果，每所大學只敢錄取考最低分的考生，這下高考變成「低考」，不如停辦，所以又中止了。

1976年9月9日，毛澤東死了，過了不到一個月，10月6日「四人幫」就被捕、倒台，文化大革命到此可以算是結束。緊接著鄧小平再度復出，掌握大權。他決定迅速恢復高考，1977年10月12日中國國務院正式宣布。

這給長期黑暗的中國，拉開黑幕，透進一道陽光。在12月寒冷的冬天，全國有570多萬人參加高考，只能錄取30萬人。加上第二年夏天的考試人數，總共有1160萬人，這是世界歷史上最大規模的考試。因爲這是超過十年，千千萬萬想讀大學、沒機會考試人數的總和啊！

想來很悲哀，鄧小平做的事，只是正常人做的事。

因爲毛澤東的不正常，使得鄧小平變得偉大。

以前讀「驚天地，泣鬼神」總覺得是誇張。但有些人瘋起來，眞的連神也怕，鬼也嚇哭吧！

8.9 有信用的流浪漢

上帝一個人忙不過來，祂會派天使守護我們。

你的天使在哪裡？可能就是站在你面前的陌生人。那別人的天使呢？可能就是你。

梅莉‧哈里絲（Merrie Harris）在紐約的智威湯遜廣告公司工作，**2010 年 8 月 9 日**，她和朋友在蘇活區用午餐。吃到一半，她們想抽根菸，便走出餐廳，站在大街上。這時出現一個非洲裔的流浪漢，對她說：

「我叫傑‧瓦倫丁（Jay Valentine），今年三十二歲，我失業三年，現在是流浪漢，靠乞討過日子。我想說的是，不知道你願不願意幫助我，給我一點零錢，好讓我買一些生活用品？」

哈里絲看著瓦倫丁期盼的眼神，便伸手進口袋，摸了一摸，掏出一張信用卡，她有點尷尬的說：「不好意思，我身上沒錢，只帶這張卡。」

「如果你願意相信我，可以將這張卡借我用一下嗎？我想買瓶水。」

哈里絲想也不想，就把她的美國運通白金卡遞給瓦倫丁。瓦倫丁接過卡，小聲的說：「我還能用它買包菸嗎？」

「可以，你需要什麼？就用它去買。」

瓦倫丁道謝後，拿著卡離開。哈里絲和朋友回到餐廳繼續用餐，她一坐下來，腦筋開始思考，心裡開始嘀咕。

「完蛋了，我的卡沒有設密碼，裡面還有十萬美金，要是他跑了，我就慘了，我怎麼會？我在想什麼？」

朋友也說：「你怎麼會隨隨便便相信一個陌生人？」

「可是他看起來不像壞人！」

「你會不會人太好？太天眞啊？」

哈里絲越想心越亂，越想越吃不下，她在想她該怎麼辦？朋友付帳後，兩人像脖子吊著十斤鐵球，低頭不語走出餐廳。結果她們看見瓦倫丁等在門口，眞的，這不是幻影，他眞的買東西回來。瓦倫丁把信用卡還她，並且向她報帳，總共買了兩瓶水、沐浴乳、除臭劑、一包菸，花了二十五塊美金。

哈里絲抓住瓦倫丁，一直跟他說謝謝，並給他一個擁抱，高興的說：「我就知道你一定會回來！」

事後，哈里絲把這個事情告訴《紐約郵報》的記者，故事登上報紙，立刻引起迴響。瓦倫丁不但被媒體封爲「紐約市最誠實的流浪漢」，還得到一個德州商人寄給他六千美金，鼓勵他的誠實。這個不具名的慷慨人士表示：「現在這種人已經太難得，他借走信用卡，不是去買酒或毒品。瓦倫丁需要幫助，我們都有義務對需要協助的人，伸出援手。」

幾天後，瓦倫丁接到威斯康辛航空公司的電話，他們請他去擔任空服員。瓦倫丁接受訪問時，說：「當哈里絲把信用卡給我時，我自己也嚇了一跳。她相信我，我不願破壞這種信任，我絕不會那樣做。」

是的，哈里絲是瓦倫丁的天使，而瓦倫丁呢？

他不也是哈里絲的天使嗎？他讓哈里絲對人性更有信心，也對善良不再懷疑。有時候，我們要用心才能看清這世界，用腦算計是不行的。

8.10 國寶守護天使

奇蹟是爲有信念的人發生！

有信念，才有勇氣；有勇氣，才有突破自我極限的意志；有這種意志，奇蹟才會發生！

1944 年 8 月 10 日，法國一千多名鐵路工人「罷工」，使得巴黎周邊的火車完全停駛。這是什麼勞資糾紛嗎？當時還在打二次大戰，法國是由納粹德國控制，哪有什麼勞資問題？只有生存的問題。那鐵路工人爲什麼要罷工？敢罷工？他們罷工不是爲了自己要加工資，而是爲了搶救法國最寶貴的藝術品。這次搶救行動的發動者，是一個在博物館工作的女性藝術史專家。

蘿絲・維蘭德（Rose Antonia Maria Valland）是一個鐵匠的女兒，在這樣不起眼的家世背景下，她能夠力爭上游，進入巴黎大學、高等羅浮宮藝術學院、法蘭西學院，成爲被權威認可的藝術史專家，而且又是女生，在那個時代已經算是「奇蹟」。

1941 年法國戰敗屈服，德國佔領了巴黎，扶持法國傀儡政府。德國的胃口，不只是攻城掠地、領土資源，他們還要搜刮珍貴的藝術品，來滿足他們虛榮和貪婪。他們選定了位在羅浮宮旁的「網球場美術館」Galerie nationale du Jeu de Paume 作爲藝術戰利品的收集中心。當時維蘭德正是網球場美術館的助理館長，德國派來接管的貝爾（Kurt von Behr）上校對藝術並不內行。所以雖然蓋世太保一直懷疑維蘭德與反抗軍有聯絡，但除了找不到明確證據外，他們太需要她的才

117

能，只有她能夠搞清楚每一件藝術品的歷史、地位、價值。這是知識力。打死她，把她的腦挖出來，也沒用。她活著，好好利用，對納粹最有利。所以她白天爲每件流進來的藝術品鑑定、編目，晚上回家靠著驚人的記憶力，偷偷留下一份完整的紀錄。她當然知道納粹在利用她，她爲了保護國寶，假裝甘於被利用。

鄰居、朋友、一般市民都以爲她成了「法奸」，見到面都避著她，私底下罵死她。他們不知道，她和地下反抗軍領袖一直暗地聯絡。

1944 年 6 月盟軍登陸諾曼第，德軍心裡明白，盟軍很快就會打到巴黎。所以貝爾上校奉命將搜刮來的藝術品運回德國。8 月第一批一百四十八箱的名畫，運到巴黎的「歐貝維利耶」車站，秘密裝滿了五節火車車廂。接著更多的藝術品陸續送達，總共裝滿了五十一節車廂。維蘭德記下了所有運貨的清單，包括火車編號和運貨的目的地。但她知道一旦火車駛離巴黎，未來極可能再也找不到這些藝術品。它們有可能被戰火毀掉或被納粹私吞，這裡面可都是高更、雷諾瓦、竇加、畢卡索……那有沒有可能可以阻止火車離開呢？

維蘭德一邊傳送資料給法國反抗軍，一邊告訴他們事情很緊急，最好的辦法就是阻止火車離開，而且要保護車廂的藝術品安全。1944 年 8 月 10 日，一百四十八箱藝術品終於全部裝上火車，準備離開巴黎。但奇蹟出現，法國鐵路工人在這一天「罷工」。所以火車開不了，只能停在車站。

8 月 12 日，在德軍的威逼下，鐵路工人復工，鐵路恢復運行，但這列藝術火車還是沒動。因爲這時盟軍已經接近巴黎，鐵路要優先給要逃離巴黎的德國人來用。所以載著德

軍軍政要員、家眷和財產的火車，一列又一列的駛離巴黎。藝術列車便被擺在「旁軌」，由一小隊德國兵把守。他們也很緊張，看著別人都跑了，自己的焦慮可想而知。就這樣拖了三星期，這列火車終於開動，往德國出發。

結果，火車才駛了幾英里，司機就說因為超載，所以機械嚴重故障，開不動。拖拖拉拉又過了四十八小時，火車終於修好了，但這時法國反抗軍已經破壞了鐵軌系統，什麼火車都開不出巴黎。維蘭德向反抗軍領袖傳信說：「載著一百四十八箱藝術品的列車是我們的了！」。

幾天後，自由法國第二裝甲師到達時，發現有兩箱的東西不見了，所有銀器都被偷。他們決定把三十六箱大師名作先運回羅浮宮，這些是羅浮宮最珍貴的寶貝嗎？不是，這三十六箱是巴黎的畫商羅森貝（Paul Rosenberg）私人所有，他的兒子正好是自由法國軍監管這列火車的負責人。所以先把他家的「私寶」運回巴黎，剩下來真的是「國寶」就先擺著。結果這一擺，又拖上兩個月。維蘭德每天為國寶擔驚受怕，以前是怕德國人要盜走，現在是怕法國官僚作風造成重大閃失。終於在 12 月的冰雪天，她親自在巴黎接到了最後一批回來的國寶。

在巴黎解放當天，慶祝的群眾衝進網球場美術館。維蘭德站出來不准群眾進入地下室，因為那裡還存放了許多藝術品。群眾之中有人喊：「她把德國人藏在地下室！」、「她是德國人的走狗！」、「賣國賊！」、「賣國賊！」，槍口對著她的背，她不得已領了幾個帶頭的人下去地下室查看，確定裡面只有藝術品，並沒有藏匿德國人後。她得理不饒人，把群眾趕出美術館。

　　戰後，維蘭德的英勇得到許多榮譽，她也積極參與藝術品重新安置的工作。另一方面她也拿在戰時的紀錄，協助尋找猶太人被沒收的藝術珍品，雖然有尋獲，可惜還是有大量藝術品都在人間消失。

　　維蘭德當然是英雄，但英雄並不好做。不只要有勇氣承受身心的苦難、死亡的威脅。

　　更苦的是，你在冒險犯難時，心裡明白不但沒有人知道你的付出，他們可能還會向你丟石頭！你不只要等待奇蹟，還要去創造奇蹟！

●二戰期間，納粹搜刮來的藝術品都存放在法國網球場美術館。

8.11 跳到黃河洗不清

　　沒有骨頭，一團軟綿綿的生物，竟然有最堅硬的外殼。越沒有頭腦、越離譜的妄言，人們越想相信。

　　七十九歲的維吉尼亞・麥克馬丁（Virginia McMartin）在加州曼哈頓海濱社區擁有一間幼稚園，園長是她的女兒，她二十二歲的外孫雷・伯凱（Ray Buckey）是幼稚園的老師。其他老師和員工都是親人或教友。這間麥克馬丁幼稚園一直是鎮上的模範學校。

　　1983 年 8 月 11 日，麥克馬丁幼稚園的小朋友小馬菲爾回家後，跟他媽媽茱迪・約翰遜（Judy Johnson）說：

　　「媽媽，我的屁股中間痛。」

　　茱迪馬上聯想到伯凱，因為他是幼稚園唯一的男老師。她問兒子：「伯凱老師有沒有對你做壞事？」

　　「沒有，這跟伯凱老師有什麼關係？」

　　「當然有關係，伯凱是男生，他有沒有用身體去碰你的肛門？」

　　「沒有，沒有！」

　　直接問，問不出來，茱迪改間接問：「我們來玩醫生和病人的遊戲，你是病人，伯凱是醫生，他有沒有像醫生那樣給你打針？」

　　「沒有。」

　　「那他做過什麼？像醫生做的？」

　　「有，伯凱老師有幫我量體溫。」

　　賓果，量體溫，體溫計插肛門，這是性侵的掩護！

　　茱迪心裡下了判斷，她二話不說帶兒子去醫院檢查。不只去一個醫院，為什麼？只要這間醫院檢查結果是孩子沒有被性侵，她就換一間，後來就有醫院的報告說：孩子看過伯凱的生殖器，伯凱還給他拍裸照。

　　茱迪報警，告訴警方不只她兒子被綁起來脫光光拍照，其他小朋友也遭到毒手。警方建議她去找加州大學洛杉磯分校 UCLA 的國際兒童研究所 CII，那裡有兒童性侵案的專家，請他們鑑定一下。好巧不巧，小馬菲爾到 CII 時，值班的不是醫生，是實習生。他看到小孩肛門的紅印，再聽茱迪說，診斷小馬菲爾是被性侵沒錯。

　　警方立刻到幼稚園搜查，並逮捕伯凱。但卻缺乏證據，只好釋放。警方不罷休，發信給在校和以前畢業小朋友的家長，請父母調查他們的孩子有沒有被性侵過？這個舉動牽涉二百多個家庭，自然在小鎮引起恐慌。

　　20 世紀 70 到 80 年代，心理學上流行一個理論，就是我們成年後的偏差行為，都來自幼兒時期的陰影。很大一部分是來自父母、親人或老師不同程度的性侵。而小孩因為不懂事，或不知如何開口求援，往往成為犧牲者卻不自知。但是如果透過適當引導，就可以找出真相。而在 CII 工作的琪・瑪法雷恩（Kee MacFarlane）就是這派的心理學家，當時懷疑受害的家長，因地利之便都帶孩子來給她診斷。

　　但大家都以為她是專家，卻不知她是鑽牛角尖的專家。因為她在詢問孩子時，如果得不到她預先設好的答案，她會強力引導，甚至強迫，逼小孩說出她要聽的話。例如她問一個小女孩，伯凱有沒有掀開她的裙子？小女孩就是說「沒有」。於是她用洋娃娃來演，要小女孩做出掀裙子的動作，

小女孩就是不肯做。然後她居然對小女孩說，其他同學都說了，如果她不說出來，那就會害到同學，讓同學變成說謊的壞孩子。五歲的小女孩在威脅之下，還是不說伯凱有對她怎麼樣，但說伯凱的媽媽佩姬‧伯凱（Peggy Buckey）也就是園長，看起來好像會對她性侵。瑪法雷恩就此下診斷，判定小女孩受到性侵，但她因為喜歡伯凱一家人，或受惑於權威，反而替他們母子隱瞞。

其他孩子在 CII 的誘導下，就用編故事來逃避，例如有男孩說伯凱會帶他去一間密室，裡面有機關，下面有隧道。有男孩說伯凱會帶他去墓地，強迫他挖棺材，把屍體肢解。有女孩說伯凱會用自己的大便和尿，拌巧克力給她喝。這時媒體在摻和進來，大肆報導。可憐的麥克馬丁幼稚園祖孫三代都變成了惡魔，幼稚園在媒體成了「性恐怖大宅」，後來只有老祖母准予交保。

案子越來越熱鬧，幾乎日日沸騰。問題是，不管警方怎麼搜，卻一點證據也沒有。別說沒有小孩的裸照，連一本色情書刊也找不到。而且小馬菲爾的媽媽茱迪，開始控訴鄰居對她兒子性騷擾，還說那個人強姦她的狗。1984 年小馬菲爾的爸爸和茱迪離婚，原因是茱迪指控他性侵自己的兒子。接著茱迪被診斷有精神分裂症。

到這裡，該收手了吧？伯凱的媽媽交保，但伯凱繼續收押。因為檢察長辦公室認定他有罪，只是證據沒找到。而且當地的民調顯示 97.5% 的人相信他有罪。要知道，美國是三權分立，地方的檢察長也是民選的，所以他要辦下去。

1986 年伯凱被控八十一項重罪，說他性侵三百六十個兒童，佩姬‧伯凱也被控二十七項罪名，其他幼稚園的人員也

受到牽連。但是有兩個檢察官辭職，因爲他們感覺自己在折磨無辜的人。

　　案件進行中，茱迪因酒精中毒死亡。更權威的心理學家指出 CII 提供有關三百六十個孩子問答的錄影帶，過程有很大的問題。每一個孩子都是起初否認曾被性侵，在一再誘導和逼問下，才不得不亂編故事。而且他們發現主持人瑪法雷恩，從來沒有受過評估孩子被性侵的訓練，她的方法眞的有很大的誤差。

　　拖了五年，這件案子動用了三位全職檢察官、十四位社工、二十二位特遣隊員、二十二位志工、五位探員，花費一千六百萬美金，是美國審訊時間最長、花費最高的案件，最後伯凱以無罪釋放。可憐非常喜歡小孩的他，因爲一個妄想的重症者起頭，捲進一堆又笨又瘋又勤快的人手裡，白白坐了五年黑牢。

　　這個世界危害最深的，不是「沒道理」。而是「假道理」、「假科學」。但這些看似有點道理的東西之所以可怕，還是因爲我們內心的偏見，所以輕易找到共振！

8.12 豬的功勞

世界是圓的，你一直向西走，最後會到達東方。所以看起來距離越遙遠的，搞不好離得越近。

豬，我講的是真的豬，和汽車工業有什麼關聯？有，如果不是豬，搞不好我們現在沒有那麼多汽車！

1908 年 8 月 12 日，亨利福特帶著他的幹部，看著第一輛 T 型汽車從底特律廠生產出來。

在 T 型車以前，汽車是富豪階級的專屬配件，一般人是買不起的。亨利福特想要製造一輛便宜的汽車，讓普通家庭也能夠擁有。T 型車不但實現了他的美夢，更是工業生產史上的轉捩點。

T 型車後來能更便宜，關鍵在福特於 1913 年採用「裝配線」來生產，它生產的速度比以前快了八倍，時間縮短，成本就降低，產量也大幅提高。之前做車子，是大夥一起來裝配。而裝配線則是把裝配過程「拆開」，有人專門裝引擎、有人專門裝車門、有人專門裝方向盤……。每一段只做單一的動作，做完移到下一段去做下一個動作。好像一條線或帶子從「線頭」走到「線尾」，車子就裝配完成。這不只對汽車工業是重大突破，等於改變了所有工業生產的模式。所以又稱「生產線」。現在說生產什麼，都說開幾條線。

這個主意是誰想的？是福特手下的威廉·克蘭（William Klann）。他怎麼想到的？據說是他在給兒子講《三隻小豬》的故事，講著講著，他忽然想到他在芝加哥參觀過一個屠宰場。當「豬體」進入屠宰場，有人負責肢解、有人清理內臟、

有人切豬腿、有人剁豬頭……個別工人「重覆」處理同一個
動作，效率很驚人。他想豬可以這樣拆開，那汽車為什麼不
能這樣拼起來？

於是，他打了一份報告給他的上司彼得‧馬丁（Peter
Martin），內容說到他在屠宰場的見聞，以及他想用相同的
概念來裝配汽車。這份報告現在好好存放在「亨利福特博物
館」的玻璃櫃中。8月12日這天，他們實驗給福特看，順利
用裝配線生產出第一台T型車。

威廉‧克蘭是「裝配線」之父，毫無疑問。他的靈感從
豬身上來，也是毫無疑問。

●福特採用裝配線生產汽車，大幅提高
　生產效率。

8.13 槍口抬高一公分的良心

正義未必是黑白分明，但在顏色深淺之間，還是有一定標準。

二次大戰後，德國一分為二，變成東西德。

東德為了阻止大量人民逃往西德，**1962 年 8 月 13 日**開始在邊界築起圍牆，並且下令對意圖翻越圍牆的人「格殺勿論」。這一道圍牆高約四公尺，上面佈滿高壓電鐵絲網，時時有士兵巡邏，便是惡名昭彰的「柏林圍牆」。它確實發揮了強大的阻礙功能，但圍牆並沒有完全阻斷人們投向自由的企圖，所以也出現許多成功跨越圍牆的勇敢傳奇，當然也同時製造了許多犧牲，留下遺憾！

1962 年 8 月 17 日下午 2 點 15 分，兩個東德青年試圖翻越圍牆，他們的命運被圍牆一分為二，一個成功得到自由，而十八歲的彼得・菲赫特（Peter Fechter）被衛兵開槍擊中。受傷的菲赫特痛苦的喊救命，圍牆那邊，西德的警察和駐守的美軍，不敢跨過圍牆來救人，只能把急救的藥品扔到菲赫特的身邊。但他的傷勢嚴重，根本沒辦法自己急救。而圍牆這邊，東德的士兵就是見死不救，眼睜睜看著菲赫特在一個小時後，失血過多而死，才過來收拾屍體。

菲赫特是柏林圍牆建立後，第一個被擊殺的犧牲者。他死後，事情還沒完，他的父母因此受到長期的政治迫害，母親最後得了精神分裂症。

1989 年 2 月 5 日深夜，同樣是兩個年輕人克里斯・格弗洛伊（Chris Gueffroy）和他的朋友克里斯丁・高定（Christian

Gaudian），他們要翻越柏林圍牆，結果他們在翻過最後一道鐵絲網時，被東德衛兵發現，格弗洛伊被打中十槍，當場死亡。高定身受重傷被捕，之後被判刑三年。開槍的四個衛兵被記功，還各得到獎金一百五十馬克。

1989 年 11 月 9 日，柏林圍牆倒塌了，才二十一歲的格弗洛伊是最後一個在圍牆被射殺的犧牲者。人死了，事情不能就這樣完了。1992 年 9 月 3 日，統一後的德國法院追訴開槍射殺格弗洛伊的的四個衛兵。如果你是他們的辯護律師，怎麼幫他們脫罪？沒錯，律師說他們是「奉命行事」，開槍是服從和執行當時東德政府的法律和命令，罪不在他們。

1992 年 1 月 21 日，法官做出判決，沒錯，按照當時東德的法令，不開槍是會受到處罰。但是如果「開不準」呢？你明明知道翻越柏林圍牆的人，並不是真正的罪犯，為什麼要瞄得準準的射殺無辜者？不開槍確實會受到處罰，但開槍打不準並不會受罰。做為一個身心健全的人，當時當刻，你有把槍口抬高一公分的主權，這是人應該主動承擔的良心義務。任何人都不能以「服從命令」為藉口，而超越基本的道德底線。

開出致命一槍的衛兵被判了三年六個月，不得假釋，因為他開的每一槍都是瞄準的動作。另外一個衛兵被判刑兩年，可緩刑。還有兩個被判無罪，因為他們只打傷了逃亡者，沒有致命。

那第一個在柏林圍牆犧牲的菲赫特呢？德國的法院沒有忘記他。射殺他的三個東德衛兵，在三十五年後，一個已經死去，另外兩個還活著的，同樣被法院判有罪，但因為沒有證據能分清是誰開了致命的一槍，所以兩人被判刑二十個

月，也同樣得到緩刑。

　　人死不能復生，失去生命是再怎樣也無法彌補。但正義不能有洞，尤其是已經看到的，不能視而不見。為了活著的人，一定要盡力縫補。否則不正義的洞，一定會再出現。

　　2003 年 6 月 21 日，在格弗洛伊生日這天，人們在他當年逃亡的地點，設立紀念碑。是的，事情會過去，但為了後來人的幸福，不能忘記。

● 彼得‧菲赫特紀念碑

● 柏林圍牆下的第一個犧牲者菲赫特。

● 柏林圍牆下的最後一個犧牲者格弗洛伊。

8.14 換了位置就換心態

　　我們常常嘲諷某些人是「屁股換了位置，就換了腦袋！」是這些人背叛自己的良心？還是因為權力、利益移動了他們腦中的好靈魂？使他們從善良變邪惡？

　　菲利浦，金巴多（Philip Zimbardo）是著名心理學家，曾任教於史丹佛大學、耶魯大學、紐約大學、哥倫比亞大學。心理系學生最常用的第一本教科書《心理學》Psychology and Life，他就是作者之一。他設計了一個實驗，想要研究人在不同的情境下，「行為」和「心理」會有何改變？

　　他在大學的佈告欄登廣告：「研究監獄生活的心理學實驗，急需男大學生志願者，實驗時間一到兩週，每天十五美金。」結果來了七十多個志願者，他挑了二十四名學生，隨機分成一半演囚犯，一半演獄警。學生被放在史丹佛中心廣場（Main Quad）喬丹大廳（Jordan Hall）的人造監獄裡。

　　1971 年 8 月 14 日，實驗開始。實驗前，金巴多告訴演獄警的學生，要想像自己是真的在執行勤務，但是不可以讓演囚犯的學生受到傷害。模擬的情境很逼真，扮演囚犯的學生，假裝先被警察逮捕，接著採集指紋，蒙上眼睛，關進監獄，然後扒光衣物，搜身、去蝨、剃頭，分發囚服，得到一個號碼，栓上腳鍊，進入黑獄世界。

　　問題是「假戲」如果「真做」，那可不得了。扮演獄警的學生「入戲」越來越深，他們辱罵「囚犯」，扒光他們的衣服，動不動就突擊檢查，剝奪囚犯的睡眠，對囚犯施以無情的虐待。而「囚犯」呢？他們漸漸失去耐性，起來反抗，但被暴

力報復，有些變得歇斯底里，有些陷入絕望。有五個人情況太嚴重，不得不提前退出。

情況越來越瘋狂，等於已經失控，但主持研究的金巴多自己也「入戲」太深，他以監獄的「大家長」自居，興奮的收集新狀況和變化，忘了這是一個「實驗」，而且已經超過人道的界線！

幸好，當時團隊中有一個人叫克里斯汀娜・馬斯拉奇（Christina Maslach）頭腦還清楚，她出來阻止實驗繼續進行，在緊要關頭叫醒了金巴多。金巴多受到當頭棒喝，提前停止實驗，才沒有發生更大的悲劇。但是演囚犯的學生身心已經受到嚴重傷害，他們不相信抽樣是隨機的，他們堅信演「獄警」的學生，是刻意挑有「虐待傾向」的人，他們甚至以為獄警身高比自己高許多，其實兩邊的平均身高是一樣的。這一切是實驗多久發生的？1, 2, 3, 4, 5, 6，只有短短六天！而「囚犯」在第二天就發生反抗，開始崩潰了。這就是著名的「史丹佛監獄實驗」。

這個實驗說明了「處境作用」的程度，遠遠超過人們的預想。原本正常、健康、善良的一般人，一旦身分改變，他就會「主動」去接受被指定的角色，包括這個角色在社會中隱含的標準。例如獄警就會專制、暴虐。而囚犯就要卑微、屈辱。所以善良人會變邪惡，好人會犯下惡行，往往是外在的「處境」造成的。

從這裡可以解釋為什麼原本和善的青年會成為恐怖分子，進行屠殺無辜的自殺性攻擊。軍警對於自己角色認定，過度服從上級的命令，無情鎮壓平民。

金巴多把這個效應命名為「路西法效應」。路西法是上

帝最喜歡的天使，而他卻禁不住誘惑，犯下自以為是對的「惡行」。金巴多借用這個典故，指出在某種情境下，經由「心理動力」，造成天使變惡魔，好人變壞蛋。而所謂心理動力的來源，多半是權威服從、去人性化、去個人化……等。

從希特勒、史大林、毛澤東的恐怖統治，到最近發生的美國大兵在關塔納摩監獄虐待伊拉克、阿富汗戰俘的事件。除了歷史事件的見證，一般社會的行為也可以從「路西法效應」來解釋，根據金巴多的統計，1/4 飛行事故的起因都是副機長過於服從權威，即使機長的判斷錯誤，也照樣執行。車諾比核災，原因也相似。

我們一定會身在一個「處境」中，那要如何面對「處境的力量」，才不會失去善良、理性的自我呢？金巴多提出十大抵抗的盾牌。

1. 承認自己會犯錯誤，當斷則斷，不堅持到底。
2. 保持警覺，保持批判性思考。
3. 責任要自己負，「聽命行事」、「每個人都這樣」不是推卸責任的理由。
4. 堅持自我的獨特性，不允許他人把你去個性化。
5. 記得「吾愛吾師，吾更愛真理」，官大不一定學問大。
6. 每個人都希望被群體接受，但也要保持自己的獨立性，維持群己關係和諧。
7. 辨清接收的訊息，是不是制式的？
8. 平衡時間觀，過去與未來要連接，這樣才可叫醒自己當下沉迷的行為。
9. 不要為了安全感的幻覺，犧牲個人或公民自由。
10. 反對不公正的系統。

　　很複雜，對不對？那金巴多當時如何覺醒？是靠他自己
這十大守則嗎？不是，是馬斯拉奇對他當頭棒喝，所謂「當
局者迷」，我們需要別人、別的機構、別的力量，互相制衡。
所以金巴多後來向馬斯拉奇求婚，兩人結爲連理，他找到了
終身的幸福倚靠。

Fot. J.Dec

● 心理學家金巴多，設計執行史丹佛監獄實驗。

8.15 **熱情**

　　通往成功的道路很多，如果你找不到，不是上帝沒有為你留下路標，只是你兩眼直直沒有抬頭看。

　　霍華‧蕭茲（Howard Schultz）出生在紐約布魯克林，他家境清寒，從小在美國貧戶安頓計畫下成長。為了求學，他半工半讀償還助學貸款。白天上學，晚上當酒保，有時候還要賣血。他利用足球獎學金，進入北密西根大學。畢業後，幹過各種工作，後來到了廚具公司上班，接著當上同一個集團百貨公司的地區經理。

　　他發現有個叫「星巴克」的咖啡店，經常向他們訂咖啡機，數量很大。他好奇是賣什麼咖啡的，生意會這麼好？他趁休假跑去西雅圖造訪星巴克，結果他一進星巴克，立刻迷上店裡的咖啡香。原來星巴克是一家專賣咖啡豆的公司，兼賣咖啡機。照理來說，他現在有穩定又收入不錯的工作，應該穩中求好，不該險中求勝。但他卻立刻辭掉原來的高薪工作，進入星巴克，不久接掌了行銷業務。

　　他大膽向老闆提議，應該擴大版圖，增加銷售點，建立咖啡豆的帝國。老闆對擴大沒興趣，不認同他的作法。於是他離開星巴克，想要自己創立一家咖啡店。他的構想是開一家義大利式咖啡店，不同於一般的美國咖啡，他想要以歐式的口味、風味、品味，來提升價位。一整年拜訪了二百四十二位金主，二百一十七位拒絕投資。幾乎沒有人相信美國人會改口味，尤其是貴一倍到兩倍價錢的口味。

　　結果第一個答應投資他的金主，是星巴克的老闆，他原

來的老東家。就這樣他開了每日咖啡店（Il Giornale）。可是他始終忘不了星巴克。

終於機會來了，星巴克計畫高價出售股權。

1987 年 8 月 15 日，蕭茲冒著債台高築的風險，把所有家當抵押，貸款買下星巴克。然後把星巴克轉型，從專賣咖啡豆的公司，延伸成一間有歐式風格、品質講究的高價咖啡店。發展到今天成為擁有八千五百家連鎖店，九萬名員工的跨國公司，建立全球咖啡店的帝國。

他打破一般以為的鐵律：第一，相同的東西，人只會挑便宜的買。第二，人買便宜的東西習慣了，他不會移向更高價的位置。這兩種規律，其實也沒錯。只是星巴克給你的不只是「咖啡」，而是焦糖瑪奇朵、摩卡奇朵、卡布奇諾，這是義大利咖啡，不是一般「咖啡」。所以東西不同，自然會離開原來的消費軌道。

條條大路通羅馬，只是有些路在高端。大家習慣往低價走，你不隨波逐流，反而機會更大。水往低處流是沒錯，但你可以是雲，雲會升空飛起來。

● 蕭茲冒險買下星巴克，
建立全新咖啡店帝國。

8.16 反抗力

18 世紀末，工業革命在英國展開，加速了資本主義的興起。19 世紀初的英國，許多地方的景物全非，廠房取代穀倉、煙囱取代樹木、黑煙取代白雲，勞工問題也不斷湧現。

1815 年英國在滑鐵盧打敗了拿破崙，戰爭突然結束，使得戰爭物資生產過剩，來不及消耗，造成經濟失衡。三十萬英國士兵突然解甲回鄉，造成失業問題。接著糧食飛漲，人民苦不堪言。

當時只有貴族有選舉權，中產階級和低下層的農工都不能參與政治。而貴族控制的議會，又通過像「穀物法」之類不顧平民死活的惡法。社會的火藥味越來越濃，一點火就會爆發。

1819 年 8 月 16 日，平民運動的領導人亨利杭特（Henry Hunt）集合了六萬以工人為主的群眾，在曼徹斯特的聖彼得廣場（St. Peter's Square）要求改革議會。政府調動了軍隊來鎮壓，不僅逮捕杭特，並且派騎兵揮刀衝散人群，結果造成十二個人死亡，其中一個是兒童，六百五十個人受傷的慘劇。因為這支軍隊打過滑鐵盧戰役，所以用反諷戲稱曼徹斯特大屠殺為「彼得盧大屠殺」Peterloo Massacre。

這時，人在義大利的英國詩人雪萊，寫下了《暴政面具的行列》The Mask of Anarchy 這首名詩，來控訴曼徹斯特的大屠殺。

路上遇到戴著假面的謀殺，
活像是那位卡瑟爾瑞侯爵，
貌似溫和，其實殘忍可怕；
七條兇猛的惡狗緊跟著他。

天真的孩子年幼無知，
圍繞著他嬉笑玩鬧，
以為每一滴淚都是珠子，
結果被砸碎了頭腦。

還有許許多多的毀滅，
參加了恐怖的化裝行列，
全都偽裝得連眼珠都不遺漏，
扮成貴族、律師、密探和主教。

最後是暴政駕到，胯下白馬一匹，
渾身濺滿了污穢的血跡，
臉色蒼白，嘴唇發灰，
活像《啟示錄》裡描寫的死鬼。

然後，她倒臥在街心，
直躺在群馬亂蹄之前，
睜著一副忍耐的眼睛，
守候著謀殺、欺詐和暴政。

移動輕柔如風的步履，

從人們的上空掠過，快捷無比，

當人們剛意識到它的來臨，

舉目張望，已在空中消失了蹤影。

雪萊在牛津大學時，就自費出版《無神論的必要性》，來批判宗教的霸道。學校質問他，他堅持有不回答的自由，結果被開除。父親要他認錯，他不肯，被斷絕經濟，他在英國待不下去，跑到歐洲。1815年祖父過世，他從長孫升到長子，根據長子繼承制的傳統，父親確定每年給他一千英鎊，這在當時可是大錢，所以他一下子還清所有欠債，經濟從此無慮，大步邁向創作高峰。隔年他和太太瑪麗雪萊，就是寫出《科學怪人》的才女，在瑞士結識拜倫。雪萊和拜倫同樣是貴族，同樣支持愛爾蘭獨立，也同樣為勞工叫屈。志同道合，兩人成為形影不離的好友。

雪萊是優渥的貴族，但他十分同情弱勢的平民，痛恨不公的體制。他認為詩人應該

深刻的內省，去除日常生活的庸俗，重新創造宇宙。

所以他的詩作融合了崇高的理想和沸騰的情感，在《暴政面具的行列》之後，又寫下了《1819年的英國》：

王爺們，就是他們愚蠢一族的渣滓，

在公眾的蔑視下漂浮——像臭水中的泥漿；

盡是些不見、不識、不知、不覺的傢伙在統治，

叮住羸弱不堪的國家，像一條條水蛭，

喝醉了血，不須拍打，就會自行跌下；

全國人民在荒蕪的田野上挨餓、遭殺害；

軍隊呢，弒了自由之神，橫行不法，

成了一把雙刃之刀，誰也無法統率；

輝煌而血腥的法律有如惡毒的陷阱；

宗教呢，沒有基督和上帝，像封閉的書本；

元老院——時間久遠還未廢除的最壞法令——

從這些墳墓，也許會有一個光輝的精靈跳出來，

照亮我們這個風雨飄搖的時代。

　　再來寫下了他舉世聞名的《西風頌》長詩，創作了千古名句：

　　冬天到了，春天還會遠嗎？

　　If Winter comes, can Spring be far behind?

　　1822 年 7 月 8 日，雪萊和朋友乘船出海，遇到暴風雨，不幸遇難，死時僅僅三十歲！

　　曼徹斯特大屠殺，不只觸動雪萊的詩作，更成就不只一個長期影響英國的力量。當時英國不只把杭特抓去關兩年，還把《曼徹斯特觀察家報》強制關閉。激發一個棉花商人約翰‧泰勒（John Edward Taylor）的義憤，他決心要辦一份充滿獨立色彩，堅持推動改革的報刊。他在 1821 年 8 月 6 日，在曼徹斯特成立了《衛報》The Guardian，長期以來衛報是英國僅次於《泰晤士報》的第二大報。

　　英國的「工運」是從這一天展開，曼徹斯特也成為「工黨」的開基地。

　　我們現在回頭看杭特在曼徹斯特的訴求，推動普選、不記名投票、基本工時、廢除童工，都是天經地義的事。然而這些保障和人權並不是天下掉下來，是要犧牲奉獻爭來的。每一個時間，每一個地方都一樣。不但要爭，爭到之後，還要像對付雜草，時時監視，有惡立除。否則前人的血汗全會因為今日我們的疏忽，而付之流水！

● 當年彼得盧大屠殺的發生地點──曼徹斯特的聖彼得廣場。

● 英國浪漫主義詩人雪萊，曾以詩作對政府的暴行提出嚴正抗議。

● 發生在英國曼徹斯特的流血慘案「彼得盧大屠殺」。

8.17 **孤獨的星星**

　　人對自己沒見過的東西，通常無法想像，美洲的印第安人第一次看到哥倫布的帆船，還以爲是天氣起了變化。日本北方的原住民蝦夷人，開始碰到南方騎馬的人，以爲是長了四隻腳的巨人。

　　羅伯‧富爾頓（Robert Fulton）是個發明家，他一生碰到最大的問題，不是他發明不出新東西，而是他發明的東西，當時人沒辦法想像和理解。

　　他小時候，有一次和同學在划船，遇到大風浪，大家嚇得半死，拼命划，好不容易才回到岸邊。富爾頓卻說：「要是能用機器來划船，該有多好。」同學都認爲他在講瘋話，老師也認爲他腦子進水有問題，從此得了個外號叫「白癡」。

　　後來雖然他不是第一個發明蒸汽船的人，但由於他的改良，才有眞正能在水上長時間行駛的大型蒸汽船。所以說他是輪船的發明者也不爲過。

　　但是他發明輪船的過程並不順利，不是他造不出輪船，而是沒人理睬。他曾經拿著輪船的設計圖，去求見拿破崙，說：「如果法國有我造的輪船，軍隊就可以輕易的渡過英吉利海峽，佔領英國。」結果拿破崙跟他小時候的老師、同學反應一樣，以爲他不是瘋子，就是騙子，懶得理他。

　　富爾頓回到美國，找到跟他同名的羅伯‧李文斯頓（Robert R. Livingston）支持他造輪船。**1807 年 8 月 17 日**，富爾頓建造的輪船在哈德遜河首航，船從紐約出發，兩岸站滿了圍觀的群眾。人群瀰漫一股奇怪的氣氛，他們不是來看

輪船成功起航，他們是來看怪物失敗。這股焦躁也影響了船上的人，李文斯頓和幾個愛「冒險」的朋友，也跟著焦慮，船員臉上更寫著不安。

富爾頓像黑夜中唯一的孤星，只有他信心滿滿。下午一點輪船開動，煙囪冒出黑煙，兩岸沒有人歡呼，因為這不是大家期待的結果。船走了一會兒，不知為何突然停了，看熱鬧的群眾可開心了，拍手歡呼，高興的大喊：「動不了！動不了！」船上的人從沉默轉為惱怒，對李文斯頓說：「早就跟你說，這個主意很笨，希望我們沒有搭上這條怪物。」

富爾頓跳上高台，請大家安靜，給他幾分鐘，再決定要不要放棄？他跳進輪機室，立刻排除問題，把引擎修好。輪船又奇蹟似的動了起來，岸上的人群停止鼓噪，但船上的人還沒高興起來，就又聽到人群吶喊：「動不了！動不了！」

輪船很爭氣，航行很順利，速度很驚人，一切看起來沒問題。兩岸的群眾這會兒又安靜下來，他們不敢相信自己的眼睛，不敢相信輪船真的能動。突然有人開始喊，群眾也跟著大喊，喊什麼？喊：「停不了！停不了！」

船上的人呢？船客和船員仍然一臉懷疑，他們好像也在等輪船再度出問題。輪船的歷史首航，就在大家唱衰聲中，一路開了二十四小時，從紐約航行到阿爾巴尼，走了一百一十哩。8月20日，又從阿爾巴尼回紐約，這回完全順利，一點問題也沒有。富爾頓寫下人類交通史的重大一頁。

富爾頓的成就不只在水面上，水底下他也是第一人。是的，他還發明了「潛水艇」。這回拿破崙倒是相信他、支持他。他建造了第一艘潛艇，命名為「鸚鵡螺號」。試航很成功，但是出海去攻擊英國海軍時，運氣很差，每次都遇到潮水改

變方向，所以沒有發揮作用。拿破崙把他大罵一頓，還把他趕走。富爾頓轉而投向英國，英國首相威廉‧皮特（William Pitt）相信他，支持他再造潛艇，果然在演習時，成功擊沉多羅西號戰艦。這下富爾頓該發了吧？結果不久皮特首相死了，後繼的人不願意支持潛艇，使得潛艇在戰爭中大顯身手的日子，又往後推遲許多年。

你看，人的腦袋有多死，多麼不願意接受新東西。反過來，如果你有一個新主意，不要期待人們立刻接受，更別想有人喝采。

說不定越多人說這個主意爛透了，你的成功機會越大！

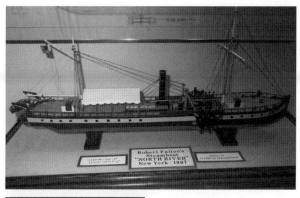

●富爾頓發明的蒸汽船「北河號」模型。

●不被當時人理解的機械天才富爾頓。

8.18 善心的發明

「爸爸，你在做什麼？好像貓罐頭。」

「我在做一個小型揚聲器。」

「為什麼要做這個？」

「因為這是為你的潘恩叔叔做的。」

「潘恩叔叔為什麼要這個？」

「因為潘恩叔叔在德國打仗時，失去雙腿。他以前最喜歡去聽音樂會，現在出門很不方便。我想做一個小型的揚聲器給他用，因為現在的揚聲器太大，而且太貴，小一點的又方便，又省錢。」

「揚聲器？可是我沒聽到聲音啊？」

「對，爸爸還沒成功。你說的對，這個很像貓罐頭，沒想到比貓叫還小聲。乖女兒，你在這裡玩，不要亂動。爸爸上去客廳一下，馬上回來。」

伊根・拜耳（Eugen Beyer）回到實驗室，看見他的女兒兩手摀著耳朵，在那裡搖頭晃腦，身體擺動。他走近一看，原來女兒拿著兩個揚聲器摀在耳朵上，

「女兒，你在幹什麼？」

「啊，爸爸，你看，只要把貓罐頭貼在耳朵上，就可以聽見音樂，跟平常聽見的一樣啊！」

這下給了拜耳靈感，他立刻做了一個彎曲的箍架，兩邊固定小型揚聲器，套裝在頭上，世界第一個耳機就此誕生。

1937 年 8 月 18 日，拜耳請潘恩來聽歌劇《阿依達》，當潘恩進來，看到電唱機旁有個金屬做的弧形怪物，兩端各

有一個耳罩。拜耳示意他戴上，潘恩戴上耳機，優美的音樂
從中流進他的耳朵。

「太好了，我以後可以享受音樂，也不怕吵到鄰居。」

「對，潘恩老友，這是我為你設計的。」

「謝謝，我們就叫它『潘恩的音浪』吧！」

是的，幫助他人的善心，會使你產生更大的力量。因為
利益雖然誘人，可是它會使你腦袋更集中，更固著。以致你
越努力，腦子反而不靈活，創意因此更容易被卡住。

但你一心幫助人時，名利都擱在一邊，腦中沒有罣礙，
思路才能靈通，腦子才會靈光。

8.19 笨賊

一名職業扒手，在做案後不到幾秒鐘就落網了。是警察如此厲害？不，是這個賊有眼無珠。

1999 年 8 月 19 日，賴利‧維德（Larry Wade）來到西班牙，一個扒手看上他的背包，而且維德一看就是美國觀光客。趁他不注意，扒手拿了就跑。維德拔腿就追，維德的朋友莫利斯‧格林（Maurice Greene）也趕上去幫忙，才幾秒鐘的工夫，他們兩人合力制伏扒手。

這個賊，賊運太差，他不知道維德是一百一十公尺障礙賽的世界金牌選手，格林是一百公尺短跑世界紀錄的保持人。他們兩個代表美國來西班牙參加國際田徑大賽。

更背的是，這賊下手的同時，格林正在接受一群西班牙電視記者的採訪，所以整個做案的過程都被攝影機錄個正著。罪證確鑿，想賴也賴不掉。

可憐這賊在太歲爺上動土，雖然他偷的對象是體育名人，但我怎麼查，就是查不到他的名字，所有的報導只說格林和維德被偷，和大大嘲笑此賊，他一點光也沒沾上。

看賊這麼笨，看賊運氣這麼差，還真讓人安心。

8.20 愛國賊

「路易斯，你明天要幹麼？」

「我明天約好要去羅浮宮作畫。」

「你要畫什麼？」

「我要去畫達文西的蒙娜麗莎。」

「你什麼時候開始做起複製畫生意？」

「不是啦，你有沒有發現羅浮宮因為怕蒙娜麗莎被弄髒，特別再加裝一個玻璃框在畫外面，結果你只能看到玻璃反射出你的影像，看不清蒙娜麗莎。」

「是嗎？又是哪個又笨又勤快的主意？」

「所以我明天約了一個美女模特兒，我要她站在蒙娜麗莎的畫前，對著玻璃框的反影梳頭髮。我要畫一幅諷刺羅浮宮白癡的畫！」

「聽起來很有創意，祝你成功！」

早上，羅浮宮一如往常的打開大門，路易斯帶著畫具和模特兒，走到「蒙娜麗莎」的所在位置。剛開始他以為走錯房間，四面一看，確定沒錯，因為其他畫都在，而牆上的蒙娜麗莎不見了，只看見四根鋼釘。他立刻找管理員來，問：

「蒙娜麗莎哪裡去了？」

「可能有人拿去拍照吧！我也不是很清楚，請你耐心等待唄！」管理員聳聳肩。

結果，路易斯等了三個小時，管理員才感覺不對，羅浮宮找來警方，搜遍了羅浮宮 225 個展覽室、房間，不見蒙娜麗莎的蹤影。

　　到底是誰偷走了蒙娜麗莎？答案是佩魯嘉（Vincenzo Peruggia）。他是誰？他是來自義大利的玻璃工人，因為羅浮宮要為重要的名畫加裝玻璃保護，所以雇用他來。因此他工作了一段時間，對羅浮宮的路線、作品的配置、換班的時間，他都瞭若指掌。

　　1911年8月20日，到了下工的時間，佩魯嘉沒有離開，他偷偷躲進一間雜物室，挨到第二天一早，動手把畫布從畫框取下，捲好藏在工作服裡，根本就沒有人檢查，大大方方從羅浮宮大門走出來。

　　佩魯嘉為什麼要偷蒙娜麗莎？他想發財嗎？不，他不是因為錢，他有高尚的理由，他是「愛國」！因為蒙娜麗莎是義大利人達文西的傑作，應該是義大利的國寶。是拿破崙從義大利搶奪去法國，所以才會在羅浮宮。他出於民族大義，想要把蒙娜麗莎偷回義大利。

　　佩魯嘉怕警方會查到他，就把畫交給一個叫馬奎斯的朋友。沒想到馬奎斯找人按真品複製了六張，然後假裝是被偷走的蒙娜麗莎，分別賣給六個冤大頭，獲利照當時幣值算，相當於四千萬歐元。沒想到盜亦有道，馬奎斯居然把原畫還給佩魯嘉，從此人間蒸發。我想他是怕真畫在手會出問題。不如還給佩魯嘉，拿錢走人為上策。

　　法國政府查了兩年多，毫無頭緒。中間也不斷有人向媒體投書，宣稱畫在他們手中，其實全部是吹牛。看來蒙娜麗莎是找不回來了。

　　佩魯嘉做了如此驚天動地的大事，他是想名留青史，但卻沒人知道。如同錦衣夜行，實在很悶。1913年12月，他跑到義大利佛羅倫斯，找到一個畫商，跟他說蒙娜麗莎的真

品在他手中，他偷蒙娜麗莎是為了愛國。他想把畫捐給義大利政府，想要畫商幫他鑑定，證明他手中的不是假畫，免得政府以為他有神經病。

結果，鑑定出來，是真的！佩魯嘉的蒙娜麗莎是真的。義大利政府搞了一個蒙娜麗莎巡迴展覽，然後把畫送還給羅浮宮。佩魯嘉呢？他沒有得到勳章，也沒有得到獎金，他被判犯了竊盜罪，坐了七個月的牢。

佩魯嘉出獄回到家鄉，受到盛大歡迎，義大利人看他是民族英雄。人民和政府的觀點總是不一樣！

● 佩魯嘉出於民族大義，想要把蒙娜麗莎偷回義大利。

8.21 遲緩兒的守護天使

不錯，要走過夜晚，才會到達黎明。

幸好，有一種生來如火炬的偉人，會為腳步慢的孩子照亮道路，以免他們跌倒或被遺棄！

他會憂心忡忡看待未來，但仍滿懷希望灌溉現在！

1963 年 8 月 21 日，剛剛得到神學、宗教教育雙碩士學位的甘惠忠神父 (Brendan O'Connell)，從舊金山搭船，經過二十一天的航程，來到台灣。那時他二十七歲。

「剛來到台灣時，我在苗栗銅鑼學客家話，不久後遇到一個很大的颱風，路都斷了。沒有辦法很快修復，我去泰安鄉時，只得用走路的。爬山、下山、過橋、渡河，有時候沒有橋，就吊流籠渡河，因為我長得比較高，常常籃子到了河中間時，我就會踩到水。」甘惠忠說。

他一邊爬山傳教，一邊送麵粉、奶粉等食品接濟貧苦。但他很快就發現，台灣有一個隱藏的大問題，不是貧窮，而是有許多所謂「智障」的孩子被關在家裡。父母只知道難過，不知道該怎麼辦？所以這些有問題的孩子，沒有教育、沒有治療，甚至沒有照顧、被人放棄，遺棄在「教養院」。

甘惠忠自己有一個妹妹，出生後發現有唐氏症，當時美國有關的特殊教育還不是很完善，對待這樣的小朋友，就是送到「啟智學校」。可是資源有限，妹妹六歲時要申請上特殊啟智班，居然前面有三百個發展遲緩的小朋友在排隊。眼前台灣的一切，讓他想起小時候媽媽心痛又無助的樣子。他決定要投入特殊教育，改變這些孩子的未來。

　　甘惠忠在 1974 年，回到美國去進修特殊教育，第二年取得特殊教育碩士，立刻回到台灣。1976 年擔任台灣第一間成長遲緩兒童托育機構，台南市「瑞復益智中心」主任。開啟了台灣特殊教育的第一道門。

　　心智有障礙的孩子，其實只是成長較一般孩子「慢」。如果能夠「早」治療和教育，就能夠克服身心機能的障礙，跟一般人沒什麼兩樣。但要越早越好。所以他的理想不是收容照顧，而是要針對三歲以下的幼兒，抓住黃金時期，提供早期療育，幫助孩子將來正常成長。問題是「人們的態度，是最大的困難！」

　　社會對遲緩兒不友善，認為他們是「智障」，沒有用。父母呢？也沒有早療的知識，同樣相信生出這樣的小孩，很丟人，多半把孩子關在家裡，羞於見人。所以沒有一個孩子被送來瑞復中心，一個都沒有。他主動在街上尋找，只要發現遲緩兒，就悄悄跟到人家家裡，耐心的解釋瑞復可以幫助他們。但總是被拒絕，父母都不願讓人知道，也不願面對問題。當他們照顧不過來，便把孩子送去「教養院」，把孩子跟家庭、社會「隔離」開來。但「隔離」既殘忍又無知，而且對孩子沒有一點兒幫助。

　　甘惠忠說他有一次去一個「教養院」，他才走進去五分鐘就受不了，院裡有一股異味，一種絕望的氣氛。他看到小孩被綁著，一動也不動，呆呆的望著窗外，那種無助讓他心痛，他還看到有些教養院把小孩關在籠子裡，讓他嘆氣又生氣。這個情況一定要改變！

　　後來，成大醫院的小兒科醫生朱曉慧來找甘惠忠，她一年有一百個三歲以下的遲緩病例，她知道醫療有限，孩子需

要及早教育，因此主動來找瑞復合作。開始有二十個不到三歲的小朋友過來瑞復，台灣早療教育終於起步。但甘惠忠堅決排除「隔離」概念，所以他們只做「日間托育」，白天孩子在中心教育，下課後回家由父母照顧，接棒持續教育孩子。因為親情的力量還是最大，甘惠忠要幫忙，但他不要取代，父母的愛是什麼也取代不了的。

接著 1978 年，他在高雄開辦「樂仁」；1988 年在台南開辦「德蘭」。擴大早教的規模。1992 年他被教會調回美國工作三年，這段期間，他日夜惦記著台灣，「在我被教會調回美國服務三年的期間，覺得自己好像一條魚離開了水，活都活不下去。因為在台灣，我有很多朋友。在美國，除了我家人之外，幾乎都是陌生人。」

1995 年，他再度回到台灣。1996 年他在台南學甲創立「伯利恆文教基金會」，開設「慈母幼稚園」。這次他要更進一步改變台灣，他要推動「融合教育」。就是幼稚園同時招收遲緩兒和正常的兒童，讓他們一起學習，一起遊戲。融合相處，打破隔離。

遲緩兒跟正常的兒童在一起，進步會更快。正常的兒童呢？他們的成長發展並不會受到遲緩兒的影響，完全和一般幼稚園的孩子一樣。但是，他們因為要多出心力來幫忙、照應遲緩兒，從小培養出助人、愛人的胸懷，比一般孩子更有耐心、愛心。

說實在的，在融合班的孩子身心發展比在一般學校更健全。他們的腦子裡，根本沒有「智能不足」的觀念，他們的心靈就是充滿愛！樂於助人的孩子，自然也會得到上帝的特別眷顧！

　　台灣的特殊教育法，也在他的影響下，通過「零拒絕條款」，就是各個學校都不得以身心障礙為由，拒絕孩子入學。

　　現在，許許多多甘惠忠的孩子，因為早教，長大後，有些一樣讀大學，可以自力謀生，過著正常的生活。他實踐的「早期療育」和「融合教育」，帶領無數家庭走出陰霾，引導孩子走向健康的道路。到現在五十一年的無私奉獻，他改變了台灣，為台灣種下希望。

　　那他有什麼希望？他想要一張台灣的身份證。他不想放棄自己的國家，美國。他想要有一張中華民國的身份證，像我們一樣做台灣人。但政府現在只給他一張永久居留證。有這個希望的，不只甘惠忠神父，許許多多一生為台灣付出的外籍人士，都有相同的願望。

　　相對於他們的偉大，我們台灣是不是很小氣？是不是才是真的智障？

●在台灣五十一年，致力於推動「融合教育」的甘惠忠。

8.22 明月有光人有情

　　善良的人在混亂的世道，再怎麼迷路，終將意識到有一條正途。

　　山崎宏出生在日本和歌山市，祖上三代都是漢醫。他醫科大學畢業後，子承父業，成為當地小有名氣的漢方醫師。而且他們一家三代都是紅十字會的會員，他有空就到紅十字會醫院幫忙看病，照顧病人。這樣一個單純善良的人，因為世局巨變，被捲進戰爭的漩渦。

　　1937 年七七盧溝橋事變，日本全國徵兵。山崎宏被徵召，8 月他以軍醫的身分，隨日軍第 10 師團在中國塘沽登陸。9 月第 10 師團在天津馬廠和中國第 29 軍激戰，雙方死傷慘重。山崎宏從不斷送來的傷兵，開始感受到戰爭的殘忍。

　　更令他崩潰的在後頭，日軍每到一處就會屠殺無辜的平民，烙印在他腦中印象最深的是，日本兵壓著中國百姓，二十幾個人跪成一排，然後手揮武士刀，一刀一刀像切瓜一樣，砍一排過去，血從動脈噴高一米，身子倒在地，腦袋滾到一旁。

　　而對待婦女，都是先姦後殺，地獄也沒有這麼恐怖。山崎宏想不出日本兵為什麼要亂殺人？也想不通中國老百姓為什麼不反抗？為什麼要跪著白白被屠殺？他從小的志向、家教是行醫救人，不是來殺人。就算人不是他殺的，他也不能跟殺人者在一起。雖然軍法森嚴，但他決定要逃兵。

　　1938 年 8 月 22 日，山崎宏逃離日軍，他想要跑到山東半島，找機會逃回日本。他白天要飯，晚上跑，跟著火車跑。

沒有人看出這個衣服破爛的傢伙是「鬼子兵」，他不敢開口說話，討飯都是比手畫腳，別人還以為他是啞巴難民。總是有善心的人給他一口飯吃，給他一碗水喝。

他居然一路從河北跑到河南再跑到山東。在那兵荒馬亂的時節，他又是日本逃兵，被抓到穩死無疑。想逃回日本比登天還難，於是他就在濟南停下，假裝是日本僑民，在濟南火車站找到看管倉庫的工作。就這樣隱姓埋名，一直到抗戰結束。

期間他在中國工友的撮合下，和一個從天津帶著女兒逃難來的劉姑娘結婚。戰後，在中國的日本兵、日本人總計有三百一十萬被遣返。但山崎宏捨不得妻女，不想走。因為他人好，又曾救過幾個工友的命，大家掩護他，所以身分沒有暴露，就這樣留在中國。

然後夫妻開起診所，給人看病，免費不收錢。盡管自己常常餓肚子，還是堅持不收費。1966 年，妻子過世。從此他和繼女山雍蘊相依為命，他也完全融入中國社會，說得一口山東話，幾乎沒人知道他是日本人，只知道他是「山大夫」。

1976 年，中國和日本復交，山崎宏回到故鄉與哥哥姊姊相見，也看到四十年前哥哥被通知他已戰死，而為他豎立的墓碑。親人都希望他留在日本，而且也為他在當地醫院找了份工作，月薪有三十萬日圓。但山崎宏說：「我跟中國人有感情，在那裡結婚，也有孩子，我還是回去吧。哥哥姊姊的心意我知道，很感謝！」他在日本待了二十天，便匆匆回到中國。

山崎宏回來繼續行醫，他有特殊的規矩，窮人不收錢。一直看病看到過一百歲，小孩後來叫他「山大爺」。他女兒結

婚後，生下的孩子也都姓「山」，山家已經三代同堂。

　　2010 年 12 月 1 日，因戰爭意外在中國行醫超過七十年的山崎宏離開人間，他死前把身體捐出。他的女兒在整理遺物時，發現他寫的一張字條：「明月有光，人有情。」可說是他一生最貼切的寫照！

●日本人山崎宏不顧與暴虐為伍，選擇逃兵，留在中國行醫超過七十年。

8.23 驚險救回的電影

黑澤明執導的《羅生門》是日本第一部得到國際大獎的電影,它為戰敗後的日本民心,帶來不可估量的激勵作用。然而《羅生門》最後的製作過程,其實比電影情節還驚險,只差一點,這部電影可能就毀於一旦。

《羅生門》的拍攝工作在 1951 年 8 月 17 日結束,接著要進行剪接,片子預計在 8 月 25 日首映。沒想到剪接完,配音工作還沒開始,還在整理膠卷,進行準備工作時,8 月 21 日,在京都的太秦片廠,因為漏電引發火災。以前的膠卷是易燃的賽璐璐片,一觸即發。加上片廠都是木造的佈景,燒起來可不得了。

運氣好的是,之前黑澤明在拍最後一幕時,突發靈感要拍場大雨。劇組找來了三輛消防車幫忙放水,製造大雨。幸好拍完後,貯滿水的水箱還在現場。火警一發生,消防隊「熟門熟路」迅速趕來,否則在現場一定迷路。立刻疏散,控制火勢。沒有燒到剪接室,否則一定所有的膠卷都燒光。

但是火災時,劇組當然先把剪接室的底片往外搬,這下所有不同片子的膠卷全混在一起。黑澤明自己在混亂的剪接室中,偶然看到一條膠卷掉在地上,他本能的把膠卷捲好,順手放在自己的口袋。這時,警衛大叔跑來找黑澤明,說:「導演,宮川攝影師在門口昏倒咧!」

黑澤明大吼:「說什麼昏倒咧?快送醫務室啊!」他跑去找宮川,宮川人在地上,看到導演,說有一個重要鏡頭的膠片找不到,他一時情急才昏倒。黑澤明掏出剛剛塞進口袋

的膠卷給宮川看。宮川一看，「就是它，就是它！」喜極而泣。

但收拾殘局時，麻煩才開始。好不容易把《羅生門》的底片，從其他混在一起的片子中整理出來，這時發現影像的膠卷都齊了，但音軌的膠卷有一段三船敏郎演的多襄丸說的那一句「我從來沒見過性子這麼烈的女人！」錄音膠卷找不到。

以前不是同步錄音，影像的膠片比較容易認，拿起來對著光看，就知道是什麼？錄音的膠卷只有像條碼的條紋，用看的看不出來。只有一卷一卷的放出聲音才行，特別費事。反正放了幾遍，就是沒有這句。只好緊急把已經回東京的三船敏郎再叫回來重錄。

而錄音室正好在起火點的隔壁，所以火災時，機器也被拆掉搬了出來。現在要重新錄音，工作人員熬了一個通宵，還沒組裝完成。這時是 8 月 22 日，大家正在重看畫面時，銀幕上的畫面突然消失，然後正中出現一個洞，慘了，這次換放映室起火！一半人衝進去，搶救膠卷。一半人排成列，把水一桶一桶遞接進來，往放映室倒水。火是熄滅了，雖然起火的賽璐璐片被水澆熄，但產生的毒氣，燻得所有人眼淚鼻涕直流。兩個人因此暈倒，一個是大谷，一個是紅谷，他們是黑澤明剪接的左膀右臂。

不管，先開始錄音！以前錄音沒有錄音帶，一切要現場演奏，搭配畫面。如果一段錄到最後，有人現場失誤，就白錄，得全部重來。所以錄音比拍攝還緊張、還麻煩。現在的錄音帶有二十四個磁軌，你可以隨時拿掉其中的聲音，比如這一段拿掉鋼琴，那一段拿掉小提琴，或是加進來混音。當時不行，得全體到位，銀幕上播放畫面，樂團的指揮盯著銀幕，到該配樂時，指揮樂手演奏，分秒都要抓好。樂手當然

是背對畫面，所以最常出錯的機會是當銀幕上有親熱鏡頭，有時樂手會轉頭偷看，就會害大家白幹。

終於、終於，在 **1951 年 8 月 23 日**早上，紅谷和大谷奇蹟似的清醒過來。《羅生門》開始進入剪接。車子就在錄音室外，引擎不關等著，一聽到「好了！」就進去拿著音軌的母帶，上車直奔沖片廠。這樣一直熬到 24 日中午，終於完工。晚上 7 點鐘，沖片廠完成第一份拷貝。黑澤明和所有人看完後，確定無誤。才由副導田中德三搭最後一班夜車，在第二天清晨殺到東京。

25 日早上，大映的社長永田雅一，他有個外號叫「永田喇叭」，帶著公司高幹等著《羅生門》送來，立刻開始放映，片子放完，放映室的燈火亮起來，結果氣氛比沒亮燈時更黑！全場鴉雀無聲，沒有像平常一樣熱烈發表意見，所有人都不安的看著永田喇叭，看老闆要講什麼？一陣沉默後，永田喇叭終於開口，說：「我也沒看懂是怎麼回事？不過，片子還很高雅呢！」《羅生門》戲劇般趕上首映，第二天在全日本上映。觀眾的反應呢？跟永田喇叭一樣，他們看不懂，到底結局是怎樣？搞不清誰是兇手？票房很差，面臨提早下片的命運。

幸好，一個不是日本人的義大利人看得懂這部日本片。她是義大利電影公司的老闆史卓米嬌麗（Giuliana Stranigioli），在她的大力推荐下，《羅生門》在 9 月能夠參加威尼斯影展。

結果，《羅生門》一舉拿下了大獎 Grand Prize，消息傳回日本，永田喇叭還問說：「格蘭普利斯是什麼碗糕？」日本人不知道這就是歐洲慣用「大獎」第一名的意思呢！

此時的黑澤明在幹嘛？他在多摩川釣魚，因爲他替松竹拍的另一片《白癡》，票房也不佳。所以本來要替大映拍的下一部，永田喇叭已經要和他解約。他去釣魚散心，哪知一揚起魚竿，魚鉤就卡住，一拉，魚線被扯斷。他想：「人倒霉，幹什麼都不順！」垂頭喪氣的回到家，太太迎上來，向他道喜，這才知道他得到了國際的肯定。他開心的說：「總算以後可以不用坐冷板凳了！」

● 黑澤明以《羅生門》一片，勇奪威尼斯大獎，成為日本第一位名揚國際的大導演。

8.24 意外

要傾聽上帝給我們的啓示。否則當天使來敲門時，你還以爲是惡魔！

美國月亮湖餐廳（Moon Lake Lodge）一如往常，晚上又是高朋滿座，大家都對主廚喬治岡（George Crum）的手藝讚不絕口，席間不斷聽見：「哇！太好吃了！」這時出現一個不同的聲音：

「喂，你是經理嗎？把你們的主廚叫過來！」

「先生，我是經理，請問有什麼我可以效勞嗎？」

「有，去把主廚叫來！不要愣著，快去！」

喬治從廚房出來，走到客人身旁，微低身子，說：

「我是主廚，請問……」

「你就是主廚，我問你，你這薯條是怎麼炸的？」

「嗯，有什麼問題嗎？」

「薯條太厚啦！這樣根本不夠酥脆嘛！」

「這是本店別出心裁的特色，用這種厚度，外層酥脆，內層鬆軟，一口咬下去，才能享受雙重口感……」

「別說那麼多道理，反正不好吃，你再炸一份，否則我不付錢！」

喬治還想再說，經理拉了他一下，立刻說：「是，是，我們馬上再做一份！」

遇到不懂吃的客人亂嫌，怎麼能跟他爭？人家是花錢來吃東西，又不是來上香禮佛聽開示。好，再做一份就是了。

喬治回到廚房，吩咐再炸一份薯條。看著下手切薯條

時，他突然感到火大，他從來沒有在這麼多客人面前，被人嫌棄。喬治決定要教訓那老小子一下，他對下手說：「我來切。」然後接過刀，一刀一刀細細切下去。

「主廚，這樣會不會太薄？切成一片一片，怎麼炸？」

「對，我就是要教訓那個傢伙，嫌太厚是不？嫌不夠脆是不？我就是給他切得薄薄的一片，炸得他死脆，看他有什麼話說？」

好，炸得金黃金黃薄薄的薯條上桌了。喬治，等著看客人的反應，沒想到：

「哇，太好吃啦！沒吃過這麼好吃的薯條，喬治你太棒了！你們也來嚐嚐！」

沒想到客人愛死了，別桌的客人也好奇加點，每個人吃了都讚不絕口。從此月亮湖餐廳多了一道招牌菜炸薯片，並且開始包裝出售，大發利市。

那個晚上就是「洋芋片」的誕生日，一種風行全球的零食誕生了，那天是 **1979 年 8 月 24 日**。

就像萬聖節來討糖果的小孩，他們都打扮成惡魔的樣子，其實是可愛的天使啊！

●風行全球的零食「洋芋片」誕生在月亮湖餐廳。

8.25 爲什麼是白的？

有一次，一個八歲的小朋友問我：「美國總統住的白宮爲什麼是白色的啊？」

好問題，我們對日常所見往往視爲當然，不問來由。白宮從我們有記憶，它就是白的，可是爲什麼要這樣設計呢？

美國獨立後，和英國還是衝突不斷。當英國和法國拿破崙打得正兇時，美國乘機想占領加拿大，把英國完全趕離美洲大陸。英軍在加拿大人數雖不多，還是擊退了美國三次進攻。英國海軍封鎖美國的港灣，但也被美國擊退。

等到拿破崙戰爭結束，英國騰出手來，調集大軍從三路攻擊。

1814 年 8 月 24 日，英軍攻進華盛頓，但進攻太順利，沒有遭到任何的抵抗，英軍懷疑是陷阱，不敢久留，決定先撤爲妙，在 **8 月 25 日**離開前放了一把火，燒掉總統官邸和國會大廈。美國總統官邸雖然沒有燒光，但成了一片烏黑。

後來英美和談，美國人整修總統官邸時，乾脆把它全部漆成白色，從此稱爲「白宮」White House。1904 年迪奧多‧羅斯福總統就職後，白宮才變成正式使用的名詞。

我們現在看到的，尤其是歷史建築，未必是當時的原貌。中間的演變，必然有跡可探索。現在是白的，以前也許是別的顏色或樣子。這讓我想到小時候的疑問，美國總統住的地方叫白宮，英文是 White House，White 是白，沒錯。但 House 是宮嗎？不是，House 是房子。那爲什麼不叫白房、白屋，而說白宮呢？

　　我們人是用語言在思考，從使用的語言中，可以看出人在想什麼？為什麼我們會把 House 翻成宮呢？因為我們受封建傳統影響，想想美國這樣的大國，總統怎麼能住在小房子裡？所以翻譯時就自然是「白宮」。這時魔鬼就在語言中。

　　問題不是翻得好不好？而是我們從小學英文，有沒有起來問過老師，White 是白，但 House 不是宮啊？沒想到吧？想到也不敢問吧？你的同學有沒有這麼聰明好問的呢？也沒有，就算有，八歲以前也會被老師消滅。老師有沒有問你說：「同學們，White 是白，House 是宮嗎？」沒有，這就是我們教育的問題，老師只叫你記，為什麼？他也不知道。然後我們就記起來，White House 就是白宮。有一天有人說美國總統辦公的地方是「白木屋」，你會說：「錯了，白木屋是賣蛋糕的。」

　　關鍵不在答案對與錯，問題在有沒有教育孩子問問題的能力，有沒有培養孩子問問題的習慣。

●早期美國總統官邸，後來被英軍一把火燒毀。

8.26 世紀最美的嗓子

人在困境，力爭上游，當然令人敬佩。

人在巔峰，仍然以平等對待平凡，真心更叫人感動！

瑪麗安・安德遜（Marian Anderson）出生在費城，她才六歲就加入費城浸信會的唱詩班，因為她有驚人的歌唱天賦，居然擁有三個八度的音域，唱到最高可以到女高音的 High C，最低可以到男低音的 Low D。所以她一個人可以包辦女高音和女低音，嗓音可以拔尖入雲端，也可以渾厚如大地。唱詩班的大人都叫她 Baby Contralto。

她十六歲高中要畢業，如果想登上音樂殿堂，那可是要昂貴的學費。她的爸爸是搬貨工人，媽媽是小學老師，經濟能力有限。幸好唱詩班會員大家集資，出錢送她去向著名的聲樂家賈斯佩・伯海提（Guiseppe Boghetti）學習，伯海提第一次聽她唱黑人的靈歌 Deeper River，就忍不住流淚。欣然收她為徒，傾囊相授。

1924 年瑪麗安二十七歲，受邀在紐約市政廳開個人演唱會，結果觀眾只有小貓七、八隻，而且全是「黑貓」來捧場。為什麼？因為她是黑人。她這才明白，她生在從來沒有「奴隸制度」的費城，有多麼幸運，否則她不可能有機會走古典聲樂這條「高級」路。但眼前的路，卻有種族歧視的大石頭擋著。紐約的樂評對她的演唱，極盡挖苦，說從她身上一點天份也看不到，當然，他們只看見她是黑人。

這次打擊，差點讓她放棄演唱。幸好有家人的鼓勵，**1925 年 8 月 26 日**，她在費城交響樂協會的推薦下，參加一

場古典聲樂大賽，從三百名一流歌手中勝出，勇奪第一名，因此得到最重量級的經紀人亞瑟‧裘森（Arthur Judson）的注目，這是瑪麗安歌唱生涯的轉捩點，因為伯樂找到她這匹千里馬！

瑪麗安不只在美國巡迴演唱，甚至紅到歐洲去。1935 年 8 月 28 日，薩爾斯堡音樂節，世界最偉大的指揮家托斯卡尼尼，驚嘆她是「一百年來僅有的世紀之音」。

瑪麗安是第一個得到托斯卡尼尼這樣稱讚的歌唱家！討厭的是，她在歐洲處處受人禮遇，反而回到自己的國家，常常受到種族歧視的對待。有時在演唱旅行時，會遭到旅館的「拒絕」。最嚴重的一次，發生在 1940 年，當時美國重要的婦女團體「美國革命之女」Daughters of the American Revolution（DAR），拒絕讓她在華盛頓的憲政廳演唱，團體名為革命，卻如此守舊，連總統夫人艾琳諾關說都無用，氣得艾琳諾夫人辭去 DAR 委員的職位。

瑪麗安對各種侮辱，表現得不卑不亢，因此惡意相向的越多，她贏得的尊敬越多。

她是美國，更是世界第一位黑人女歌唱家！

有一次，她到內布拉斯大學演唱，這是大學城的盛事。有個女學生負責接待她，忙前忙後，特別辛勞。可是瑪麗安正式上台演唱時，女學生反而沒有機會聆聽，因為她要留在旅館打點一切，這當然是遺憾。

瑪麗安回到旅館休息，問女學生有沒有聽她的演唱？感覺如何？她才知道實情，你猜她怎麼做？

「嗯哼。」瑪麗安清了一下喉嚨，在沒有樂隊伴奏下，她單獨為女學生清唱舒伯特的「聖母頌」，一曲唱畢，女學生

感動得淚流不止。

　　如此眞情至性，她的心跟她唱的歌，一樣美，一樣動人心弦！

●歌唱家瑪麗安，被名指揮托斯卡尼尼譽為本世紀最美的嗓子。

8.27 守不住的秘密

還記得希臘神話，一個理髮師替國王理髮，拿下王冠，發現有「驢耳朵」。國王威脅他，如果不守秘密講出去，就要他人頭落地。理髮師忍啊忍，實在忍不住，只好挖個洞，對洞裡說：「國王有雙驢耳朵！國王有雙驢耳朵！」

然後把洞埋起來，沒有想到後來長出竹子，有人砍去做笛子，笛子一吹，不是音樂，而是「國王有雙驢耳朵！國王有雙驢耳朵！」

你看，守秘密有多難！但是別人的秘密守不住，這很合理。自己的秘密守不住，是離譜的？不，也很合理。

如果你想讓一個秘密傳遍世界，那你就告訴一個人，叫他不要說出去。再厲害的預言家都想不到，一個不能保守秘密的傢伙，造成今天美國人口的分佈。

約翰・蘇特（John Sutter）出生在瑞士，1834 年來到北美西部墾荒。1839 年他來到加利福尼亞，當時這裡還是墨西哥的領土。1840 年他從墨西哥政府接收一片四萬八千英畝的土地。他需要大量木材來建造他的墾荒營寨，找到了一個來自紐澤西的木匠詹姆士・馬歇爾（James Wilson Marshall），兩人決定合作，在亞美利加河（American River）河谷建一座鋸木廠。

1847 年 8 月 27 日，蘇特與馬歇爾簽下了合約。雇用馬歇爾找來伐木工，開始工作。1848 年 1 月 24 日早上，馬歇爾在檢查鋸木廠的水道時，看見河床上有光點在閃，好奇過去一看，發現幾個黃色的金屬塊。他撿起來，在石頭上敲，

東西會變形，但敲不斷，可見有一定的延展性。天啊！直覺告訴他，這是黃金！他拿回來給一個工人看，工人以為他想發財想瘋了，根本不相信河裡有黃金可撿。

馬歇爾再跑去原地多撿幾塊，拿給蘇特看，蘇特仔細檢驗，果然就是黃金，而且有 23K 的純度。蘇特立刻告訴馬歇爾，要把嘴巴的拉鍊拉緊，絕對不可以把這個秘密講出去。

馬歇爾就是忍不住，發現黃金的事情傳開了。結果呢？所有鋸木廠的工人，丟下手上的工作，全部去河裡「淘金」。

蘇特氣瘋了，馬歇爾急瘋了，但黃金不只能讓人眼開，更會讓人腳快！3 月時，三藩市（San Francisco）的報紙登出消息，當地居民還不大相信。直到有一個雜貨店的老闆，在酒店向眾人展示，他從蘇特的工人手中收購來的金塊。這下掀翻了三藩市，所有人爭先恐後跑去淘金。才到 6 月就跑掉 3/4 的居民，三藩市差不多成了空城。

好事怎麼會不出門？當然是傳萬里！事情一下子就傳遍美國，又正好美國和墨西哥戰爭這時結束，加利福尼亞成了美國的。所以美國人更可以自由的跑來淘金，做著黃金夢的美國人都往西部而來。很多人甚至變賣、抵押所有家當，換成路費，千里迢迢跑來淘金，造成人口的大移動。

他們多半是在 1849 年來到加利福尼亞，所以被稱為「49人」Forty-niners。

1848 年的 3 月，當時加利福尼亞外來的人口才八百，到了 1849 年底，來淘金的有十萬人。一半是來自美國各地，另一半呢？來自世界，很多是來自中國廣東，所以中國人把三藩市叫成「金山」，後來改稱「舊金山」。

1852 年淘金熱到達最高潮，這一年以後直接從河床找到

的金子越來越少。地面上的黃金哪兒來的？一定是埋在地裡給水沖出來的。所以地面沒了，地裡一定還有。因此就改爲開採，果然給挖到很多礦脈。開金礦更需要大量的勞力，更多人湧進來。

1850 年 9 月加利福尼亞成爲美國第三十一州。現在的加州人口有三千八百萬，是美國第一大州。要當總統的人如果拿不到加州的票，幾乎不可能當選。

這場淘金熱改變美國人口的分佈，形成今日的樣貌。有歷史學家說，這比南北戰爭影響還大。至於第一個發現黃金的馬歇爾，有沒有因此致富？沒有，他死時一文不剩，誰叫他大嘴巴講出去，來了那麼多淘金者，哪輪得到他發財呢！

不過，加州最早豎立的記念碑，就是紀念他發現黃金。是，沒有他，加州不會是今日的加州。

● 馬歇爾無意間發現黃金的河床原址。

8.28 我有一個夢

　　從前有兩個石匠，有人問：「你喜歡你的工作嗎？」一個石匠說：「我每天砌石牆，又單調又辛苦，不知道要砌到什麼時候才能完？換作是你，你會喜歡嗎？」

　　同樣的問題問另一個石匠：「你喜歡你的工作嗎？」他抬起頭，雙眼閃著光，說：「豈止喜歡，我愛這個工作，因為我在建一座大教堂！」

　　兩個石匠做的事一樣，不同的是信念、使命、熱情。

　　60 年代的美國因為種族問題，光是 1963 年就有十多個城市發生暴動，情勢非常緊張。有識之士都知道美國必須改變，但問題不在要怎麼變？而在如何推動歷史的巨輪，使不知道要改變的人覺醒過來，使不願改變的人願意改變。

　　1963 年 8 月 28 日，從美國各地有二十五萬人湧進了華盛頓，在林肯紀念堂的廣場，金恩博士發表那個千古不朽的演講「我有一個夢」。

　　一百年前，一位偉大的美國人簽署了解放黑奴宣言，今天我們就是在他的雕像前集會。這一莊嚴宣言猶如燈塔的光芒，給千百萬在那摧殘生命的不義之火中受煎熬的黑奴帶來了希望。它之到來猶如歡樂的黎明，結束了束縛黑人的漫漫長夜。

　　然而一百年後的今天，我們必須正視黑人還沒有得到自由這一悲慘的事實。一百年後的今天，在種族隔離的鐐銬和種族歧視的枷鎖下，黑人的生活備受壓搾。一百年後的今天，

黑人仍生活在物質充裕的海洋中一個窮困孤島上。一百年後的今天，黑人仍然萎縮在美國社會的角落裡，並且意識到自己是故土家園中的流亡者。今天我們在這裡集會，就是要把這種駭人聽聞的情況公諸於眾⋯⋯

朋友們，今天我對你們說，在此時此刻，我們雖然遭受種種困難和挫折，我仍然有一個夢想。這個夢想是深深紮根於美國的夢想中。

我有一個夢，有一天，這個國家會站立起來，真正實現其信條的真諦：「我們認為這些真理是不言而喻的：人人生而平等。」

我夢想有一天，在喬治亞的紅山上，昔日奴隸的兒子將能夠和昔日奴隸主的兒子坐在一起，共敘兄弟情誼。

我夢想有一天，甚至連密西西比州這個正義匿跡，壓迫成風，如同沙漠般的地方，也將變成自由和正義的綠洲。

我夢想有一天，我的四個孩子將在一個不是以他們的膚色，而是以他們的品格優劣來評價他們的國度裡生活。

我今天有一個夢想！

金恩知道要讓民權平等真正在國家生根，不只是推動法案，還必須讓國家徹底改變。但這個改變不是哪個方案比較好？怎樣做比較有利？而是能鼓動大家靈魂，從心底的信念，升起使命感，進而啟動熱情。他使用簡單、明白、動人的話語，激動所有的良心，產生改變的動力。這就是他為什麼會成為民權運動的領袖，雖然當時金恩才三十四歲。

講到金恩，所有人都會想起「我有一個夢」！這次演講喚起了有良知人們的勇氣與決心，打倒了美國種族隔離的高

牆。金恩在同年得到諾貝爾和平獎，隔年美國就通過「民權法案」，從此種族隔離成為非法。

　　但是金恩也不是「完人」。1965 年 1 月 5 日，一個年輕的家庭主婦，接到了一個包裹。打開一看裡面有一捲錄音帶和一封信，信的內容是叫她的丈夫去自殺，否則要採取「行動」！錄音帶呢？內容更可怕，是一長串的竊聽錄音，錄的是她的丈夫在美國各地的旅館房間裡，和其他女人的性愛錄音，有的對象還是 3P，她的丈夫甚至曾經毆打醋勁大發的情婦。她和丈夫生了四個小孩，她以為她有幸福美滿的家庭，更何況她的丈夫還是道德崇高的牧師，是千萬人崇拜的英雄！這對她不只是晴天霹靂，根本就是從雲端跌落萬丈谷底！這個不忠的丈夫是誰？正是民權運動的領袖，馬丁·路德·金恩！

　　現在，金恩不只要面對太太的責難，更難面對的是信中所說的「行動」。什麼行動？就是這捲不堪入耳的性醜聞錄音帶，不只寄給金恩太太，同時還寄給了各大報社。這是要打碎金恩的夢，打碎民權運動的夢。

　　要問是誰幹的？先問是誰有能力這麼幹？是誰有這樣的神通，能竊聽金恩的秘密行為？答案是 FBI 聯邦調查局。誰下令這麼幹？就是局長胡佛。胡佛做 FBI 的局長，歷經六任總統。每個總統都厭惡他，都想把他搞下來。但都沒辦法，因為他們都有或多或少不可告人的「黑資料」握在胡佛手中。

　　金恩是民權領袖，在胡佛眼中當然是眼中釘，所以監視、竊聽是最基本的菜色。偏偏金恩有出軌的性行為，這種性醜聞在那個年代，如果揪出來，那金恩的講話一定霎時變成狗屁，一掌把他打落地獄！

　　沒想到，美國各大報社的頭頭，都明白這捲錄音帶背後惡毒的企圖，大家不約而同堅守不報導公眾人物私生活的原則，因此醜聞沒有見報，隻字未提。連與金恩立場相反的保守派報紙，居然也沒有露一點口風！所以胡佛的技倆終究沒有得逞。這在今天看來，簡直是奇蹟，好像當時的報社都是天使開的！

　　不錯，金恩的個人道德是有「偽君子」的問題，但他的性出軌與民權運動的理想根本無關，如果他領導的是「對家忠貞、不打女人」運動，那這捲錄音帶就該公布。但金恩努力的是以非暴力的和平手段，爭取種族平等的民權運動。如果濫用道德力量摧毀了他，民權運動如果轉向到暴力革命，美國就會陷入危險的動亂中。

　　美國當時媒體堅守了更高的道德，所以掩蓋了金恩的「不道德」，同時阻擋了胡佛之流的「大缺德」。

　　世事並非只是黑與白，有時候黑中有白點，白中有黑點。不要把它攪灰囉！要能在黑中看見白點，白中抓住黑點，想像如太極圖，世事不是一線劃分黑白兩邊，而是黑白流動的，關鍵是要如何平衡！

8.29 空就是有

中國的山水畫會激起什麼樣的想像？佛學的禪宗會引發什麼樣的靈感？兩樣東西加起來，會創造什麼樣的音樂？

約翰‧凱吉（John Cage）是 20 世紀美國最有影響力的作曲家，他是戰後前衛主義的領導大師，是電子音樂、機遇音樂、樂器延伸非標準使用的先鋒，是現代舞發展中的重要作曲家。總之，他就是專搞音樂的顛覆，極致的創新。

1952 年 8 月 29 日，凱吉發表舉世聞名的鋼琴協奏曲《4'33》。首演地點在紐約的 Woodstock，觀眾拿到節目單，看起來是三個樂章，約翰‧凱吉作曲，大衛‧圖朵（David Tudor）演奏。演奏一開始，鋼琴師在掌聲中走上舞台，向觀眾致意，鋼琴前坐定，打開琴蓋，不動，30 秒，放下琴蓋。第一樂章結束。

第二樂章開始，打開琴蓋，完全靜止不動，2 分 23 秒，放下琴蓋。第二樂章結束。

第三樂章開始，打開琴蓋，完全靜止不動，1 分 40 秒，放下琴蓋。演奏完畢。

全曲 4 分 33 秒，所以曲名為《4'33》。第一樂章演奏時，觀眾靜靜不敢動，連呼吸都聽不見。第二樂章開始後，觀眾也開始疑惑，不安的情緒漸漸升起，有人交頭接耳，有人喃喃抱怨。進入第三樂章，台下有人騷動，在還沒有人搞清楚狀況時，鋼琴師向大家鞠躬，下台。這下終於有人開罵、抱怨、議論。這就是獨一無二，震撼世界的 4 分 33 秒。你說這是在搞什麼？

　　不是惡作劇，不是愚弄人。凱吉最先想創作一曲有關「寂靜」。他從 1947 年就有這個構想，經過多年的努力，中間有兩次創作觀念的大轉彎。他還曾經把自己關在哈佛大學的錄音室，想要「聽見」寂靜。原本預期聽不見聲音，但後來聽見自己血液循環與神經之聲，我想也許是耳鳴。從中國山水畫的「留白」和禪宗的啟發，完成了《4'33》。

　　　凱吉的創作理念是：沒有聲音，那寂靜就不存在，所以我們無法創作寂靜。寂靜與聲音並非客觀的二分，真正的寂靜不是「聽見」的，而是心靈的轉換。如同風吹旗子飄，什麼動？

　　一人答：「風動」，師父搖頭。

　　一人答：「旗動」，師父不語。

　　一人答：「心動」，師父點頭、微笑。

　　懂了吧？這是禪宗精髓。凱吉說他不企圖在混亂中理出秩序，也不是在創造中力求進步，是單純要喚醒眾生，回歸我們當下的生命。所謂：「本來無一物，何處惹塵埃」。

　　所以 4 分 33 秒沒有演奏，就是有演奏，無聲就是有聲。這是一曲開放心靈的音樂，鬆脫作曲家控制的意志，解放自我，無所表現而無所不表現的曠達。

　　你現在知道這首曲子為什麼有名了吧？這是有史以來最富爭議性的作品，也是作曲家最驕傲的傑作。2004 年英國 BBC 交響樂團，演奏凱吉的《4'33》，每個樂章演奏時，樂團團員都舉起他們手上的樂器，聚精會神而不動。偶爾聽見台下的咳嗽聲，肢體的移動聲。當指揮放下指揮棒，轉身面向觀眾，全場起立，大聲鼓掌叫好！

　　有些創意，真的需要一點時間，才能夠讓人們接受、理

解、體會。但凱吉說的好：「我必須完成，否則我就落後了，音樂就落後了！」

　　我有買到《4'33》的 CD，放出來果然是三個樂章共 4 分 33 秒，一點聲音都沒有，音質超純淨，沒有一點雜音。現在可好，你可在網上下載，只要 0.99 美金而已。除非你的 MP3 不好，否則保證毫無雜音。

● 作曲家凱吉創作出舉世聞名的《4'33》，整首曲子沒有使用任何一個音符。

8.30 **偷襲**

　　「好的藝術家懂複製，偉大的藝術家則擅長偷取。」這是賈伯斯最喜歡引用的畢卡索名言，他自己還說：「如果能做海盜，爲什麼要加入海軍？」

　　創意不是無中生有，也不必自己想出來。有時候別人已經替你想好，好到不能再好，只是他們不相信有這麼好，所以沒有動手做。你只要照著做，就對了！

　　山本五十六是日本海軍的「軍神」，他在哈佛大學進修過，也做過駐美的武官，所以他自然受美國影響較深，因爲這層背景，他就被封爲親美派。1931 年日本陸軍入侵中國東北，他強烈反對。1937 年中日全面開戰，日軍在上海轟炸中國軍民時，誤炸在長江的美國炮船。當時身爲海軍部次官的山本，親自向美國駐日大使道歉。

　　山本的舉動，引起右派軍人的不滿，陸軍還有海軍裡的少壯派都揚言要幹掉他。陸軍部還派憲兵「保護」他，實際是監視他。山本爲了防備有人暗殺他，還在家裡佈置了機關槍。那個軍國主義時代，日本的軍人，尤其是沒見過世面的陸軍，基本上是無法無天。當時的首相米內光政也是出身海軍，也被劃爲親美派。在「大日本帝國必勝」的氣焰下，不得不下台。他下台前；在 **1939 年 8 月 30 日**，將山本五十六調任爲聯合艦隊司令官。這樣山本就能待在船艦上辦公，躲避岸上的刺殺。表面上山本是有點灰頭土臉的逃到船上，其實作爲聯合艦隊的司令，他更能直接指揮海軍，完成他一直在想的事——「偷襲珍珠港」。

　　早在 1926 年，他在美國讀到一本英國人拜沃特寫的《太平洋戰爭》，書中有一段想像的情節，詳細描寫如何用船艦來搭載飛機，用飛機攻擊某個海軍基地。他把這本書當聖經一樣寶貝。

　　1932 年，美國人邀他參觀一次軍事演習，他親眼看見美軍的《薩拉托加》航空母艦，成功利用飛機攻擊某個軍港。美國人還得意的把資料秀給他看。甚至有人開玩笑的說：「如果禮拜天來攻擊，效果會更好！」

　　英國人書中寫的基地就是珍珠港；美國人演習的地方也就是珍珠港。1941 年 12 月 7 日，禮拜天，山本五十六發動攻擊，偷襲珍珠港。所有的劇本、排演，別人早替他完成。

　　從此山本五十六就成了「軍神」。真的有這麼神嗎？所謂「神來靈光」都是為了掩藏創意的來源。其實根據美國日後解密的文件，美國從 1935 年就放棄了跨太平洋的軍事行動，因為估算一次行動，準備的時間要兩年，行動的時間長達六個月。所以在 1940 年美國作戰部研擬的「D 計畫」，重點在太平洋只採守勢。只要能把日本艦隊阻絕於西太平洋，就功德圓滿。就是說日本如果不先打美國，美國是絕不會去打日本。所以偷襲珍珠港雖然在戰術、戰役上是大勝利。但真實是戰略的大失敗。

　　法國總理克里蒙梭（Georges Clemenceau）說過一句名言：「戰爭太重要了，以至於不能交給將軍們！」

　　講的精闢，但這個洞見其實是拿破崙時代，法國的外交部長塔列朗（Charles Maurice de Talleyrand-Périgord）先講的，他是說：「戰爭是極為重要的事，不宜聽任軍人處置！」

●二戰時的日本聯合艦隊司令官——山本五十六。

● 1941 年山本五十六發動攻擊，偷襲珍珠港。

8.31 愛的本性

「有奶便是娘」是句號？還是問號？我要說有奶不是娘，有愛才是。

1957 年 8 月 31 日，美國心理協會的主席哈里·哈婁（Harry Harlow）發表了一個心理學的重要實驗，題目是「愛的本性」。

他以恆河猴為實驗對象，在小猴子剛出生，就帶離母猴身邊，獨自養在籠子裡。同時在籠子裡放兩隻「假的母猴」，一隻是由鐵絲做的猴子，一隻是用木頭猴子，再套上泡棉外加毛衣。

第一個實驗，在鐵絲猴和毛衣猴都裝上奶瓶，看小猴子會選擇吃哪一個猴子的奶？

答案很清楚，小猴子當然選擇，有奶吃，又感覺柔軟的毛衣猴。

再來，把毛衣猴的奶瓶拿走，只有鐵絲猴的奶瓶有奶可吃，看看小猴子什麼反應？

結果小猴子都是餓的時候，就到鐵絲猴身上吸奶瓶，吃夠了，就離開鐵絲猴，跑到毛衣猴身邊，抱著毛衣猴或在毛衣猴身邊玩。又餓了，再去鐵絲猴身上吸奶，吸完，立刻回來靠近毛衣猴。

這就很清楚，吃當然很重要，可是真正讓你有安全感的是愛。所以很多父母花錢送小孩去最貴的學校、看最貴的醫生、買最貴的衣物、玩具，後來發現小孩寧願親近褓姆，就是這個道理。

　　小孩當然知道錢是誰出的？褓姆的老闆是誰？但如同小猴子，牠吸奶歸吸奶，吸完就回到給牠親近或柔軟感的毛衣猴。孩子多一份愛當然沒問題，但是誰給的多、誰給的少？他算的不是物質，而是愛。

　　哈婁接下去的實驗更驚人，如果是用毛衣布料猴養大的猴子，就沒辦法和正常長大的猴子一起玩耍。公猴會有嚴重的攻擊傾向，母猴無法交配。性格產生嚴重異常，像得孤獨症。而且壽命很短，很快死亡。

　　要給孩子「愛」，這個容易懂。可是我們傳統的教養，尤其對男生，常常是要求孩子「斷奶」。對情感、對愛要「斷奶」。否則他就沒有長大，沒有成人，不是男子漢。他應該靠自己的雙腳站起來，必須斬斷過去的依賴。

　　這個根深柢固的觀念，不知侵蝕多少父子親情，使得許多父親隱藏對兒子的關愛，以為對兒子要嚴厲，才能訓練他成為鐵錚錚的漢子。以為溫情柔軟會害了他，整日恨鐵不成鋼。結果造成在兒子內心深處被父親遺棄的恐懼，只是男人不理解，也不承認。

　　我看過很多朋友，一生的努力，最後都在尋求父親的認同。可是卻往往得不到，而心生怨尤，父子關係不佳，甚至惡劣。

　　有的人父親已過世多時，自己老了，要死了，最大的缺口，還是父親未給的關愛。可是他們的父親不是不愛他們，而是被錯誤的觀念誤導，產生錯誤的行為而不自知。

　　所以，多給孩子擁抱，尤其是爸爸。反過來，擁抱你的父親，不要不好意思。其實，他也在等待你的關愛，因為他沒有流露的，也是他以前失去的。

●哈妻以恆河猴為實驗對象，探討「愛的本性」。

9月
September

道德，如果僅限於人與人之間的關係，

其實很狹隘。

如果我們不能用愛心去對待動物，

那就不算眞的善良！

9.1 流浪者專賣

　　給街友熱湯、麵包，是救濟。這是很多慈善團體會做的事，但他們最需要的不是同情，而是機會！

　　約翰・柏德（John Bird）出生在倫敦的愛爾蘭貧民區，他才五歲全家就成了街頭露宿者。七歲時被「慈惠姊妹會」收留，進了孤兒院。十歲逃離孤兒院，學著偷東西，亂刮人家的車子。後來進入行為矯正中心，在裡面待了三年。

　　十八歲進入車路士藝術學院，還是難逃命運，被退學。之後到處亂搞，天天躲警察，又跑到巴黎想成為革命先鋒，卻失敗。浪蕩了十年，1974 年回到英國，成為小印刷商，結婚、生子。他經歷了貧困、暴力、歧視、犯罪 …… 所有人生爛事過去，終於有了小小穩定的幸福。

　　1987 年柏德遇見一個以前同是天涯淪落人，相逢在街頭的朋友戈登・羅迪克（Gordon Roddick）。這是他在愛丁堡酒吧認識的傢伙，當時他們為了一件無聊的事，爭得你死我活──他們在比誰的鼻子大。沒想到這個自認鼻子比他大的傢伙現在發達了，因為戈登的太太不是別人，就是安妮塔・羅迪克（Anita Roddick），美體小舖（The Body Shop）的老闆。

　　戈登有一個想法，他在紐約看到一份由流浪漢叫賣的報紙，但報紙的內容是隨便拼湊來的，品質很差。買的人根本懶得看，出錢買是出於同情。他感覺應該做一份可讀性高的報紙，給流浪漢賣，讓他們自己可以賺錢。但大家都說這個主意行不通，因為你不能相信流浪漢，他們靠不住。

　　戈登與柏德重逢，頭上亮起兩顆電燈泡，一個燈亮是柏

德做過流浪漢；另一個燈亮是柏德在搞印刷，也懂一點出版。所以戈登安排美體小舖基金會出錢，由柏德負責做一本專門給流浪漢賣的雜誌。

1991 年 9 月 1 日，《大議題》The Big Issue 雜誌創刊。

柏德的理念就是「你要把手舉起來，不是把手伸出來」。所以流浪漢要用現金向柏德批雜誌，而且叫賣時要穿上背心制服，戴識別證，用特別的音調叫賣，不可以隨便喊。每份雜誌賣 2.5 鎊，流浪漢可以賺一半。每天來批，每天賣，這樣就可以賺到基本維生的錢。

《大議題》一出刊，賣得出奇的好。在英國流通量超過十五萬份，由四千多個露宿街頭者在販賣。雖然其中還是會有問題，像有的人就不值得信賴，公司曾經有一萬二千鎊被偷。但柏德說：「我慶幸發生過無數次的混亂，有錯誤才有進步。我們賺過錢，也白白浪費過錢。想做大事卻砸鍋。但如果你一開始就做對了，你就永遠不知道到底是怎麼做對的？沒有經過失敗就成功，那是運氣太好。」

《大議題》也擴散到全世界，德國、義大利、法國、巴西、南非、甘比亞、日本……都有分支，台灣也有，總發行量超過三十萬份。柏德說他的目標是要做成一個社會福利的麥當勞。

「我不入地獄，誰入地獄」，不，有時行善，不一定要親身投進地獄。而是可以學習戈登，協助從地獄中爬出來的人，因為他了解地獄，最知道如何拯救在地獄中的人！

9.2 救災消禍

廟所水管爆掉，你會十萬火急叫人來處理解決；家裡出現蟑螂，你就自己動手打一打，不會叫人來徹底清潔。所以問題越大，解決的機會越大；問題不夠大，人反而拖一天是一天，反正問題不大。從人類開始用火以來，火災一定時時發生。怎麼辦？只能自己多加小心，求神保佑。有時候，神保佑你，你沒事。但隔壁平日不燒香，一燒就著火，火延燒到你家來，你也只能自認倒霉。

1665 年 6 月，倫敦爆發了大鼠疫，死亡人數超過十萬。3 個月內，倫敦的人口少了 1/10。皇室貴族紛紛逃出倫敦躲到牛津避禍，倫敦有病人的房子都用紅粉筆打上十字標記，氣氛很像末日來臨前。

1666 年 9 月 2 日，倫敦市中心的一家「皇家麵包店」，因為烤爐過熱，引發了一場火災。火災發生時，倫敦市長立刻就接到失火通知，但他毫不在意，這一天正好是星期日，他沒心情工作。到下午，大火已經燒到泰晤士河畔，結果一發不可收拾。這一燒可不得了，居然燒了五天五夜。燒掉一千三百多棟民宅，還有九十多間教堂。看吧，有神保佑也沒用！倫敦八成的房子被毀，二十萬人無家可歸。這災難可夠大了吧！唯一因禍得福的是，大火燒死了所有的老鼠，鼠疫因此得到控制。

有一個牙醫師叫尼古拉斯‧巴彭（Nicholas Barbon），他想有人就會有疏忽，所以火災不可避免，問題是出事以後，怎麼辦？財產一把火全燒光，人以後怎麼活下去？如果能開

辦一家「火災保險公司」，把風險分攤，這樣對大家都有利。
不是很好嗎？

　　現在的觀點，當然是理所當然。可是在三百五十年前，
每個人只想顧自己的房子，想不到要一起來互相照顧。所以
他費盡唇舌講了十四年，終於找到四個朋友，合夥湊了四萬
英鎊，在 1680 年開辦了世界第一家火災保險公司。

　　你想，倫敦那場大火，受災的人那麼多，所以市場才夠
大，才能一次賣出夠多數量的保險，以免日後若有幾戶同時
受災，保險資金會週轉不動。果然來投保的客戶，全是經歷
1666 年 9 月 2 日倫敦大火的的受災戶。

　　巴彭創造出依房子不同結構，收取不同保費的標準。磚
造的房子費率是房租的 2.5%，木頭的房子多收一倍，收 5%。
這種差別計算費率的方法，成為日後保險的基本模式。不但
為社會解決火災受損的問題，也為自己賺進錢財。是不是有
意義又有利益？

　　所以，看到當下，有什麼天災人禍？沒有解決，可能就
是大機會喔！當然我們不是幸災樂禍，而是救災消禍！

● 牙醫師巴彭

● 1666 年倫敦市中心發生一場五天五夜的大火。

9.3 **聽媽媽的話**

　　一部劇本，超過半世紀無人聞問。一通電話，使劇本終於拍成電影，大放異彩。

　　導演湯姆‧赫伯（Tom Hooper）接到媽媽打來的電話，媽媽說：「我替你找到下一部電影的劇本了！」

　　原來赫伯的媽媽參加一場劇本的朗讀會，聽到了一位叫大衛‧賽德勒（David Seidler）的老先生，讀了他寫的劇本，大為感動，立刻就打電話給兒子，告訴他，媽媽為他找到絕佳劇本。這麼好的劇本是寫什麼故事呢？

　　賽德勒小時候有個大問題，他約不到女生，就算約成了，他也講不出話來。為什麼？因為他有「口吃」。

　　賽德勒的父母告訴他，口吃可以克服，英國國王喬治六世口吃比他嚴重，曾經在 1925 年萬國博覽會，當著全場的民眾，結結巴巴把開場致詞唸得沒有人聽懂他在講什麼？可是喬治六世後來克服口吃的毛病，在二次大戰時，透過廣播用演講鼓舞軍民士氣。

　　1939 年 9 月 3 日，賽德勒從收音機聽到喬治六世的講話，覺得穩重有力，很有君王氣勢。他受此鼓舞，果然信心倍增，很快克服口吃的毛病。

　　賽德勒因此對喬治六世有一種特殊的情感，他長大後讀了很多關於喬治六世的故事，發現國王是經過一位萊恩尼爾‧羅格（Lionel Logue）的治療、協助，才改善口吃。他就興起寫劇本的念頭。

　　可是空有念頭，卻缺乏素材。因為有口吃並不是什麼光

彩的事，所以皇室完全找不到記錄。

　　1982 年賽德勒輾轉認得治療師羅格的兒子，他告訴賽德勒可以給他看羅格的治療筆記，也樂意告訴他，國王和父親互動的細節。但是有一個條件，就是必須得到喬治六世的皇后，也就是現任女王的母后，伊莉莎白王太后的同意。

　　賽德勒寫信給伊莉莎白王太后，王太后告訴他，要寫劇本可以，不過有個條件，要等她死以後，才可以發表。賽德勒興奮不已，因為那時太后已經年高八十一歲，應該不太久就有機會發表。沒想到一等就是二十年，太后足足活了一百零一歲。

　　怪太后活太久，也不對。賽德勒雖然不斷收集資料，但也一直沒動靜。到了 2005 年他發現自己得了癌症，這下是他活不久了，他才寫下這一直以來的夢想。

　　劇本寫完後，就進入敲門問路的旅程。有家製作公司感覺劇本有潛力，但不確定該做成舞台劇還是拍電影。於是辦了一個小型的劇本朗讀會，試試反應。正好赫伯的媽媽出現了，當場就問賽德勒可不可以把劇本給他的導演兒子看？賽德勒當然一口答應。

　　於是電影開始籌備，修改劇本，幸運的是開拍前，治療師羅格的孫子發現爺爺的日記。這本日記，皇室的人都沒看過，裡面詳細記錄羅格和國王對話、互動的細節。所以後來電影裡的對白，可說都是真實的。

　　這部就是《王者之聲》The King's Speech，2011 年獲得奧斯卡十二項提名，奪下最佳影片、最佳導演、最佳男主角和最佳原著劇本四大獎。七十三歲的賽德勒也是奧斯卡金像獎有史以來年紀最大的得獎人。

　　所以，媽媽的電話一定要接，雖然媽媽沒事也會打給你，但如果有事，一定是很重要的事。

　　這就是為什麼赫伯在奧斯卡頒獎台上說：「聽媽媽的話準沒錯！」

● 英國國王喬治六世，患有嚴重口吃。

● 治療師羅格，協助喬治六世克服口吃的毛病。

● 《王者之聲》導演湯姆・赫伯，以此片勇奪四項奧斯卡大獎。

9.4 講故事的信

一部溫暖千萬人心的不朽傑作，起源於一份再單純不過的愛心。

碧翠絲出生於倫敦富商家庭，生活優渥。她沒去上學，因為父母自己請家庭老師來教。後來弟弟又被送去寄宿學校讀書，所以她童年玩伴很少，寵物就成了她最好的朋友。

她不只養狗狗，還養老鼠、蜥蜴、蠑螈、蝙蝠、青蛙、蛇和兔子。父母因為寵愛也都隨她喜好。所以她對動物有敏銳的觀察，特殊的情素。加上她的藝術天分，從小經常埋頭畫動物的素描、彩圖。長大後，畫動物更是她最大的愛好。

1893 年 9 月 4 日，碧翠絲在蘇格蘭度假。她得知她家庭老師的兒子諾亞病了，為了給孩子加油打氣，她又寫又畫給諾亞寄去一封「圖畫故事信」，主角是她帶在身邊的寵物，一隻叫彼得的兔子。

「親愛的諾亞：我不知道該寫些什麼，所以我要告訴你一個兔子的故事，他們名叫小福、小毛、小白和彼得⋯⋯」

是的，這就是童書史上的不朽名作《小兔子彼得》Peter Rabbit 的由來，這位寫信畫圖的碧翠絲全名是碧翠絲・波特（Beatrix Potter）。

諾亞非常喜愛《小兔子彼得》，碧翠絲就把手稿前後寄給六家出版社，結果都被打回票。她就自己印自己出，一開始只印二百五十本，賣給親戚朋友。

後來碧翠絲接觸了費德里克・沃恩出版社（Frederick Warne），當時費德里克・沃恩由創辦人的三個兒子經營。大

哥和二哥商量，他們兩個並不看好，決定由小弟來負責編輯、出版，這樣如果書沒賣好，出版社也不會受太大打擊。

沒想到書一出版，立刻大暢銷。碧翠絲受到激勵，又繼續創作了七本新書。而且她和小弟諾曼，不只成為事業的伙伴，兩人還墜入情網。諾曼向她求婚，卻遭到碧翠絲父母的反對，他們嫌諾曼家身份、地位不夠高。但是碧翠絲深愛諾曼，決定不顧父母反對，接受求婚。天不從人願，他們訂婚後，才幾個星期，諾曼就因白血病過世。

碧翠絲傷心欲絕，從此大部份時間遠離倫敦，待在她新買下的一座農莊。藉著鄉野自然的美麗，安慰受創的心靈。而且專心創作，每隔一兩年就有新書出版。

後來有開發公司要收購她農莊所在的大片土地，當地農民沒有土地權，多是佃農，眼睜睜就要看著自己辛苦一輩子的土地，變成開發商的肥肉。這時碧翠絲挺身而出，用高價搶標，買下了四千英畝的土地，阻止開發商破壞。她也因此遇見新的愛情，與土地仲介商威廉‧希利斯（William Heelis）結婚。

1943 年碧翠絲為了使這片美景永遠保留，將所有她名下的土地捐給國家託管組織。當然她留給世界最大的遺產，就是二十三本童書繪本。

第一本就是《彼得兔的故事》，估計全系列到現在已銷售五千萬本。

碧翠絲的書最大的特性就是故事、插圖都洋溢著善良、自然、溫暖，而這正是碧翠絲本人的特性。

特性是每個人個性中，最難且無法控制的部份。它會自然流露在走路、吃飯、講話、工作和每天的生活中。而特性

也會將你的天賦往不同的方向發展，在碧翠絲身上，我們看到善良的特性，引導她的天賦創造美好、溫暖的世界。

●碧翠絲買下一座農莊，在那裡專心從事創作。

●彼得兔的作者碧翠絲·波特

9.5 蒙娜麗莎案外案

「巴布羅，你還在這裡悠哉，出事了，你知道嗎？」

「紀堯姆，你發什麼神經？能出什麼事？」

「是皮耶那個白痴，他登上《巴黎日報》的頭條啦！」

「皮耶一個小偷，爲什麼上報？難道是……」

「對，上個月蒙娜麗莎不是被人從羅浮宮偷走了嗎？」

「是皮耶幹的？他有這麼大本事？」

「我不知道。但他小子去跟記者吹牛，說他知道蒙娜麗莎在哪兒？還嘲笑羅浮宮的警衛是低能。記者不信，他就拿了一尊從羅浮宮偷來的雕像，用二百五十法朗賣給《巴黎日報》，證明他有多厲害！」

「他瘋了嗎？」

「你早上都沒看報？」

「我昨晚喝太多，睡到剛剛才醒，你就衝進來了。」

「皮耶已經逃出巴黎。」

「眞是又笨又勤快的賊！他出什麼風頭啊？這下糟了，我們跟他買的那幾件……」

「對，我們跟他買的那幾件雕刻，都是從羅浮宮偷來的，如果他把我們說出來，那就完蛋了！」

「那怎麼辦？……別慌……有了，我們把東西丟進塞納河裡，到時候警察找來，我們死不認帳。」

「好，我們晚上行動！」

紀堯姆到底是誰？紀堯姆‧阿波利耐爾（Guillaume Apollinaire）是法國 20 世紀前葉最傑出的詩人，他的代表作

是《醉酒集》。巴布羅是誰？他就是巴布羅‧畢卡索（Pablo Picasso）對，就是畢卡索。

1911 年 9 月 5 日的夜晚，畢卡索和阿波利耐爾搬了個大皮箱，偷偷摸摸來到塞納河畔，走了半天。

「天啊！重死我了，都找不到脫手的機會！」

「這些真的是寶貝啊！這樣丟掉會不會太可惜？」

「都是皮耶那個白痴的錯。可是不丟掉怎麼辦？」

「我看這樣，我們先把東西搬回去。在這裡晃來晃去，萬一被警察盤問，反而倒霉不是？」

「再來呢？」

「你明天把東西交給報社，讓他們有新聞可做。」

「你也瘋了？想害死我？」

「聽我說完，你跟他們談條件，條件是要報社把東西還給羅浮宮，並且不洩漏你是誰。如果他們不答應，就免談。他們為了搶新聞一定照辦，羅浮宮拿回東西，也不會追究，對吧？」

「那為什麼是我去，你不去？」

「你是高貴的法國人，我是他們眼中低賤的西班牙人，他們跟你會守信用，跟我？只會出賣我，對不？」

兩個人又吃力的把贓物搬回畢卡索的住處，白白折騰了一晚。第二天，阿波利耐爾去找《巴黎日報》，談好條件，把東西交給他們。隔天果然是頭版頭條，還有《巴黎日報》沒守信用，把阿波利耐爾抖出來，當天他就被警方逮捕。

而逃出法國的皮耶，他沒閒著，他繼續寫信去報社，說偷走蒙娜麗莎是他的傑作。所以輿論並沒有因為警方追回幾件羅浮宮被竊的藝術品而放鬆壓力。警方想用阿波利耐爾來

做擋箭牌，宣布他是偷蒙娜麗莎的主謀。這下他可傻了，本來頂多是收買贓物罪，現在成了大盜。於是他便向警方說，畢卡索可以證明他的清白，他們只是被皮耶騙，只是跟他買東西，並沒有參與盜取蒙娜麗莎。

能一錯再錯。警方找畢卡索來與阿波利耐爾對質，畢卡索一進審訊室，一口咬定他從來不認識阿波利耐爾。詩人敏感的心，被冰冷的背叛瞬間擊碎。他絕望的放聲大哭，指責畢卡索不是東西，畢卡索也跟著大哭，兩個大人像做錯事的小孩一樣哭天搶地。審訊官可被哭傻了，不得不暫停審問。

幸好十天後，警方確定阿波利耐爾沒有涉案，釋放了他。其實皮耶根本沒有偷，他只是在吹牛。詩人從此不提畢卡索；而畢卡索也被朋友圈排擠了一段時間。五十年後記者問起當年羅浮宮這一件事，他倒是大方承認，而且說對自己那時候那樣對待阿波利耐爾，感到完全的羞恥。

「藝術是一個謊言，說真話的謊言。」

「好的藝術家抄襲，偉大的藝術家偷竊。」

這兩句畢卡索的名言，現在讀來是不是更有味道？畢卡索也如他的畫，是立體而多面的。

●法國詩人阿波利耐爾　●西班牙藝術家畢卡索

9.6 生命之箭

「你們是弓，你們的孩子是被射出的生命之箭。射手瞄準無限的目標，用力將你彎曲，讓他的箭射得又快又遠。你在射手的手中應該感到愉悅，因爲他愛射出的飛箭，也珍愛手中的彎弓。」

紀伯侖在《先知》寫的關於孩子的散文，這是對大人最優美、最深刻的期待！

大衛是個喜歡收集石頭的孩子，他不只收集，還能分門別類，自成系統。**1933 年 9 月 6 日**，大衛遇見了「大英科學促進協會」主席的女兒，當時著名的考古學家賈桂坦·哈威特（Jacquetta Hawkes），大衛把自己的收藏展示給哈威特看。哈威特看到一個七歲的小男孩，能有如此豐富又有系統的整理，大爲激賞。她不但稱讚大衛有一個精美的「博物館」，還送他一個盒子，裡面裝滿了珊瑚礁石、特殊貝殼，各種有趣的東西。這下大衛的「博物館」裡的收藏就更有看頭。大衛在這一天受到莫大的激勵，立定未來要走上生態研究之路。

大衛長大後，進入劍橋大學主修地質學、動物學。1952年他二十六歲，想進入 BBC 廣播台，結果被拒絕。但他因此被網羅到 BBC 新成立的 BBC2。1954 年他製作一部「動物園探索」Zoo Quest，內容是講從倫敦動物園到非洲、印尼去探索野生動物的記錄片。他把自然知識用幽默有趣的方式呈現給觀眾，播出後大受歡迎。他開創了一種全新的節目型態。「動物記錄片」、「自然歷史記錄片」，而且是好看、動人的記錄片。

1965 年他才三十九歲就成為 BBC2 台的台長，1967 年他製播第一個彩色電視節目，1972 他為 BBC 製作一系列有關科學、藝術、文學、歷史的新形態、有「劇情」的記錄片。簡單說，我們現在看的「國家地理頻道」和「Discovery 頻道」的這類節目原型，就是由他所創。

1979 年他急流勇退，把管理的大權交棒給別人，他回到他最喜歡做的事，製作《生命三部曲》節目，他親自企劃、撰稿、主持，這是自然歷史片劃時代的大作，包含「生命進化」、「活力星球」、「生命之源」三部分。在編劇、企劃、導演、主持都立下了典範。現如今，六十年的電視生涯，他仍然不停在製作、主持新的自然科學節目及影片，他就是人稱「自然記錄片之父」的大衛‧艾登堡（David Frederick Attenborough）。我們現在還是經常看到他上山下海，出現在電視機前，用風趣、幽默的方式，為我們主持各類自然的節目。他創造了新型的節目，使電視不只是娛樂工具，也是教育的工具。不只改變電視，也改變科學教育。

9 月 6 日那天，七歲的艾登堡被一張弓射向遠大的目標，今天他成為更強大的弓，把好奇的孩子射向那更寬廣深遠的世界！

● 英國生物學家大衛‧艾登堡，人稱「自然記錄片之父」。

9.7 笑實驗室

怎樣算是好笑話？它有三個要素。

一、我們覺得笑話的主角很笨，我們比他聰明。

二、笑話的主角創造一種「不合理」，這個不合理很笨。

三、結局讓我們嘲笑自己為什麼這麼笨，掉進了故事的圈套。

2001年9月7日，英國科學促進協會（the British Association for the Advancement of Science）開始一個「笑實驗室」的網路活動，網友可以投稿笑話到笑實驗室。也可以上網投票對別人的笑話做評比。另外網友要填寫年齡、性別、國家及回答幾個自我認知的問題，參與有史以來最大規模的「幽默心理學研究」。網站總共收到來自七十個國家，四萬多個笑話。有二百萬人投票。根據這項研究，最愛笑的國家是德國，最缺乏幽默感的國家是加拿大。

　　而得到世界第一的笑話是：

　　兩個獵人在森林裡打獵，其中一個昏倒了，他看來已經停止呼吸，眼神也變得很呆滯。另一個獵人趕緊拿出手機求救。他氣喘吁吁的說：「我朋友死了，該怎麼辦？」

　　電話另一頭的救難人員說：「你先冷靜，我會幫助你。首先，你先確定他是不是真的死了。」

　　一陣沉默過後，傳來一聲槍響。那個獵人重新拿起手機，說：「好，我確定他死了，然後呢？」

　　爲什麼這個笑話會得到第一？主辦單位說：這個笑話之所以吸引人，是因爲它跨越國界，而且是男女老幼都喜歡。很多笑話在某一類人中，會得到較高的票數，但這則笑話的支持者來自四面八方、各種類型。

　　笑話好笑的原因有很多，有些讓我們感覺高人一等，別人比我們笨。有些能減輕面對「緊張事件」所升高的情緒。或是出現某種「不合理」，令人發笑。獵人的笑話就符合我前面提的三大要素。

　　一、我們覺得獵人笨，我們比他聰明。

　　二、獵人和救難人員的對話，製造了語意的誤會，產生一種「不合理」。這個不合理很笨。

　　三、這個笑話令我們嘲笑對死亡的擔心。

　　好，再來看世界第二名的笑話：

　　福爾摩斯和華生去露營，他們在星空下搭起帳篷睡覺。睡到一半，福爾摩斯把華生叫醒，說：

　　「華生，你抬頭看看，再告訴我你看見了什麼？」

　　「我看見好幾百萬顆的星星。」

　　「那這代表什麼？」

　　「嗯，如果天上有好幾百萬顆星星，一定會有一些類似地球的行星，如果天上有一些類似地球的行星，或許上頭就有生物存在。」

　　「華生，你白痴啊，這代表有人偷走了我們的帳篷！」

9.8 大象孤兒院

　　道德，如果僅限於人與人之間的關係，其實很狹隘。如果我們不能用愛心去對待動物，那就不算真的善良！

　　2008 年 9 月 8 日，一頭小象出生了，奈洛比國家公園的人把牠取名叫「歐拉」Olare。當歐拉要過一歲生日時，路過的遊客從車上發現，歐拉靜靜在一頭倒下的大象身邊徘徊。遊客通知國家公園的人，醫療隊趕到時，發現倒下的是一頭母象，應該是歐拉的媽媽。牠顯然中了槍傷，骨頭碎裂，巨大的身體癱在地上，只剩前腳能動，歐拉緊緊守在媽媽身邊，困惑又無助。

　　醫療隊判斷大象媽媽救不活，準備把歐拉帶走。這時象媽媽用盡所有剩下的力氣，拼命擺動，試圖保護牠的孩子。歐拉也用鼻子緊緊抓住媽媽。獸醫沒辦法，只有給象媽媽注射藥劑，進行「安樂死」，結束牠的痛苦。然後也給歐拉打了一針「鎮定劑」，把牠帶上飛機。

　　大象媽媽為何中槍？對了，因為有人盜獵，要獵取象牙。而小象沒有長牙，所以沒人殺牠。每年非洲有三萬八千隻大象被殺害，現在非洲只剩四十到六十萬隻大象，1930 年到 1940 年間還有三百萬到五百萬隻。短短七十年，就被貪婪的人類屠殺殆盡，可怕吧！

　　更可悲的就是如果母象被殺，通常小象就沒有人照顧，自己活不了幾天。歐拉就是個活生生的例子，國家公園的人要送牠去哪裡？答案是「大象孤兒院」，所有被發現落單的小象，都會送到那裡去安置。

　　「大象孤兒院」是戴芙妮・薛爾瑞克（Daphne Sheldrick）創立的。戴芙妮是英國人，出生在肯亞。所以她對動物、對非洲有特殊的感情。她和先生大衛是最早關心野生動物媽媽被殘殺後，動物寶寶如何收容、養育、野放問題的人。他們剛開始建立的動物之家，有斑馬、羚羊、水牛、犀牛……。大衛在 1977 年過世，戴芙妮便以大衛・薛爾瑞克的名義，在奈洛比成立動物信託基金會。

　　盜獵象牙的問題，越來越嚴重，大象孤兒的數量日益增加，於是戴芙妮建立了「大象孤兒院」。她相信動物有靈性，尤其大象。牠們的智商很高，所以情感也特別豐富。野生的象群，如果有大象過世，所有的象都會圍繞在屍體的四周，前後搖擺，晃著身體，表示想念，接著會靜靜的站著一段時間，表達哀悼和敬意。這跟人類一樣是有葬禮。

　　而最令戴芙妮感到震撼的是「艾莎事件」，艾莎也是一頭大象孤兒，盜獵者殺死象媽媽，挖走象牙，任憑小象自生自滅。艾莎親眼看著媽媽被殺，驚慌失措、站在媽媽的屍體旁，彷彿被悲傷的釘子釘住，無法離開。幸好艾莎被發現，送到大象孤兒院。戴芙妮看到艾莎消瘦的模樣，還有牠無助的眼神，知道寶寶吃了多少苦，太心疼，忍不住特別對她好。艾莎也把戴芙妮當作媽媽一樣，整天跟在她的屁股後，跑進跑出。這樣過了六個月，艾莎有了戴芙妮的照顧和愛，變得健康快樂起來，看來悲傷已經離開了艾莎。

　　戴芙妮的女兒要在倫敦舉行婚禮，身為媽媽的她當然要到場祝福。於是戴芙妮便啟程前往倫敦，哪知她才離開，小象艾莎就變了。艾莎看不到戴芙妮，所有的恐懼又像烏雲再罩頂，她起先是急躁，到處找戴芙妮。怎麼找都找不到，其

他工作人員跟艾莎說話、安撫她，都沒用。艾莎怎麼知道戴芙妮只是去倫敦幾天，婚禮後就回來。艾莎以為象媽媽戴芙妮跟大象媽媽一樣也死了。

她再一次受到失去媽媽的打擊，你猜她怎樣？她太傷心，傷心的不吃不喝，工作人員怎麼哄都沒用，強制餵食，她也拒絕。不到四天的時間，等戴芙妮趕回奈洛比，艾莎已經過世了。

戴芙妮心碎，但她意識到過去忽略了什麼？我們人類還是對動物太低估，不了解動物也有深厚的感情，遠遠超出我們的想像。

「艾莎的死給我上了寶貴的一課，也讓我在面對大象的時候更謙卑！」

戴芙妮從此改變孤兒院的運作模式，每一隻小象都要和所有的工作人員，包括她自己，發展出一樣深厚的關係。所以不再是由一個人照顧一隻小象，而是一隻小象由大家輪流照顧，一起照顧。這樣小象才不會只認一個人是牠的媽媽，小象還有許多姨媽，如此才不會有一個人不便工作時，小象以為又出事了。

現在，非洲一發現小象孤兒，就送到大象孤兒院，戴芙妮收容的小象越來越多，她慢慢建立了一支象群，教育大象野外求生的本領，好讓牠們回歸自然。

這幾年，她不只收容大象寶寶，也收容犀牛寶寶。因為犀牛被盜獵的問題跟大象一樣可怕，都是為了犀牛頭上的角。雖然國家公園的人把犀牛角鋸掉，以為可以防止盜獵，沒有，盜獵者還是殺了犀牛，為的是取在頭部內遺留的「角根」，因為犀牛角價錢漲太高了。

　　戴芙妮把她的青春、人生都投入保護動物的工作，已經超過五十年，她當然偉大！但她的偉大，正反射出人類的無知與貪婪！

●戴芙妮成立大象孤兒院，為非洲野生動物奉獻愛。

9.9 來自外星的訊息

眞的有外星人嗎？如果答案是肯定的，那外星人會不會也有「山寨」的？

鮑爾（Doug Bower）和喬利（Dave Chorley）住在英國的南安普敦。1978 年某個星期五的晚上，鮑爾和喬利一起在酒吧喝酒、聊天，鮑爾提起他曾在澳洲看到一則新聞，說在 1966 年 1 月，有人目擊不明飛行物體從地面升空，地上留下一大片蘆葦被壓成蜂巢狀。兩個人越說越高興，決定一起來製作外星人的「麥田圈」。

他們做了第一個「麥田圈」，果然得到媒體報導，他們看到許多專家的分析討論，更樂不可支。決定再搞一個，就這樣越搞越來勁，兩個人在英國到處跑，偷偷做麥田圈。一直到了 1986 年，因爲鮑爾的太太懷疑他有外遇，兩個人的麥田圈創作才停止下來。

原本他們是要死守秘密，但是看到一堆人出來說這些麥田圈是外星人的傑作，是一種訊號、一種飛行器結構……最後讓他們受不了的是，連政府也參一腳，出面做正式的調查，這根本是浪費納稅人的錢。所以他們倆決定公開秘密。

1991 年 9 月 9 日，鮑爾和喬利向倫敦的小報《Today》，坦承所謂的外星人麥田圈，是他們兩個幹的好事。記者爲了證實，特地找一塊空地，給他們試做。結果兩個人用簡單的工具，不到一小時就完成了一個麥田圈。

記者再找幾個外星人專家來鑑定，這些不明就裡的專家，個個都說這眞的是外星人幹的，絕對不會錯！

鮑爾和喬利在公開秘密前，總共搞了二百五十個麥田圈，但大部分專家都認爲他們講的不是眞的。就算是眞的，那英國的麥田圈總數超過二百五十個，多出來是誰做的？

也許眞的有些是外星人做的？我不知道。但我可以肯定只要有「山寨」，絕不會只有一家，對吧？

人只要相信某事，而且爲他相信的事全心投入過，那即使有明顯的反面證據和事實，不但不會動搖他們，反而會加深他們的信念。不管是「外星狂」、「宗教狂」、「殺人狂」，任何一種狂熱份子，都是勤快的、以沒有原則的方式，追尋某種原則的人。

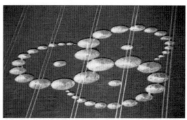

●神秘的麥田圈記號，常被視為外星人留下的訊息。

9.10 挺身而出

　　見義勇爲，關鍵在「勇爲」。尤其是當你感覺該做的事，卻對你沒有任何好處，甚至還會爲你惹來麻煩，你還是挺身出來，那就需要「勇氣」！

　　見義勇爲發生在美國明尼蘇達州哈普金斯市的「乳品女王」Dairy Queen 速食店，**2013 年 9 月 10 日**下午 1 點，一個盲人走進店裡來買聖代，當他從錢包拿出現金卡來付帳時，一張二十美元的紙鈔從錢包掉了出來。排在他後面的一個女客人，看出盲人不知道鈔票掉在地上，便向前輕移一小步，迅速撿起那張二十元，放進自己的包包。

　　十九歲的店經理喬伊・布魯賽克（Joey Prusak）站在櫃台後，把這一幕看得一清二楚。輪到女顧客點東西，布魯賽克像頭獅子站在櫃台前，要求女客人把剛剛撿去的鈔票還給盲人先生。女客人像夜裡被手電筒照到的青蛙，瞪大眼睛看著他。布魯賽克把話再講一遍，女客人回過神，說：「不，那張鈔票是我剛剛掉在地上的錢。」

　　布魯賽克用平靜、堅定的語氣，對女客人說，他不能爲如此失禮的客人服務，如果她不肯還錢，那就必須離開。女客人立刻破口大罵，反應歇斯底里。布魯賽克像一尊大理石雕像，完全不爲所動。女客人只好一邊咒罵，不甘不願的離開餐廳。

　　然後，布魯賽克走到盲人先生坐的桌子前面，從自己的皮夾拿出一張二十元的鈔票，交給盲人先生，說：「先生，我要代表乳品女王還給您二十元，補償您在櫃台時遺失的那

張二十元。」事後，他沒有往上呈報，也沒有跟任何店裡的人提起。

旁邊另一個客人看到了整件事，他寄了一封不具名的信，向乳品女王稱讚布魯賽克。總店把信交給店長，店長把它張貼在佈告欄，有人用手機把信拍照上傳網路，布魯賽克的「勇爲」才傳開來。

乳品女王背後的老闆是誰？就是華倫·巴菲特。他親自打電話給布魯賽克，感謝他樹立一個優良的典範。布魯賽克說：「那本來就是該做的事，我只是覺得那位女客人偷人家的錢是錯的，我當下感到噁心，胃很不舒服。所以我沒有多想就做了，我相信 99％的人都會這樣處理。」

當然不只老闆稱讚他，許多人到店裡去向他表示讚美，店裡的業績增加一倍。他也收到大筆的小費，布魯賽克決定要把所有小費捐給慈善團體。任何店有這樣的員工，都應該感到驕傲！都值得投資！

9.11 裝死裝活

To be or not to be，要活還是要死，這在哈姆雷特是一齣悲劇。但在東條英機身上卻是一齣鬧劇。

東條英機是第二次大戰時日本軍政的最高指揮官，他在1941年出任總理大臣兼內務大臣，開始「東條獨裁」支配日本。日本大多數的戰爭罪行都是由東條下令，包括屠殺千萬無辜平民、虐待上萬盟軍戰俘、發展使用生化武器，他應負最重的責任。

日本無條件投降後，美軍登陸佔領，開始逮捕戰犯。頭號戰犯就是東條英機。以日本的「武士道」精神，戰敗就應該「切腹」自殺，以謝天皇。而且一定要切腹，其他自殺死法都不榮譽，算不得英雄。像大西瀧治郎中將，神風特攻隊就是他的點子，日本投降的第二天，就切腹。還有阿南惟幾大將，他是陸軍大臣，主張打死不降，天皇宣布投降當天，他就切腹。他們兩個沒等美軍來，自己先了斷。

美軍佔領日本，公布頭號戰犯就是東條，他有沒有立刻切腹？他是發動戰爭的主謀，照日本人的道理，他當然應該自殺，而且要切腹。更何況他帶兵時，外號叫「剃刀」，以嚴屬聞名。他自己對全國軍民發動的「戰訓」上，白紙黑字寫著「寧死也不要當敵虜」。他不自殺，怎麼對得起日本投降後568名自殺的高階軍官，還有戰爭中自殺的155名軍人和家屬。你整天叫別人死，自己怎麼可以不死？

東條也知道他不自殺，會被罵成豬狗不如。但他又沒勇氣自殺，又不能不自殺……To be or not to be, not to be or to be……很煩惱！

　　1945 年 9 月 11 日，美軍要來抓東條。早上 10 點，記者已經得到消息，紛紛到東條家等候採訪。東條穿好了全副勛章的大將軍服，腰上掛著武士刀，在書桌上準備了一把短刀，兩把手槍。其中一把手槍是他女婿古賀秀正少佐的，他的女婿在 8 月 15 日發動政變，進攻皇居，想要搶奪天皇發表投降的錄音帶，結果失敗自殺。這把柯爾特 32 口徑的手槍，就是他自殺的用槍。另一把柯爾特 22 口徑的，是他平日防身用的。他準備好了嗎？對，他準備好了。但不是準備死，是準備不死。怎麼說？來看看逮捕他的美軍波爾・克勞斯中校的報告：

　　●下午 4 點 02 分，到達東條宅邸，將軍正隔著窗子和記者說話，我將部下佈置在門口，然後請將軍開門。將軍問我有沒有逮捕令。我說沒有，但我帶了正式的拘留命令。將軍要求我給他確認，我說先開門，進門後再給你看。

　　●東條身穿白襯衫，聽完點了點頭，關上窗戶。

　　●下午 4 點 19 分，槍聲突然響起，我身邊的記者說：「你的獵物自殺了！」，我立刻強行進入宅內。

　　●東條的書房上了鎖，我強行進入，東條坐在椅子上，看起來左胸中槍，白襯衫被血染紅了。看到我進來，將軍還想舉起右手握的槍，我大喊：「不許動」，手槍摔在地上。

　　●我的任務是活捉東條，所以我立刻叫東條家的警衛找醫生來。但看起來，叫來的日本醫生是想讓將軍像武士那樣死去，除了洗洗傷口外，沒有進行任何搶救行為。

　　●下午 6 點 25 分，我軍軍醫趕到，診斷後說彈頭擦過心臟直穿左肺，沒有生命危險。

●下午 6 點 48 分，在注射嗎啡後，急救完成，7 點將東條送到橫濱第 98 陸軍醫院。

我為什麼要抄寫克勞斯中校報告？就是要給你看第一手的記錄，免得說我有偏見，加油添醋，對東條不公平。

據日本產經新聞記者的報導，美軍除了來兩個軍醫，一個衛生兵，還來一個憲兵士官長。憲兵來湊什麼熱鬧？因為出了人命，他是來查案的。這個憲兵並不知道出事的是誰？他打開本子，問：

「這個男人叫什麼名字？」

「Tojo。」

「有沒有人知道他的名字？」

「Hideki。」

「怎麼拼？」沒人答，他在本子寫 H. Tojo，H. 東條。

接著又問：「他的軍銜呢？」

「陸軍大將。」

「大將？咦？大將就這德行？有沒有搞錯？他現在什麼職務？」

有日本記者忍不住說話了：

「你寫『前獨裁者』就結了嘛！」

「明白了，謝謝合作。」憲兵問完就走了。

東條被送進醫院，多虧幾個美國大兵輸血給他，手術才順利的完成。

照理說，不切腹，用槍打自己，人家都是對著太陽穴打，就算槍法再差，打再偏，打中大腦必死無疑。對著胸口打，又打不著心臟，這算哪一齣？

東條之前還找了個醫生，請他用炭筆在自己的胸口上，

把心臟的位置畫出來，以便瞄準。

那他是在 9 月 11 日早上畫的嗎？不是，早早就畫了。那他這些天都沒洗澡？不是，每天洗完澡，東條的太太會幫他再畫一次。所以他打不準，要怪他太太沒畫準囉！

為什麼選 22 口徑的手槍，不選他女婿用的 32 口徑呢？22 口徑小，殺傷力也小，如果不直接打中要害，就死不了。

結果東條英機，最後還是被判死刑。他上絞刑台時，還淚流滿面。這不是鬧劇是什麼？

東條英機是在 1978 年才偷偷摸摸被放進「靖國神社」，日本裕仁天皇自此不再去靖國神社參拜。而且東條在臨刑前的日記，還明白寫著他放棄一生信仰的日本神道教，他認為這不是宗教。

你看，靖國神社的信仰基礎就是神道教，他東條自己都放棄，你還硬要拜他幹嘛？

東條的鬧劇為什麼在他死後還繼續？因為日本政府和日本右派、財閥都沒有反省，而且想藉著時間淡化、粉飾、漂白日本在二戰的罪行。你猜東條英機的兒子東條輝雄後來做了什麼？他後來做了三菱重工的副社長。懂了吧？當年日本軍閥和財閥是緊密團結，共同去侵略別國、發動戰爭，應該都算是戰犯。

戰犯屠殺別國人民，又叫自己國的人民去送死，都慷慨激昂，輕而易舉。等到自己面對死亡，根本孬種到不行！

東條就是標準的「又笨又勤快」，他要死又怕死；不死又怕人罵死；要死又不死，演來演去。做作又噁心。

靖國神社原來的英靈，與如此鼠輩同列，豈不是被糟蹋、被作賤！

● 二戰日本
　第一戰犯
　東條英機，
　勳章掛再滿，
　還是怕死。

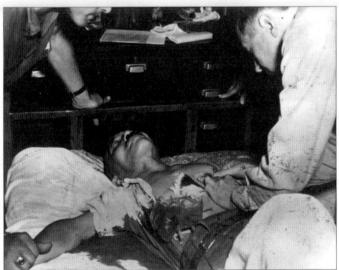

● 東條英機自殺未遂，美軍搶救，將他救活。

9.12 **潛意識廣告**

　　弗洛依德把人的心靈比喻爲一座冰山，少部分浮出水面的，代表「意識」。大部分藏在水面下的，則是「潛意識」。他認爲人的行爲，不全然受表面的意識控制，實際大部分受潛意識的主宰，而潛意識會自動運作，本人也無從察覺。

　　從潛意識理論流行以來，很多人就設想：如果能控制人的潛意識，就能影響人的行爲。就是說你能控制水面下的冰山，就能把冰山往你要的方向推進。所以各種有關潛意識的實驗便層出不窮。

　　1957 年 9 月 12 日，一個紐約的市場調查公司發表了著名的「潛意識廣告」。發表人是詹姆斯・維克利（James M. Vicary），他們在新澤西州一家戲院做了一個六個星期的實驗，電影放映時，每隔五秒閃動一個三千分之一秒的標語：「喝可樂」Drink Coke 和「吃爆米花」Eat Popcorn。觀眾對這麼短暫的畫面，肉眼根本無法察覺。這些持續播出的標語，其實會進入觀眾的潛意識，促使他們的行爲受到影響，因此改變。實驗的結果，戲院在這六個星期可樂多賣了 18%，爆米花多賣了 60%。

　　「潛意識廣告」立刻引起眾多迴響，維克利的公司頓時增加了許多客戶，大家都對這種新的廣告手法非常有興趣。接著學術界也有不少相關的論文，人們都相信這種讓消費者在不知不覺中接受資訊，比平常的廣告更有效。

　　然而有一位加拿大學者，他眞的照樣做了一次實驗，他在一個電視劇中，每隔一段時間，就閃動一個瞬間標語「打

電話」Phone Now，結果三百個看電視劇的人，看完並沒有去打電話。而且他們沒有一個想得起標語內容。

維克利終於在 1963 年，公開承認整個研究結果是他杜撰的。他確實有做實驗，但效果小到無法證明潛意識廣告會有效。

妙的是，維克利早就承認實驗的結果是假的，但是到現在還不時會看到有人舉「潛意識廣告」來說明、證明他們的論點。為什麼會這樣？這就牽涉人對資訊的慣性，一個「新」資訊或有「突破」點的資訊，往往會得到一般人的注目，媒體也會大幅的報導，所以訊息就進入大腦。而如果這訊息是錯的，潑冷水的事都引不起大家的興趣，錯誤更正報導都很小。所以「以訛傳訛」、「一錯再錯」。

而且潛意識這種東西有神秘、玄妙的地方，所以「假科學」或是說「仿科學」，其實很容易使人深信。加上有許多小說、電影會製造「控制心魔」的情節，就更讓人相信利用潛意識，控制人心的真實性。

其實潛意識廣告也不是全無啓發，它和人腦的影像殘留或貯存可能有關。曾有人做過一個實驗，就是找一點兒都不認識中文的老外，請他們來選他們最喜歡的中國字。開始挑選前，先做熱身，給他們看幾個中國字，但這幾個字在後面正式排字時，不會出現。玄機在熱身時夾雜一個中文字，比如說「廣」，但用三千分之一秒的速度閃過，所以被實驗者並不知自己看過「廣」。等後面選字時，把「廣」放進去，請老外挑，他們多半會挑出前面閃過的字——「廣」。這並不算是潛意識作用，而是大腦影像殘留作用，我們會找到熟悉的影像，而那個影像其實殘留在我們腦中，只是我們並不知道。

　　所以如果閃過標語是「百事可樂」，那不見得會促使人去買可樂，但如果他要買可樂的話，也許會買百事可樂而不是可口可樂。

　　同樣的，你夢中出現影像，一定是你見過的。可能是電影、電視、雜誌、看板……或你的親人、朋友、同事……不會無中生有。但是這個「有」，未必有意義。就像你遇見路人甲，他確實出現在你的生命中，但未必有意義。所以「夢」拿來亂「解」，未必能解決你的問題，更不會讓你中彩券。

　　何況現在最新的腦神經學，已經知道人的行為基本上在思想之前，就是我們是先行為，才思想。但因為兩者時間相距太近，分不清楚前後，我們就以為是先想過要做什麼，才去做。實際上是先做了，腦子才想，才想來「自圓其行」，為自己的行為做解釋。

　　所以你夢見自己在懸崖邊，其實是你睡覺時的身子靠近床邊緣，快摔下來，身體的反應叫出了你腦中的懸崖影像。未必你心理有什麼問題、創痛，只是睡得太靠近床邊而已。但話說回來，如果你會去找心理醫師談你的夢，當然是你感覺自己有問題。你感覺自己有病，那就當然有病！人家跟你說沒病，儀器跟你說沒病，你都不會相信。

9.13 華人與狗

搞政治和搞媒體的有一種本能,就是把事情「極端化」和「簡單化」,製造對立分化的火苗,然後在火中取得利益或達成目的。

小時候看李小龍演的《精武門》,最令人熱血沸騰的一幕,就是他起身飛腳,踢著那塊寫著「華人與狗不可入內」的牌子。民族百年的屈辱,都在那一刻釋放!東亞病夫可不是任人踐踏、欺負的!很熱血,對不對?可是在上海租界的外灘公園,真的有「華人與狗不可入內」的牌子嗎?

是沒錯,上海的外灘公園確實有一塊牌子,它是在**1917 年 9 月 13 日**設立的,牌子上有十條入園規則。

第一條寫的是「此公園為外國人使用」The Gardens are reserved for the Foreign Community。

跟狗有關的是第四條,寫的是「狗和腳踏車禁止進入」Dogs and bicycles are not admitted。

結果被民族主義者拿去做有心的使用,就變成「華人與狗不可入內」,最早是周作人在文章裡這樣寫,後來孫中山在演講中也這樣講,如此一傳十,十傳百,就成了洋人欺壓華人的罪證。這樣當然可以激發民族的情感,但與事實出入太大。

當然不是說洋人沒有欺壓華人,但上海外灘公園並沒有把「華人」和「狗」相提並論。井水歸井水,河水歸河水,可是民族主義者為了要發大水,就把井水與河水,華人與狗,拿來並論。造成絕大的誤會。好像一個男子三溫暖門口寫著

一條「謝絕女賓」，另一條寫「貓、狗、寵物請勿攜入」，我們可不可以說這家三溫暖是歧視女性，因爲它規定「女人與狗不准入內」呢？

　　所以媒體的報導，尤其是「標題」，你看的時候要特別小心，因爲很可能下標題的編輯早有定見，所以他會選擇他想要的「語意」，斷章取義或是移花接木，讓你產生錯誤的判讀。小呢，只是造成對事件的誤解；大呢，甚至會造成戰爭的囉。

●上海外灘公園豎立一塊
　告示牌，上面有十條入園
　規則。第一條寫的是
　「此公園爲外國人使用」，
　第四條寫的是「狗和腳踏車
　禁止進入」。

9.14 神藥

　　以前人以爲的「仙丹」，其實是毒藥。問題是當時的人們不知道，後來才知道。就算當時知道，依賴它的人，也只能把毒藥當仙丹。

　　美國總統甘迺迪在人們的印象中，永遠是年輕、帥氣、充滿活力。但眞實的他從小體弱多病。他年輕時擔任海軍少尉，指揮魚雷快艇。有一次他的快艇被驅逐艦撞成兩半，強勁的撞擊力把他摔落在甲板上。一次重傷雖然復原，但背痛問題時時困擾他。甘迺迪的病痛還多著呢！他後來罹患「愛迪生氏症」，這是一種腎上腺素不足症，症狀是人會噁心、嘔吐、發燒、疲怠、體重下降、皮膚變黃。一般人得這種病已經夠慘，政治人物有這種病，簡直是政治死刑前的喪鐘。

　　甘迺迪人前強顏振作，人後眞是痛苦不堪，長期靠私人醫生打麻醉劑撐場面。

　　1960 年 9 月 14 日，甘迺迪遇到了救星，經同學的介紹認識了馬克思‧雅可布森（Max Jacobson），人稱「感覺良好醫生」Dr. Feelgood。

　　那個時候總統大選正打得不可開交。甘迺迪和尼克森的支持度五十對五十。激烈的選戰、重大的壓力，使甘迺迪的身體幾乎無力支撐。而雅可布森的專長，就是爲病人減輕壓力。他向甘迺迪介紹他獨創的「維他命雞尾酒療法」，就是看病人的狀況，給他調製不同種類、份量的維他命，不但能治百病，最大的功效是能消除壓力，身心舒暢，感覺良好。果然甘迺迪一試，眞是如獲仙丹，不但病痛全消，而且精神百

倍。神醫神藥，眞是天助我也。

雅可布森爲甘迺迪準備了一小瓶藥，讓他帶在身上。兩週後，他和尼克森要電視辯論前口服。到了電視辯論當天，甘迺迪感覺藥力不夠，請雅可布森爲他加強。這一回雅可布森直接將注射器的針頭插進甘迺迪的脖子，把藥注射進去。神藥果然發威，甘迺迪全場表現有如神助，機智、幽默、反應極佳，攻擊強勁，句句到位。尤其是他精神奕奕，全身散發領袖的光芒，使全國電視觀眾無不被他迷倒。這一戰使甘迺迪後來居上，以些微的票數打敗尼克森，奪得總統寶座。

甘迺迪就職典禮，特別邀請外人不知的第一神醫雅可布森來參加。雅可布森因此認得了第一夫人賈桂琳。賈桂琳也成了雅可布森的VIP客人。甘迺迪從此一天離不開神醫，他去維也納和赫魯雪夫開高峰會，要求雅可布森同行。兩國領袖會議當天，沒想到赫魯雪夫臨時遲到，甘迺迪連打三針，結果藥物過量，使得他全程處於恍惚，半昏半醒的狀態。

大家都不清楚總統怎麼搞的？赫魯雪夫以爲他喝醉了。甘迺迪事後說過，那是他一生中最糟糕的日子。

雖然發生這等糗事，甘迺迪還是完全信任雅可布森。因爲沒有他，根本活得沒意思。可是甘迺迪用藥越來越重，意外也就更常發生。其中有一次，在紐約的卡萊爾酒店，甘迺迪又因爲用藥過量，居然在房間、走廊「裸奔」。還一邊揮舞雙臂，跳上跳下，嗨到不行。臨時找來紐約的哈特勒醫生，給他注射鎮定劑，才讓他平靜下來。

但甘迺迪還是要求雅可布森搬到白宮，好常伴他左右。可是雅可布森始終沒答應，因爲他在倫敦和紐約的診所，有更多超級客戶需要他。有誰呢？伊麗莎白泰勒、茱迪葛蘭、

英格麗褒曼⋯⋯除了明星還有富家名流、作家、藝術家、政治人物，邱吉爾也找過他。還有一位和甘迺迪關係不尋常的明星，瑪麗蓮夢露也是他的常客。1962 年 5 月夢露要在麥迪遜廣場花園，為甘迺迪獻唱《生日快樂》的前一天晚上，太緊張要崩潰，找雅可布森注射，才解除壓力，沒有怯場，順利登台，留下難忘的一幕。

　　雅可布森的神藥到底是什麼？當時這個藥物剛剛被製造出來，世人還不清楚是什麼？它是一種會影響中樞神經興奮的藥物，現在我們叫它「安非他命」！

　　想不到安非他命，在歷史上曾經扮演重要的角色吧！

●美國總統甘迺迪
因長年服用藥物，
而出現月亮臉的
症狀。

9.15 機遇

意外對不用腦的人來說，是麻煩。

對用腦的人來說，是機會！

亞歷山大‧弗萊明（Alexander Fleming）出身於蘇格蘭的窮苦農家，但他學術有成，後來在倫敦聖瑪麗醫院從事細菌學研究。

1928 年 9 月 15 日，弗萊明回到實驗室正準備清洗一堆用過的「培養皿」，正巧他的助理來找他，弗萊明拿起一個還沒有泡浸清潔劑的培養皿，給助理看長滿細菌的培養皿是什麼樣子？這時他忽然看見培養皿的邊邊長了一塊「黴菌」，黴菌的周邊沒有長細菌。他靈光浮現，想到這個黴菌可能可以殺死細菌。在顯微鏡下，這種黴菌看起來好像細毛刷子，於是他就把它命名為「盤尼西林」penicillin，就是「有細毛的」的意思。

啊！偉大的盤尼西林，救人救世的特效藥就此誕生了！

不，風為你吹開了門，路還是要走過去，才能夠到達目的地。事情沒那麼簡單，弗萊明做了許多實驗，他證明盤尼西林可以殺菌。但找不到提煉盤尼西林的方法，無法生產，碰壁很多次熱情就冷卻了，但他還是把發現寫成論文在 1929 年發表。

弗萊明這一篇論文，引起牛津大學的病理學主任哈沃‧弗洛里（Howard Florey）和德國生物化學家恩斯特‧錢恩（Ernst Boris Chain）的興趣，兩人合作重新做弗萊明的研究，終於解決提煉盤尼西林的問題，在 1941 年進行人體實驗，

成功的消炎殺菌。1944 年英美開始在醫療上使用，到了諾曼第登陸前，美國就製造二百三十萬劑盤尼西林。從此改變人類與傳染病菌的戰鬥史，使人類的壽命大幅延長。

1945 年，弗萊明、弗洛里、錢恩三人共同獲得了諾貝爾醫學獎。

但是，媒體把全部的功勞都歸給弗萊明，完全忽略其他兩人的貢獻。為什麼？因為人喜歡故事，喜歡有戲劇性的故事！反差越大，戲劇性越強。弗萊明出身貧寒，成為偉大的學者，這樣對比才有效果。

而且他發現盤尼西林的過程是「意外」，更是編故事的最佳調味料。弗洛里和錢恩出身良好，本來應該是學術有成，比起來，太正常。弗萊明一再公開說：「我沒有『發明』盤尼西林，只是『意外』發現它而已。」總是把功勞歸給其他兩人，但沒辦法，誰叫故事的點在他身上呢！後來越編越離譜，還說他那農夫爸爸以前救過邱吉爾，後來是年輕的邱吉爾出錢給他唸大學。

所以現在我們只知道弗萊明和盤尼西林的「傳奇」。完全不知道其他兩個真正發明人的貢獻。

不過呢，沒有弗萊明，不會有錢恩。沒有錢恩，不會有弗洛里，沒有弗洛里，不會有希特利。沒有希特利，就不會有盤尼西林！

怎麼又冒出一個希特利？他是誰？他不是希特勒的兄弟，他叫諾門‧希特利（Norman Heatley），是他創造盤尼西林大量生產的方法。但他是執行者，不是學術理論者，所以諾貝爾獎沒他的份。就算有，他也沒有「意外」的神奇故事。

●牛津大學病理學主任弗洛里

●生物學家弗萊明，因對盤尼西林的研究而
與弗洛里、錢恩共同獲得諾貝爾獎。

●德國生物化學家錢恩

9.16 彩虹勇士

　　1971 年美國正準備在阿拉斯加的安奇卡島（Amchitka Island）進行地下核子試爆。這時，住在加拿大的博藍（Jim Bohlen）、史都威（Irving Stowe）和他們的妻子瑪麗（Marie Bohlen）、桃樂絲（Dorothy Stowe）還有寇特（Paul Cote）一起聚會。

　　「看來尼克森一定會在安奇卡島核子試爆，應該是擋不住了。」

　　「那麼多人抗議，他們都不在乎嗎？」

　　「現在尼克森支持度正高，我們這一點人，對他來講，好像螞蟻咬大象！」

　　「那怎麼辦？」

　　「所以正常的抗議起不了作用，一定得想出新招。」

　　「對，我們好像《聖經》裡的大衛，現在面對的是哥利亞巨人。」

　　「什麼東西是我們的投石器呢？」

　　「有了，我們可以租一條小漁船，開到安奇卡島去，那美國就沒辦法進行核爆。」

　　「如果他們不管我們死活呢？」

　　「不，當然要先跟媒體說，讓社會大家都知道，這樣他們就沒辦法隨便下手。」

　　「如果他們把我們抓起來呢？」

　　「這樣事情就會鬧大，才有機會讓全世界都知道美國幹的好事！」

「有道理，那我們是不是應該有個組織名稱？」

「是，我記得上次抗議美國核子試爆時，有塊標語寫著：不要興風作浪。我提議我們就叫『不要興風作浪』。」

「贊成！」

「很好，大家都贊成。」

「其實民主政治的多數決，常常假借少數服從多數來做不對的事，尼克森現在就仗著他好像是多數，其實這是多數暴力。為了突顯我們的真民主，我提議委員會要採『不以多數表決』的開會方式。」

「好極了，不只要多數，要『全數』，每項決定都要全數通過。」

「贊成的舉手！」

「好，全數贊成！」

於是他們租了一艘二十四公尺的漁船，組成一支小小的和平軍，參加的人有一個醫生、一個工程師、一個音樂家、一個科學家和一個木匠，還有隨行三個記者。由卡梅克（John Carmack）為船長，史都威負責在岸上向媒體發聲。

和平軍出發的第二天，**1971 年 9 月 16 日**，他們來到一個原始的印第安部落，族人知道他們航行的目的，都稱讚他們好英勇。長老為他們祝福，而且告訴他們，會把他們每個名字刻在部落的圖騰柱上，讓後代永遠記得他們，因為他們是「勇士」。

船繼續前行，有個記者叫韓特（Robert Hunter），他正好隨身帶了一本有關印第安的書，看到裡面一則印第安克里族（Cree）的神話，神話預言：「克里族有一天會被外人消滅，而且白色的人將變成世界霸主，白色的人會殘殺動物、掠奪

森林、河川、大地一切所有的資源。眼看世界就要滅絕的時候，偉大的印第安祖靈又回到人間，使帶有顏色的『彩虹勇士』復活。彩虹勇士不但阻止白色的人破壞世界，還教他們如何善待大地。從此，世界又恢復和平、美麗的原貌⋯⋯」

全船的人聽了，精神大為振奮。他們相信預言中說的「彩虹勇士」正好應驗在他們身上。

雖然他們後來被美國海岸警衛隊扣留，破壞核子試爆的使命沒有成功。但因此引起媒體關注，喚醒人們的良知、理性。各界紛紛抗議，指責尼克森總統假和平。使得他在隔年不得不宣布永遠取消在安奇卡島的核子試爆。安奇卡島得以回復為一個眾多鳥類棲息的大本營，它現在是北美的賞鳥人必到的聖地。

這次行動後，他們發展出一種「大衛對哥利亞巨人」的行動模式。就是以小小尖銳的動作，突破封鎖，製造新聞，使社會大眾覺醒，來保護地球、拯救動物。他們相信他們可以改變世界，他們是「彩虹勇士」。

於是他們成立了「綠色和平」組織。綠色和平的傳奇戰艦就命名為「彩虹勇士號」。

9.17 火鳥

美麗的花朵，有時開在痛苦的枝幹上。

陽光最強烈的時候，陰影最黑暗。深不見底的黑暗，使花的色彩更加鮮豔、強烈！

十八歲的芙烈達是醫學院的預備生，她對未來充滿抱負，對自由充滿渴望。學校有不合理的規範，都是她帶頭挑戰。她像一朵向陽的向日葵，強烈的想要吸飽陽光。

人生的美好，在一場意外中斷送。

1925 年 9 月 17 日，芙烈達乘坐的巴士和電車相撞。她的脊椎折成三段，頸椎碎裂，右腿嚴重骨折，一隻腳也被壓碎。一根金屬扶手插進她的腹部，穿透她的陰部。但她沒死，她強韌的生命力，準備在痛苦的黑暗中開花。

她前後動過三十次手術，1926 年在療養的過程中，她畫了第一張自畫像，從此開始她以繪畫記錄自我、生活、情感的藝術人生。她就是 20 世紀墨西哥最重要的當代畫家芙烈達‧卡蘿（Frida Kahlo）。

卡蘿說過：「這一生我遭遇兩次令我痛苦的意外。一次是巴士輾過身體的意外，一次是里維拉。」

里維拉（Diego Rivera）是墨西哥壁畫藝術的大師，卡蘿二十歲大致復原後，將自己的畫作求教里維拉。里維拉對她的作品大為讚賞，並且給她許多指導。卡蘿也為里維拉的才氣而癡迷，兩人雖然相差二十一歲，但互相找到藝術心靈的知己，一見鍾情。終於在 1929 年結婚。這個婚姻帶給卡蘿陽光，但也帶給她更大的陰影。

　　因爲里維拉風流成性，外遇不斷，最後他和卡蘿的親妹妹也搞上了。兩個她最摯愛的親人一起背叛她，如同用兩根燒紅的鐵棒，同時刺穿她的心。身體的痛苦，她承受得了；心裡的巨創她受不了。於是她與里維拉正式離婚，結束十年的婚姻。

　　但愛很痛，揮去更折磨。兩個人在離婚後一年，又再度結合。卡蘿認定她離不開里維拉，決心不論心裡多難多苦，都要和里維拉維持婚姻到死。

　　卡蘿的畫作是她自我的寫照、剖析，就像是「破碎的脊柱」，她畫了一個裂開的身體，用無數鋼釘、支架固定，眼上有淚，但面孔、眼神卻比鋼鐵還堅強。

　　在「兩個卡蘿」，一個穿著墨西哥傳統服飾的卡蘿，伸出手接握另一個穿著歐洲服飾的卡蘿的手。一個拿著剪刀，斷裂的血管血流不止；另一個露出血紅的心臟，跳動強烈。她將「個人生活」和「畫家生命」如鏡子般反射，來做人生對照，用強韌的態度，正面迎戰痛苦。

　　很多評論家把她歸類在「超現實主義」畫派，但是卡蘿對此很不開心，她說：「他們以爲我是個超現實主義者，但我不是。我從來不畫夢境，我畫的是我自己的現實。」

　　是的，卡蘿將她生命中的痛苦，轉變成一幅幅令人不忍目睹，又別不過頭去、目不轉睛的震撼之作。同時存在傷痛和堅強、死亡和生存、疏離和親近、絕望和希望……在矛盾、對比中，發掘極端的美感。

　　1954 年，四十七歲的卡蘿終於揮別痛苦，結束人生。火葬時，當火焰吞噬遺體，卡蘿的遺體突然坐了起來，著火的髮絲圍繞著她剛毅的臉，就像一朵向日葵向天地微笑。

　　她在最後，還是不能平凡死去，要留下給世界最有力的
驚奇！

● 卡蘿的作品「兩個卡蘿」

● 墨西哥女畫家芙烈達・卡蘿

9.18 **最後的演講**

如果有一天你要死了，你想留下什麼給孩子？如果你是畫家，就為孩子畫一幅畫。如果你是音樂家，就為孩子寫一首歌。如果你是老師，要做什麼？

蘭迪‧鮑許（Randy Pausch）是一位熱情、風趣、教學認真的大學教授。他在四十六歲時被診斷出得了胰臟癌，醫院為他進行結腸切除手術，試圖控制癌細胞擴散，可惜失敗。

醫生告訴他只剩三到六個月的生命，可是他有三個孩子，分別是五歲、兩歲和一歲。他想要留一個「瓶中信」，希望瓶子日後能沖刷到他子女的人生沙灘上，當孩子打開瓶中信，可以了解他們的爸爸是什麼樣的人。

是的，鮑許是一個老師，他在 **2007 年 9 月 18 日** 在大學發表一場「最後的演講」。

鮑許雖將不久於人世，但他一如往常語調快捷，聲音宏亮，完全看不出來是一個癌症末期的病人。他秀出他的斷層掃描片，身體裡有十個腫瘤。但他笑說，其實他現在的狀態，可能比大部分發胖的人還健康，說著就在台上做起伏地挺身，雙手做不過癮，還用單手做，全場被他逗得哈哈大笑。

他堅持要做這場演講，因為

受傷的獅子還是想知道自己能不能吼叫？這是自尊和自信的問題，不完全是虛榮心。

更重要的是他要把這場演講當作一道媒介，讓他參與那個他無法活著看到的未來。

　　所以鮑許的演講主題是「真正實現童年的夢想」。

　　他最感謝父母的是，小時候不限制他的想像，讓他能在自己房間隨意在牆上塗鴉。這面牆不只寫滿了數學公式，還裝載了他的夢想。他的夢想有：體驗零重力狀態、進入美式足球國家聯盟打球、撰寫《世界百科全書》、當上星艦迷航的柯克船長、贏得填充玩具動物、擔任迪士尼的夢想師。

　　雖然沒有全部實現，但充滿樂趣。他雖然沒有見過柯克船長本人，但有一張親筆簽名照。

　　畫面切到 1995 年，鮑許在維吉尼亞大學當教授，並且協助建構一套「虛擬實境」的系統。剛好聽說迪士尼有個最高機密，他們在進行一項虛擬實境的計畫，將會設置在阿拉丁主題的遊樂設施，可以讓遊客坐魔毯飛行。他立刻打電話給迪士尼，說自己是虛擬實境的專家，想了解這個計畫。結果電話一路轉到團隊的主持人，主持人不但和他吃了午餐，午餐後表示希望與他合作，請他加入團隊一段時間。他簡直樂瘋了，他的夢想真的實現，他當上了迪士尼的夢想師。

　　他一再提醒要追求夢想，難免會撞牆。他秀出一大堆他收過的拒絕信。但阻礙我們前進的磚牆，不會無緣無故擋在我們面前，這道牆的存在不是把我們排除在外，而是

　　它讓我們證明，我們有多麼渴望，磚牆後面的寶藏！

　　這道牆其實不是拿來阻擋我們的，而是幫我們阻擋那些其實沒有那麼想要這樣東西的人。磚牆存在的目的就是要排除那些人。

　　所以不要怕當第一隻企鵝，要大膽的跳下水。即使沒有得到目標，過程也獲得重要的成就。

　　演講在鮑許請大家為他太太唱生日快樂歌，兩人緊緊擁抱中，畫下完美、動人的句點。

　　鮑許的生命是會結束，但他留下最智慧的遺產給孩子，讓孩子知道他沒有空著手離開，他心中裝滿對他們的回憶和愛。他知道父母無意間說出的話，都可能像推土機的推力一樣強大。他要說的是：

　　重點不在於你要怎麼實現自己的夢想，而是在於怎麼過你的人生。你如果以正確的方式度過人生，上天自然會眷顧你。夢想會自己實現。

　　是的，父母該留給兒女什麼？我們要留給後代什麼？

　　鮑許用他的光與熱，告訴我們最該留下的是夢想、真情、回憶！

●大學教授蘭迪‧鮑許，
被診斷患有胰腺癌。
他為自己的孩子做了
一場最後的演講。

9.19 世紀綁架案

林白是航空史上的英雄，他是第一個駕著飛機，從紐約飛到巴黎，飛越大西洋的人，但他的英雄事蹟，爲他帶來榮耀，名留青史。也給他帶來麻煩，引起後來的悲劇。

林白成名時，只有二十五歲，而且他是國會議員的兒子，真的是「高、貴、富、帥」，當然成爲媒體追逐的對象。當他的兒子小查理斯出生後，焦點全落在兒子身上，媒體用「小鷹」來稱呼他的兒子。每天喝多少奶、換多少尿布、打多少嗝……都成新聞題材。林白爲了躲避媒體的騷擾，在紐澤西州幽靜的霍普維爾蓋了一棟豪宅大院。沒想到在 1932 年 3 月 1 日晚上 10 點左右，不到兩歲的小查理斯不見了，嬰兒房裡留下一封信，綁匪要五萬美金，不准報警。

警方趕來，發現嬰兒房窗外有一把木梯，地上有一把鑿子。於是推斷綁匪是用木梯爬上來，然後用鑿子撬開窗戶，抱走小孩逃逸。奇怪的是，房間裡、梯子上，都找不到可疑的指紋。警方把矛頭指向「內鬼」，他們相信能夠如此神不知鬼不覺，一定要有人熟悉房內的狀況，並且接應。

林白完全相信家裡的僕人，他感覺警方的動作是浪費時間。綁匪要的是錢，他有的是錢，他要的是兒子的命。所以他在報上發表聲明，願意和綁匪「私了」，他會接受綁匪的要求與指示付錢。

3 月 4 日，林白收到第二封信，贖金提高到七萬元。這時跑出一個叫康登的人，給報紙寫信，聲稱他可以做中間的傳達員。果然，康登接到綁匪的指示，他們 3 月 12 日在伍

德朗公墓見面，綁匪自稱約翰，說他們一夥共四人，帶頭的是政府的公務員。他要求贖金的鈔票不可以連號，並叫康登隨時等他的指示。

康登告訴林白，林白立刻準備現金。美國財政部這時來找林白商量，他們告訴他一個還沒有對外公佈的政策。財政部原先準備在一年後，讓美金脫離金本位，所以金本位的鈔票就會回收。他們要林白拿他們的鈔票，去交給綁匪，他們已經記錄下每一張鈔票的號碼。所以當綁匪拿舊鈔回來銀行換新鈔時，就可以抓到他！這個方法沒有危險，因為只有幾個財政部的高官知道，林白同意配合。

4月2日，晚上8點，康登來到聖雷蒙茲公墓把錢交到綁匪手中。林白不准警察埋伏，所以綁匪順利拿到贖金，然後告訴康登，小孩在雷斯內克海灘附近的一艘船上。那裡正是林白夫婦度蜜月的地方，是在麻薩諸塞州。林白第二天立刻駕飛機飛過去，把整個海邊搜遍，根本沒有小船的影子。海軍和海岸警衛隊也派出飛機和船隻幫忙搜尋，沒有就是沒有。林白被騙了。

悲劇出現在5月12日，一個卡車司機在霍普維爾山區，發現一個小孩的腦袋和一條腿露出地面，嚇得立刻報警。警方把地挖開，是小孩的屍體沒錯，左腿膝蓋以下、左手、右臂都不存在。推測是被動物挖出來咬走了，屍體已經腐敗。旁邊有個麻袋，裡面的衣服，是小查理斯的沒錯。

驗屍的結果，小孩死亡的時間差不多就是被綁架的那天。孩子的腦中有一個血液凝塊，所以判斷小查理斯可能是被裝在麻袋中，結果綁匪爬下木梯時，不慎麻袋撞到了房子的水泥，造成孩子死亡。

綁匪拿走小孩的衣物，讓警方更認定有內賊。於是展開更深入、嚴格的調查，有一個叫奧莉特·夏普的女傭成了新焦點，因為她表現出不尋常的緊張，說詞反覆。而且警方在她的房間，搜到一本紐約市銀行的存摺，裡面有一千六百美金。這在當時，對一個女傭來說是筆「大錢」。結果，第二天早上，警方要再進一步詢問她時，發現她死在放食物的儲藏室。案子到此斷線，成了懸案。

第二年，1933 年 4 月 5 日，羅斯福總統宣布美金脫離金本位，所有舊鈔票都要到銀行去兌換新鈔。財政部當時的構想沒錯，有紀錄的鈔票一張張的出現。問題就在這「一張張」出現，是零星出現，不是整筆一起來，所以追不出原來的持有人。到了 10 月 19 日，因為這個案子一直破不了，國會通過了一個「林白法案」，就是以後任何案子超過一週沒有破案，就可推斷兇手可能已經逃往別州，所以聯邦調查局可以主動跨州辦案，改變各州獨立辦案的限制。

事情又拖了一年，1934 年 9 月 18 日，布朗克斯區的銀行在清點鈔票時，發現兩張有林白贖金紀錄的鈔票，其中一張還寫了「車牌號碼」。追查後，找到一個加油站，鈔票是從那兒來的。加油站的人說，幾天前有一個開著藍色道奇汽車的人來加油，油錢只要九十八美分，不到一元。那人卻用十元大鈔付錢，老闆怕收到假鈔，所以在車子離開時，在鈔票寫下了 4U-13-14-N·Y 的車牌號碼。

1934 年 9 月 19 日，警方宣布偵破林白血案。他們抓到 4U-13-14-N·Y 的車主，三十五歲，是個木工，來自德國。他的車庫找到 11930 元的舊鈔，全是林白贖金的紀錄鈔票。他的十七本筆記本中，找到一頁畫著木梯的圖。他的工

具箱裡件件齊全，就是沒有鑿子。他車庫門後的木板，有鉛筆寫下的號碼和住址，是誰的？是康登家的。追到德國，德國警方證實他在德國有多次竊盜前科。他住的地方離伍德朗公墓、聖雷蒙茲公墓都很近。他叫理查．霍普特曼 (Richard Hauptmann)。霍普特曼喊冤，說錢不是他的，是一個德國皮貨商留在他家的，但那人呢？已經死在德國。他的律師認為很多證據是警方捏造的 …… 經過 29 次開庭，162 個證人作證，381 件物證，陪審團認定有罪。1936 年 4 月 3 日霍普特曼被送上電椅。

事情就此結束了嗎？沒有，很多人認為霍普特曼不是真兇、不是唯一的兇手，最怪的是，當檢方提出如果他認罪，就可免除死刑，改判終身監禁，他卻拒絕了。各種陰謀論都出來，還有人說是林白太太的姊姊幹的，這個案子不只影響聯邦調查局辦案的權力，它還引發了一部推理小說的靈感。

阿嘉莎．克莉絲蒂用這個案子，寫成了《東方快車謀殺案》，公認是她最傑出、最有名的創作！而且每個人都願意相信小說寫的，真兇逃過法律的制裁，但他逃不過一群復仇之手，正義終被彰顯。是的，我們都願意相信這是真的！

● 飛行員林白是開飛機
橫越大西洋的第一人。

● 林白綁架案當時的
協尋海報

9.20 死不帶去

如果你是一個花花公子、紈褲子弟，如何做善事而能得到善名？

史金·史卡帕(Chiquinho Scarpa)是巴西的富豪，他一天到晚出新聞，都是他又買了什麼豪宅；又狂追哪個美女；又如何吃好、喝好、玩好……他是眾人眼中標準的花花公子、紈褲子弟。

有一天，他向外界宣布，他要在 2013 年 9 月 20 日舉行一個葬禮，要葬誰？不是人，是一台車！他說他那天看了埃及法老王的紀錄片，看到金字塔中有許多法老王生前珍愛的寶物，使他有個靈感。他也要把他最心愛的寶物埋葬起來，以後伴他長眠。

那他最心愛的是什麼？是一台「賓利」Benly，所以他要為賓利舉行一場葬禮。

消息一出，立刻上了晚間新聞，電視、報紙、雜誌都搶著報導，網路上更是引起討論，當然批評他、消遣他、笑他、酸他的一大堆。

他真的在豪宅花園挖了一個坑，還為這台賓利做了通往地下的跑道，大家都感覺他真的是錢太多，玩到腦袋短路。

2013 年 9 月 20 日，大批的賓客、媒體、看熱鬧的齊聚他家，他先念了一段悼文，還真的動情掉下眼淚，然後親手為賓利擦拭標牌，哀樂響起，賓利緩緩駛向地下！

突然他大喊：「停！」然後對大家說他真的是白癡，哪有把這麼好的車，拿來埋，不拿來開？

　　所以葬禮取消，他要給大家看另一樣東西！

　　大家想，有錢人真的跟你想的不一樣，不一樣的瘋癲！可是既然來了，又有好酒好菜，且看他能玩多瘋？

　　史卡帕帶著眾人走進豪宅的大廳，告訴大家說，他欺騙大家，他並沒有要埋葬賓利，只是要用這招引起注意，果然大家都罵他，好車不用，至少要捐出來，幹嘛如此炫富？

　　對，好東西如果用不著，應該捐出來給用得著的人用。我們人不只把財寶埋在地下，用不著，我們還把更「寶貴」的心、肝、肺……各種身體的器官埋在地下，讓它們化為塵土。其實許多人需要它們，它們可以救許多人，而我們已經用不著時，應該捐出來！

　　原來史卡帕是要幫「器官捐贈」的慈善團體做宣傳，他本人當然加入捐贈。他們想利用他有錢愛現的形象，來操作話題，史卡帕感覺很棒，全力配合演出。

　　這下負面全轉成正面，反過來全國一片讚賞，說他有錢、有愛心、又有創意！

●巴西大富豪史卡帕打算埋葬愛車。

9.21 一票不能少

不要小看「黑暗」的力量，一瓶墨汁可以把整缸清水弄黑，一池清水再怎麼沖，也洗不掉一個墨點！

1949 年 9 月 21 日，中國人民政治協商會議選舉「國家主席」，政協代表共 576 名，毛澤東得到 575 票，成為「中華人民共和國」的元首。可是 575 票，少了一票，大家都以為毛澤東謙虛，沒有把自己的那一票投給自己。這是當時中國人的基本美德，再怎麼想要，總得裝一下。何況共產黨剛剛奪得政權，毛澤東才正要登基，如果得了 576 票全員通過，那反而有點難為情！

毛澤東看到開票結果，說：

> 缺一票就缺一票，不管什麼人，都有不選毛澤東的權利，要尊重事實。

事實是，毛澤東當選國家主席，沒差這一票。但真正的事實呢？毛澤東並沒有一點兒謙虛，他把自己的那一票投給了自己。所以有人沒有把票投給他！

本來是「無記名」、「秘密」投票，所以沒有人知道毛澤東投票給自己，但他瞎子吃湯圓，心裡有數。他暗地下令追查，結果查出來是民盟的秘書長張東蓀沒有投給毛澤東。

張東蓀是著名的自由主義學者，言論對社會有很高的影響力。國共內戰，雙方在北平形成對峙，張東蓀為了使北平古都不受戰火摧殘，來回奔走，促成守衛北平的傅作義開城向中共投降。毛澤東曾說：

北平和平解放，張先生第一功。

張東蓀沒有投票給毛澤東，他自己有沒有說？

沒有，無記名秘密投票，怎麼可以說？所以他沒說。毛澤東知道是張東蓀壞了他的「全票」擁戴大戲，這樣萬全之中有了缺口。後來呢？

1951年張東蓀就被捲入「美國特務案」，被打成「美帝奸細」、「賣國賊」，被關進秦城監獄，一直到1973年6月2日死在牢裡，囚禁終身。

張東蓀是中共建國以來，第一個被整肅的知識份子。他在監獄病危快死時，中華人民共和國剛和美國建交。他留給親人最後一句話：「還是我對！」

張東蓀是對的，對的不只是沒有投票給毛澤東，建議不能向蘇聯一面倒，也要和美國往來。還有他就算當時跟其他人一樣，巴結毛、臣服毛，不被整，到了「反右」、「文化大革命」，還是會被整，而且一定死得更慘！這樣不如早點進監獄，還能保命，而且眼不見為淨。

● 自由主義學者張東蓀

9.22 無懼

「我不入地獄，誰入地獄？」這種「地獄不空，誓不成佛」的悲誓宏願，菩薩做得，人呢？

威托德‧皮雷茨基(Witold Pilecki)被譽為二次大戰中「最勇敢的人」。他是作戰英勇嗎？不是，但他的行為比打仗更「驚天地、泣鬼神」！他到底做了什麼？為什麼他不像巴頓、隆美爾、朱可夫……這些英雄那麼有名？

皮雷茨基是波蘭的軍官，1939 年當波蘭被納粹德國和蘇聯瓜分佔領後，他便轉入地下反抗活動。他不是猶太人，但為了搞清楚納粹是如何迫害猶太人，**1940 年 9 月 22 日**德軍在華沙街頭搜捕猶太人，他竟然趁著混亂，故意混進囚犯的隊伍中，被納粹送到了最慘無人道的「奧許維茲集中營」。

皮雷茨基為什麼要這麼做？他首先要揭露納粹的恐怖真相，所以要親身入險，取得第一手資料，向世界公佈真相。

再來他想在集中營建立秘密組織，利用機會起義抗暴，拯救在集中營的人命。結果，他發現的真相，比他想像的地獄更超過百萬倍。納粹在奧許維茲集中營，不是只用毒氣把運來的猶太人殺光，還做各種殘酷的實驗，例如：把一大群的囚犯丟進狹小的地洞，讓他們窒息扭打到斷氣。逼迫女囚接受輻射照射，照身體哪裡？照射陰部，讓性器官不斷被灼燒直到死亡……皮雷茨基都用「平實、記錄式」的筆調，完全不加任何形容詞。他寫道：

請不要把這份報告當成聳人聽聞的文字，因為這是許許

多多高貴而誠實的波蘭人，付出生命所得到的經驗。

　　納粹在二戰中，不只屠殺六百萬猶太人，還屠殺五百多萬東歐人民和吉普賽人、同性戀、精神病患、天生殘障……他們妄想要建立「精純」、「乾淨」的世界。

　　皮雷茨基一邊寫報告，一邊吸收「秘密軍」，以「五人小組」為一單位，建立反抗組織。彼此互助，流通消息，維持士氣，等待時機成熟，一舉起義奪佔集中營。他以驚人的組織力、意志力，在納粹嚴密監視下，在集中營快三年，組織五百人的抗暴軍，可惜起義前被發現。他因此被殺了嗎？

　　不，他有如神助般逃出集中營，而且把報告帶了出來。當時是 1942 年底，他把報告經由華沙的地下反抗軍，輾轉送到倫敦的波蘭流亡政府。英、美盟軍才知道奧許維茲在搞什麼？等盟軍打進德國、波蘭，解放了一個個集中營，才知道皮雷茨基的報告所言不虛。

　　二戰結束，皮雷茨基當然是英雄，但他發覺波蘭去掉一個壓迫者納粹德國，卻迎來另一個壓迫者蘇聯共產。於是他又從安全的英美佔領區，潛回波蘭，想要建立情報單位和抗暴組織，結果在 1947 年被共產政府逮捕，1948 年 5 月 25 日以間諜罪被槍決。

　　從此皮雷茨基的名字就成了禁忌，共產政府把他所有的事蹟、記錄全部刪掉。因此波蘭人完全不知道他們有這麼偉大的英雄，西方世界也只有少數的書籍、資料中提到他。

　　一直到 1989 年共產政府倒台，皮雷茨基的名字才在波蘭被重新提起、被認識。2006 年波蘭追贈他最高榮譽的「白鷹勳章」，現在波蘭年輕人常穿印有他人像的 T 恤，許多學

校也以他命名，象徵追求自由的勇氣和力量！

　　要知道，皮雷茨基不是一個莽夫、勇夫。他戰前是一個藝術家，繪畫的造詣很深，也喜歡寫詩。他說得一口流利的法語、德語、俄語。而且他從不認為自己是英雄，也不是民族主義者。他反抗一切形式的暴政、迫害，不管他是來自納粹德國或共產蘇聯。

　　他要求的是「自由」，波蘭人的自由、所有人的自由。他的勇敢來自於大徹大悟，所以他做到菩薩的境界。他在聽完死刑判決後，說：

　　這是我選擇的生活方式，所以在生命的最後時刻，我寧可感到欣幸，而不是恐懼。我已在生命中找到快樂，因為我發現我從事的是一場光榮的戰役。

　　求仁得仁！

●英勇傳奇的波蘭軍官皮雷茨基

9.23 善意的背叛

卡夫卡是現代文學的「奇峰」，他的作品看似孤獨特異的絕頂，荒謬怪誕的山巔，但後世越傑出的作家越喜歡他。

然而如果沒有卡夫卡的摯友馬克思·布勞德（Max Brod），我們就看不到這座奇峰有多高！

卡夫卡與布勞德都是出生於捷克布拉格的猶太人，他們在 1902 年相識，兩個人都在大學裡主修法律，同樣對文學、哲學有狂熱。有天晚上布勞德發表一場有關叔本華的演講，講到尼采，他說尼采是「騙子」。而卡夫卡正好是尼采的信仰者，兩人激辯整個晚上，因此成為最好的朋友。

他們取得法學學位後，有志一同去尋找工作時間較短的職業。卡夫卡進入勞工事故保險局，布勞德進入郵政總局做法律顧問。這兩個工作都是下午兩點鐘就可以下班，他們兩個可以一起吃很長時間的「午餐」，盡情談論他們喜歡的文學。然後約好晚上相見的時間、地點，幹什麼？再談文學，然後回家各自寫作。

布勞德知道卡夫卡是不世出的天才，但卡夫卡對自己的作品反而極度沒信心，是布勞德不斷鼓勵、不停肯定、不厭其煩的促成，卡夫卡才會發表作品。卡夫卡從 1904 年開始發表小說，但一直沒寫出個名堂，起先是布勞德更受注目。

1912 年 9 月 22 日半夜，卡夫卡文思泉湧，通宵寫了八個小時，在 **9 月 23 日** 清晨完成了短篇小說《判決》。創造了第一篇屬於他自己獨特風格的作品，他一路寫來從興奮到狂喜，他說「這是寫作的唯一方式！」他在日記裡把功勞歸給

布勞德，因為他在布勞德家遇見一個叫菲莉絲・鮑爾（Felice Bauer）的女孩，他看到她「一張空洞的臉，臉上有毫不掩飾的空洞」，因此有了小說「新寫法」的靈感。

後來卡夫卡愛上菲莉絲，在五年中寫下了幾百封情書給她。兩人兩度訂婚，兩度取消婚約，卡夫卡把菲莉絲寫給他的信全燒了，幸好菲莉絲保留了所有信件。

《判決》的故事是說，臥病的父親對兒子百般責備。不管兒子有多孝順，爸爸卻要判他死刑，把他看作魔鬼，要他溺死在水中。當爸爸從病床上跳起來攻擊兒子，兒子奪門而出，狂奔到橋上，跳入水中，落水前，他還喊著：「親愛的父母，我一直是愛你們的啊！」最後果然溺水而死。

這個「夢魘」其實是真實來自卡夫卡的父親，他的爸爸是個白手起家而致富的商人，他期待兒子如自己一樣剛強。所以從小對卡夫卡非常嚴厲，卡夫卡在父親面前毫無自信。而卡夫卡外型瘦弱、個性纖細，喜好文學，更是他爸爸所痛恨的。1911 年卡夫卡的父親臥病在床，還吆喝兒子每天替他巡視工廠，卡夫卡不敢怒，也不敢言，幾乎自殺。幸好他找到了寫作的出口。完成《判決》後，他又只花一個月，完成了《變形記》，這是他進入文學神殿的登峰之作。

卡夫卡以獨特的風格，獨步當時文壇，但他的身體不行，染上肺結核，與病魔纏鬥六年，在 1924 年去世，才活不到四十一歲。他在死前，特別交代布勞德要把他所有未出版的作品「全部燒掉」。幸好布勞德頭腦清楚，他做了文學史上最有名的「背叛」。不但沒有燒掉卡夫卡的文稿，他還親自整理遺稿，替卡夫卡出版了《審判》、《城堡》、《美國》三部小說。還有卡夫卡的書信、日記，並且為卡夫卡寫傳。後世

人不僅能看見卡夫卡作品的全貌，也才看見卡夫卡本人並不是病態呻吟的樣子，他平時文靜，一旦說起話來，馬上能吸引大家傾聽。因為他說的內容充實，總是命中要害。他的舌頭靈活得令人驚訝，興奮得忘我，風趣的話和笑聲好像永無休止。

「真的，他喜歡笑，笑得歡暢，也懂得如何逗朋友笑！」卡夫卡喜歡在朋友面前朗讀自己的作品，讀到得意的地方會忍不住自己大笑起來。

卡夫卡的作品，是在深沉的悲劇故事中，埋伏著黑色的幽默；而在幽默的背後，又蘊藏深沉的哀痛。還是布勞德說得最好：

他雖然想做一團火，但他卻是一塊透視苦難的冰！

● 捷克作家卡夫卡，代表作包括《變形記》、《城堡》。

● 卡夫卡通宵寫了八小時，完成短篇小說《判決》。

9.24 戰爭或屠殺

正義，跟覺醒有關。我們覺醒認識了自我，決定去做好事，或拒絕做壞事。當個人開始覺醒，意識到自己的潛力，自我就會出現蛻變。個人的覺醒就如同一根導火線，會引爆社會的蛻變。

2003年9月24日，有二十七位以色列的戰鬥機飛行員，寫信給空軍總司令，表明他們不願意攻擊巴勒斯坦平民區。這些軍官說：

> 我們了解到服從命令是軍人的唯一天職。
>
> 但我們拒絕參與在平民區做空中攻擊，
>
> 拒絕繼續傷害無辜。

沒錯，軍人以服從命令為天職。但如果命令有問題呢？所謂有問題並不是叫你衝鋒，你不做。叫你往西，你往東。而是叫你去攻擊平民，這是屠殺，不是戰鬥。

壞蛋和英雄的差別在哪裡？壞蛋是為達目的，無所不用其極的狂熱分子。英雄是知道什麼該做，什麼不能做？他懂得適可而止。

隆美爾是個英雄，他的敵人也尊敬他。希特勒、戈林是戰犯，自己人也鄙視。山本五十六是英雄，東條英機是戰犯。很容易分，不是嗎？

不容易的是，在強大的權威之下，你必須覺醒，才有力量講出真話。

《國王的新衣》故事裡為什麼是小孩講出真話？因為小

孩不知道後果，他並不是拒絕與大家同流合汙，他只是單純的脫口而出，講了眞話。

現實世界不同，你明明知道後果會對你不利，而且也不是不在乎後果，但你還是勇於說出眞話。那你才是英雄！

英雄的力量是要推動世界往正義的方向移動！

美國西點軍校和美軍入伍前，菜鳥要進行宣誓，現在多了一條：「我絕不服從長官非法的命令！」

所以服從不是軍人的天職，服從正義才是軍人的天職。

你說，正義是什麼？怎麼能確定我們一定是站在正義的這一邊呢？

能，有些標準很清楚，平民不能殺，小孩不能殺，這有什麼模糊？要你描述一頭大象，你可能敘述不清，要你畫一頭大象，你可能描繪不全。但大象不是馬，馬不是鹿，這可沒什麼好模糊的！硬是指鹿爲馬的人，不是笨蛋，是壞蛋。

9.25 秘密武器

　　狗急會跳牆，人急呢？會不會急中生智？人類爲了戰爭，常常會冒出很多點子，這些點子有的很荒謬，但人爲了求戰爭的勝利，會不惜代價去嘗試。急起來，病急亂投醫。

　　1944 年 8 月以後，太平洋戰爭進入最後一幕，以美國爲首的盟軍，陸續奪下馬紹爾、加羅林、馬里亞納、塞班這些太平洋的小島，步步進逼日本本土。眼看盟軍再奪下更近的島，就可以用轟炸機，直接攻擊日本本土。日本天皇在驚慌中，撤換了首相東條英機，命小礬國昭上台。

　　小礬這時收到一份上書，是一個叫荒川秀俊的氣象專家寫的，他建議可以用氣球去轟炸美國。構想是這樣的：在北太平洋中緯度地帶，在一萬公尺的高空，長期存在一個由西向東的大氣環流，風速有三百公里。美國和日本處於相同的中緯度，而且日本位在上風處，如果施放帶炸彈的氣球，當氣球隨著環流飄到美國，掉下來，就可以神不知鬼不覺的重創美國本土，而且不會犧牲人命。

　　其實這個主意，荒川在 1942 年就已經向軍部上書，只是大家都認爲是癡人說夢，懶得理他。現在日本節節敗退，乾脆死馬當活馬醫，搞不好荒川這個痴人能歪打正著。於是小礬首相就下令要軍部馬上研究進行。

　　問題是，構想是有，但眞的要做，可沒那麼簡單。氣球升空之後，怎麼保證會飄到美國？怎麼算準落下的時間？落下來又怎麼引爆炸彈？荒川這傢伙果然是痴人，這事情他已經想很久，所有細節他都有精確解決的方法。

首先，氣球升空後，必須控制在 10058 公尺的高度，這個高度才有比較穩定的西風氣流。所以他設計了 30 個裝在氣球下的吊籃。當氣球高度低於 10058 公尺時，大氣的壓力會使吊籃的螺旋自動解開，沙袋會照順序脫落。沙袋減少，氣球就會升高。如果超過 10058 公尺，氣球的閥門會自動打開，排出氫氣，氣球就會自動下降。降到標準高度以下，沙袋又掉下，氣球又升高，超過高度，閥門打開排氣，這樣就能使氣球保持固定的高度。厲害吧！

荒川又在氣球吊籃上設計一個計時器。以他的計算，氣球應該以時速 193 公里飄行，所以到美國本土要花 48 小時。這時計時器連接閥門，時間一到，跟鬧鐘一樣，會打開閥門一直放氣，氣球就會落在地面，炸彈爆炸，就等著看美國人倒霉了！

這根本是「氣球血滴子」！理論很科學，設計很精巧。於是小礬政府全力動員，來完成這個秘密武器。第一，氣球的體積很大，要攻擊美國靠太平洋岸的地方，氣球就要十幾公尺大。現在蓋廠房來不及，一般去哪兒找這麼大的空間？

結果軍方把電影院、相撲館的座位拆掉，做為臨時縫製氣球的空間。並徵召做燈籠的裱糊匠、家庭主婦、女職員，連藝妓也動員，全部叫來縫氣球。

那時絲布短缺，所以用什麼材料做氣球？用紙，一種日本特製的「糯米紙」。而為了增加強度，糯米紙要浸泡在辣椒水中。所以辣椒這下成了軍用物資，全國徵收。還不夠，下令全國家庭都種辣椒。

1944 年 9 月 25 日，日本大本營下令成立氣球炸彈特種部隊，由參謀總長梅澤美治郎大將直接指揮。10 月 25 日發

動攻擊，在四個月內，總共施放 30000 個帶 5 公斤燃燒彈、7500 個帶 12 公斤燃燒彈、7500 個帶 15 公斤炸彈的氣球。所有行動都在黎明、黃昏、半夜進行，以免被美軍偵察機發現。結果呢？

從 1944 年 11 月開始，美國就不斷發生森林大火，這時是冬天，不應該有自然的森林大火。美軍西部防衛司令威廉波將軍，這時成了「消防大隊長」，一天到晚帶著兵去森林救火。11 月 4 日在俄勒岡州的山區，有一群小學生的郊遊隊，孩子看到有氣球掛在樹上，好奇去拉，結果炸彈爆炸，炸死五個小學生和一個女老師。一定是有人搞鬼，可是抓不到。警察、消防隊、氣象專家，加上聯邦調查局都摸不著頭緒。

12 月，海岸巡警隊在加州外海，發現一個白色氣球的殘片，上面有日文。接著西部沿岸發現許多氣球，目擊者聽到爆炸聲，也有炸彈的殘片。日本鬼搞的鬼！但在美國的日僑都已經全數被關在集中營，難道是日本間諜悄悄潛進來？但他們從哪裡來？

美國只好用最笨的方法，「守株待兔」，派人二十四小時在許多地點監視。死等、活等，終於給他們等到一個飄來的氣球，看著它在空中消氣，落下一顆炸彈，炸得森林開花、起火。美國人嘴巴張得老大，久久合不起來。

哪有打仗這樣搞的？怎麼辦？派飛機攔截，但是雷達偵測不到氣球，而且氣球沒有聲音，悄悄的飄過來，好像「白色的忍者」。戰鬥機疲於奔命，根本攔截不到幾個。可怕的還不是炸彈，美國當時得到情報，知道日本在中國東北，拿中國人民實驗化學武器、細菌武器。他們很怕氣球帶來的不只是炸彈，而是化學彈、細菌彈，那可就慘了！

消息傳開，在民間形成恐怖的氣氛。大家都在談論「白色魔鬼」，有事沒事就抬頭看看天空。有時候一隻鳥也能把人嚇得半死。真實的傷亡不大，恐怖的氣氛卻籠罩著人民。

美國火大，想要報復。他們也來放「氣球」，果然荒川是有算過，美國放的氣球沒有飄到日本，卻飄到了英國。

美國人也不是吃素的，他們也有專家。他們從收集到的沙袋，分析其中的沙子，從顏色、質地，找出沙子是來自大津、一宮、岩沼、茂原、古間木這五個地方的沙灘。於是從1944年的年底，美國的轟炸機就針對這五個地方大規模轟炸。果然把炸彈氣球的基地全數摧毀。但日本人把製造氣球的地點分散，然後轉移到高山去施放，這樣每個月還是可以放出1500個氣球炸彈。

威廉波將軍被氣球搞得氣得要死，但氣歸氣，還是要冷靜。他突然想到，日本怎麼知道氣球炸彈炸到哪裡？炸到什麼？炸死多少人？從美國新聞媒體的報導就知道了！這些都是「意外新聞」，並沒有管制。如果沒有氣球炸彈的新聞，那就會讓日本誤以為沒用，白放，也許日本就會放棄這招。而且新聞不報，也可以減少民眾的恐慌。於是他緊急向國會申請，管制新聞報導氣球炸彈的消息。

國會經過秘密聽證，同意威廉波的作法，向各大媒體發出秘密禁令。1945年初，所有氣球炸彈的新聞都不再出現。

日本這邊呢？果然上當，他們以為像美國這樣崇尚新聞自由的國家，不可能會管制這類消息。所以他們每天看不到氣球炸彈的新聞，信心逐漸動搖。加上戰局越來越不利，心一急，指責荒川是白痴，浪費大量人力、物力的聲音，就越來越大聲。不久，就中止了氣球炸彈的作戰。到日本投降，

美國佔領日本後，才發現還有一大堆沒有施放的氣球，靜靜堆放在沒有座位的電影院和相撲館中。

1946年，荒川被國際軍事法庭當戰犯處理，判了七年徒刑。他辯稱他不是軍人，美國人說，你老兄炸死的也不是軍人，全是平民，還有小孩。判七年已經很人道了。

戰爭，有個秘密，平常不能對一般人說。就是它有很殘忍的一面，也有很有趣的一面！還是別說有趣，改說戰爭有「戲劇性」的一面，這樣就算缺乏幽默感的人也不能罵你，戲劇包含悲劇和喜劇啊！

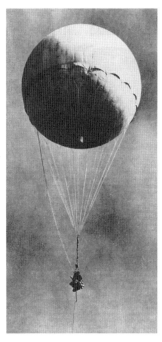

●日本在二戰時曾使用氣球炸彈當作武器。

●日本氣象學家荒川秀俊

9.26 形象至上

「水門事件」使得尼克森灰頭土臉的從美國總統的寶座摔下來。他曾是歷史上掌握最大權力的總統，卻變成奸詐、小人、壞蛋的代名詞。其實他本來可以早在 1960 年就當上美國總統，但在大選中，在離總統寶座一步之差的地方，被人絆了一跤，摔倒在地，幾乎結束了政治生命！

事情發生在 **1960 年 9 月 26 日**，這一天是史上第一次總統大選電視辯論會。尼克森是當時的副總統，對手是年輕的參議員甘迺迪。大家都看好尼克森，不論資歷、聲望，尼克森都強過甘迺迪，而且尼克森以雄辯、機智聞名，他和甘迺迪辯論，可說是老師給小學生上課，應該穩贏才對。

當雙方人馬到了電視台，工作人員首先請甘迺迪來化妝，沒想到甘迺迪竟大聲說他不需要化妝！工作人員轉來請尼克森化妝，尼克森因為甘迺迪說不化，他莫名的感覺如果說好，好像被甘迺迪比下去，大男人化什麼妝？所以他脫口而出說他也不需要化妝。那到底該不該化呢？

當然要，因為如果沒有撲粉，額頭會有油光，光一打，在電視螢幕上看起來很像在冒汗。所以應該要化妝才行，那甘迺迪為什麼說他不需要化妝呢？他真的不需要，因為他來之前就先化好妝，傻傻的尼克森還不知道中了圈套。

更狠的還在後頭，當主持人和雙方辯論人坐定，準備開播時，甘迺迪突然站起來，說他要去上廁所。主持人還沒來得及答話，他就跑了，從鏡頭前消失。時間一分一秒的過去，甘迺迪都沒有回來，要知道這是電視實況轉播，是現場

節目，時間是不等人的，萬一時間到，甘迺迪還沒回來，怎麼辦？難道要開天窗？現場氣氛越來越緊張，大家都焦急的等著甘迺迪，尼克森也受到氣氛的感染，因此坐立不安。他納悶的想，甘迺迪到底在幹嘛？這場辯論是不是要在最後一刻取消？10, 9, 8, 7……現場已經開始倒數，甘迺迪這小子還沒出現，現場像吹飽的氣球，只差一口氣就要爆掉！

就在4, 3, 2……時，甘迺迪閃身進來，氣定神閒的坐上椅子，正好進入鏡頭。

可憐的尼克森被這種賊步一攪，果然中招，弄得心神不寧。而且他穿了一套灰西裝，甘迺迪聰明的穿黑西裝，要知道那是「黑白電視」時代，本來就比甘迺迪年紀大的尼克森，在灰色的模糊色效下，他的西裝跟灰色背景幾乎融為一體，他好像穿個牆壁在身上。

偏偏他的西裝又比較寬大，使他更顯老態。而甘迺迪穿著合身剪裁的黑色西裝，對比效果下，讓他在鏡頭前更顯英挺、帥氣。尼克森因為沒有化妝，頭冒油光，鏡頭前觀眾以為他緊張得直冒汗，偏偏攝影人員又好死不死給他來幾個特寫，看電視的人根本沒注意他在說什麼？只看他頭冒冷汗、眼神不定！

結果一場辯論下來，聽收音機的人都認為尼克森言之有物，絕對強過甘迺迪。但是看電視的呢？每個都認為尼克森大敗，甘迺迪大勝。甘迺迪從此氣勢大振，最後以些微的差距，險勝尼克森，成為美國最年輕的總統，也自此宣告政治的「電視時代」來臨！候選人的長相、體態、風采、魅力可能比能力，更能吸引選民啊！

當然，光有臉蛋，腦袋太白癡也不行。甘迺迪也不是只

靠帥，他的心機、城府也不是普通深厚，只是藏在熱情，開
朗、又有點天眞的外表下。

　　天使臉孔和魔鬼心機，這就是政治上的絕配！

　　有時候，我還眞有點同情尼克森，別說甘迺迪，柯林頓
可以混過去的，雷根可以混過去的，換作尼克森就硬是混不
過去！

●甘迺迪與尼克森角逐總統寶座，參加史上第一次總統大選電視辯論會。

9.27 誰是老闆

　　1945 年 9 月 27 日，麥克阿瑟和裕仁天皇在美國大使館會面，裕仁告訴麥克阿瑟：「我是日本國民在戰爭過程中，所有的政治、軍事兩方面的一切決定和行動的全面負責人，我把自己交給您和您所代表裁處，而來訪問的。」這在講什麼？裕仁進一步說：「戰爭的責任都要追究，責任全在我。文武百官均為我所任命，所以他們沒有責任。我自己將來如何，這都沒關係。我把自己交給您了。」這樣才聽懂了吧！

　　會面後，兩人合照。麥克阿瑟身穿土黃色便服，沒有軍銜，沒有勳章，領口打開，一手插口袋，一手搭在屁股上，一副輕鬆自在。而裕仁天皇穿著全套燕尾大禮服，拘謹筆直的站著。而裕仁的身高，只到麥克阿瑟的肩膀。這張照片一發布，什麼話都不用說。老大就是麥克阿瑟！

　　要知道，天皇在日本是「神」，很神秘。天皇極少公開露面，像明治天皇，一生只被人民見過三次。以前裕仁從來沒有跟別人的合照，因為他是神，不能與凡人合照。而且裕仁個子矮，別人怎麼可以比他高？裕仁在宣布投降的廣播講話，也是日本國民第一次聽見他的「玉音」。所以他第一次跟別人合照，就是和麥克阿瑟這張。從這張照片，天皇從此是人，不再是神。而且還是比麥克阿瑟矮一截的人。

　　盟軍總部把照片發給各報社和通訊社，日本的內務大臣知道後，立刻下令禁止各報發行，但盟軍總部指示內相收回禁令。你好大膽，連你的老闆都知道老闆是誰，你怎麼搞不清楚啊？這下全日本受到衝擊，但也完全瞭然。

　　事後記者問麥克阿瑟要不要回禮，去皇居拜訪天皇？麥克阿瑟說：「在沒有簽訂和約，和結束占領之前，我不會去訪問天皇。如果現在去訪問，會被人們誤解為天皇的地位與代表盟國的我，地位是同等的。現在，畢竟是不同等的。」

　　這不是要羞辱天皇，而是要明白告訴日本國民，尤其是右派軍國主義者，不要妄想復辟！後世歷史有人說麥克阿瑟因和裕仁見面，被天皇感動，所以盡力保全天皇制。其實麥克阿瑟是有感動，但天皇保不保全，在日本投降前，盟國已經商議定案，就是為維持日本安定，保留天皇，不會將他視為戰犯。這是政治的大決定，不是麥克阿瑟能干涉的。

　　反正麥克阿瑟非常懂畫面的力量，這張照片清楚傳達他要傳出的訊息，但也不失莊重，沒有粗魯羞辱的味道。

　　大事要有縝密的安排、不能有意外。縱有意外，也是安排好的意外。

● 麥克阿瑟與日本裕仁天皇的會面，這張照片是天皇第一次和別人合照。

9.28 失而復得的童話

親愛的小莉：

我想你在樹林裡散步，一定會經過一條清澈的小河。你會把紅的、藍的、或白的花丟進小河，看著它越漂越遠，一直到看不見為止。

花兒隨著小小的水流，日日夜夜靜靜的漂。月光和星光為它送行，它不用很多光，因為它知道路，它不會迷失。過了三天，它遇見從另一條小河漂來的花兒。那是在遙遠的地方，有個像你一樣的小孩，在同一個時間，把花兒丟進河裡。兩朵花兒親吻，一起旅行，直到它們一起沉到水底。

黃昏的時候，你看到小鳥飛過山，牠是要回巢睡覺嗎？不──有另一隻鳥兒也正飛過山，牠們會在夕陽的最後一道光芒中相遇。

你看，小河、花朵和鳥兒都可以碰面，但人卻不能。人有固定的地方住，不能隨便搬走，人又不能飛，高山和河流，森林和草原，城市和鄉村擋在我們中間。

但一個人的心可以飛過這些障礙，到另一個人身邊。雖然我看不到你，我的心已經去找你，而且就坐在你旁邊。

1816 年，格林兄弟中的弟弟──威廉‧格林（Wilhelm Grimm）寫了一封信給一個八歲的小女孩，上面是信的開頭。接著他寫了一個故事：

從前，村子邊住著一對母女，過著平靜快樂的生活。不

幸有一天，戰爭發生了。母親怕小女兒受到傷害，叫她帶著糧食到森林躲三天再回來。小女孩走進森林，又累又怕，再也走不動。這時她看不見的守護天使出來照顧她，讓她恢復精神、力氣，繼續往前走。

好不容易走到一間小木屋，裡面住著一個慈祥的老人。小女孩得到老人的安全保護，而且在老人的花園中，遇見一個和她相像的女孩，變成最好的朋友。她這樣快快樂樂過了三天。到了第三天，小女孩要回家找媽媽，老人拿出一朵含苞的玫瑰花，交給小女孩，跟她說：「你拿著這朵花，走出森林，碰到任何事情都不用害怕。當玫瑰花盛開的時候，你就會回到我的身邊！」

小女孩走出森林，跑回家，看到家門口，坐著一個老婆婆，在陽光落下前的最後一道光輝中，老婆婆抬起頭，看見女兒回來了，叫出聲：「親愛的孩子，上帝終於答應了我最後一個願望，讓我在死以前再見你一面。」

原來小女孩在森林裡三天，外面已經過了三十年。母女重逢，整個晚上快樂的在一起，平靜安詳的睡著。

第二天，鄰居發現這一對母女都死了，而在她們兩人的中間，有一朵盛開的玫瑰花。

威廉為什麼寫這個故事？因為小女孩的母親過世了，威廉當時不能去看她，便寫了一封信安慰她，在信裡為這失去母親的八歲小女孩，寫了一個深刻動人的故事。這個有關生命真諦的故事如此寓意深遠，卻是給一個八歲小女孩的信，可見自古真正偉大傑出的心靈，從不看輕孩子，從不低估孩子的能力。

1893 年 9 月 28 日，《紐約時報》頭版刊登了一則震驚文壇的大新聞：「經過漫長的一百五十年，繼《糖果屋》、《白雪公主》、《灰姑娘》等著名經典童話之後，格林童話中的另一個傑作《親愛的小莉》終於和世人見面了！」

多年來，這封信一直被視作私人信件，被小女孩的家族保存著，塵封一個半世紀之久，才非常戲劇性的被發現。

格林兄弟花了大約半世紀的時間，共同致力於口頭文學的收集、增補與潤飾工作，把以往較受大家所忽略的童話帶入文學的領域，成就非凡。即使是到了今天，仍廣受世人的喜愛，歷久不衰。

《格林童話集》第一卷在 1812 年出版。兩百多年來，《格林童話集》在世界各地普及的程度，可以說是僅次於《聖經》，爲故事的「不朽」性做了最完美的註腳。

《親愛的小莉》在 1983 年「出土」後，又經過了五年，非常難得的由廣受大朋友和小朋友喜愛的插畫家莫里斯・桑達克（Maurice Sendak），把這個動人的故事創作成無懈可擊的繪本，再度技驚全球。爲這一百五十年後「失而復得」的格林童話，留下完美的版本。

原著／威廉格林
繪圖／莫里斯桑達克
翻譯／郝廣才

親愛的小莉

● 插畫大師莫里斯・桑達克為《親愛的小莉》所繪製的繪本。

9.29 與魔鬼交易

你如果給老鼠餅乾，牠會得寸進尺跟你要牛奶。

邱吉爾曾對羅斯福說：「這場大戰本來是可以避免的！」

1938 年 3 月，納粹德國併吞奧地利，下一個獵物看準了捷克斯洛伐克。奧地利和德國同樣講德語，所以算同文同種合併，其他國家無法插嘴。捷克斯洛伐克呢？師出要有名，它的境內有一塊「蘇台德區」，居住著三百萬說德語的人民，希特勒就指使其中的納粹份子，出來要求「民族自治」，要脫離捷克斯洛伐克。捷克當然不同意，希特勒就能利用蘇台德區的人民被壓迫為由，向捷克出兵。捷克開始動員備戰。捷克與法國是盟國，打捷克等於打法國，英國又是法國的盟國，這樣一牽動，又將重演一次大戰的歷史。

英國和法國都不想打仗，而最有實力制止德國舉動的就是英國，首相張伯倫積極斡旋，希望能和平解決。希特勒提出新要求，蘇台德區不只要民族自治，還必須由德軍占領，以便「保護」。捷克當然不幹，宣布全國動員。希特勒調了七個師在兩國邊界，戰爭一觸即發。

1938 年 9 月 29 日，義大利墨索里尼出面邀請英國首相張伯倫、法國總統達拉第、德國希特勒，四國的首腦在慕尼黑開會，商量如何解決蘇台德區。希特勒向張伯倫保證，這是德國「最後的領土要求」，他得寸不會進尺。張伯倫決定退讓，以肉餵虎，反正不是自己的肉，犧牲捷克。於是四國訂下了「慕尼黑協定」，結論就是把蘇台德區「轉讓」給德國。

　　第二天，捷克拒絕慕尼黑協定，但英國、法國向捷克施壓，說如果捷克不乖乖聽話，一定要去惹老虎，那英法兩國就沒有義務協助捷克。捷克自知力量太弱，只好把肉送進虎口，同意割讓蘇台德區給德國。

　　張伯倫回到倫敦，在機場受到熱烈的歡迎，他一下飛機，拿出那一紙簽好的慕尼黑協定，在空中揮舞，說他爭取到「一代人的和平」！

　　在眾人一片喝采聲中，有一個烏鴉不以為然，他就是邱吉爾。邱吉爾在張伯倫去慕尼黑前，就希望執政黨和反對黨成立一個聯合聲明，要求張伯倫要堅定立場，不能讓步。結果沒人理他，以為他有戰爭狂。張伯倫回來後，邱吉爾更痛陳這個慕尼黑協定是一次完全徹底的失敗。他對張伯倫說：

　　在戰爭與屈辱面前，你選擇了屈辱！可是，屈辱過後，你仍然得面對戰爭！

　　這個立場引來噓聲、批評、攻擊，他差一點被罷免，失去席位。張伯倫的聲望如日中天，1939 年 1 月，有人提名將諾貝爾和平獎頒給他，許多人認為實至名歸。這時一個瑞典的議員埃里克・勃蘭特（Eric Brandt）看不下去，他於是寫了一封信給挪威的諾貝爾和平獎委員會，向他們推薦希特勒，因為如果張伯倫可以得和平獎，那怎麼可以漏掉希特勒？

　　希特勒的功勞比張伯倫大，他才是和平之子！信中充滿了諷刺的語意，這才潑了一桶冷水，讓和平獎委員會的人冷靜下來，沒有把獎頒給張伯倫。可是事情傳到外面，歐洲許多人以為真的要頒給希特勒，紛紛附和，向希特勒道喜，拍他馬屁。這又印證邱吉爾的另一句名言：「當真相還在穿鞋

的時候，謊言已經跑遍了全城。」後來希特勒變成頭號戰爭魔頭，有人出來罵勃蘭特是混蛋，居然曾經提名希特勒得和平獎。可憐的勃蘭特不知被多少的白癡白罵。

事實證明，希特勒在 1939 年 3 月 13 日撕毀協定，併吞捷克。目標轉向波蘭，張伯倫在 3 月 31 日發表聲明，說如果波蘭受到德國侵略，英國一定支持波蘭，向德國宣戰。結果五個月後，德國就入侵波蘭，第二次世界大戰於是開打，印證了邱吉爾當時的預言。

原來人人嫌棄的烏鴉，這下取代張伯倫成為首相，領導英國對抗德國。如果當時去和希特勒談判的是邱吉爾，那麼歷史一定改觀，因為他不會相信希特勒，所以不會讓步。他講話的樣子，也一定會讓希特勒明白英國會跟他幹到底。偏偏那時人人害怕打仗，所以大家喜歡溫、良、恭、讓的張伯倫，邱吉爾就不得人緣。否則本來這場大戰如邱吉爾所說，是可以在開始前輕易制止，可惜因為英國人民的

「不明智、麻痺、大意和好心腸，而讓壞人重新武裝。」

這個教訓，歷史上一再重演。

● （由左至右）英國首相張伯倫、法國總統達拉第、德國希特勒、義大利總理墨索里尼。
四國首腦在慕尼黑開會，商量如何解決蘇台德區問題。

9.30 **科幻成真**

凡是人類所能想像的事，必定有人能將其實現。

這是凡爾納的名言。正如他所想像，他在 1869 年寫下了《海底兩萬哩》這本經典科幻小說。裡面有一艘獨一無二的潛水艇，叫「鸚鵡螺號」。外型像紡錘，動力全來自電力，可以連續在深海潛行很多天，不需浮出水面。當時看小說的人都如痴如醉，沉迷在凡爾納的想像中。

八十五年後，**1954 年 9 月 30 日**，世界第一艘核子潛艇正式下水服役，外觀、性能都和凡爾納寫的八九不離十。打造這艘潛艇的設計者全是凡爾納迷，他們都是讀凡爾納的小說長大的，所以特別把這艘潛艇取名為「鸚鵡螺號」，來紀念凡爾納──他們心中永遠的科幻之王。

凡爾納的想像不只潛艇，熱氣球、飛行器、太空探險、登陸火星，這些人類科技的重大發明，全都出現在他的小說中，而且和他描寫的幾乎一樣。他的小說就像科學預言，超越他所處的時代。

如此豐沛的想像力，卻好幾次差點被現實的力量扼殺。

1828 年凡爾納出生在法國的南特（Nantes），這是一個港口城，凡爾納從小就嚮往揚帆出海。他十歲時，偷偷離家登上一艘商船，結果被發現送回家，還被毒打一頓。他保證以後絕不亂跑，只會在床上幻想旅行。出海的行動雖然破滅，但想像的大海反而在他腦中更寬廣的展開。他在學校功課很好，但他討厭教條式的教育，他在給媽媽的信裡寫著：

用功的孩子將來必定是愚笨的青年和愚蠢的大人物。

凡爾納的父親是一個家財萬貫的律師，他遵循父親的期望，中學畢業後，也研讀法律。他在南特念了兩年法律，1848 年被送到巴黎繼續讀法律。他到巴黎結識許多文藝圈的朋友，引發他對戲劇的狂熱，興趣、天命不斷呼喚他。他一樣完成了法律的學業，也同時埋頭寫劇本，在小仲馬的協助下，1850 年第一次發表劇作，頗受好評。

當他向父親表明，他不想繼承家業做一個律師，他想當劇作家時，他父親大為光火，決定斷絕他的經濟援助，想以此斷了他的夢想之路。沒想到反而變成一種動力，他為了在巴黎生活，更用力寫作來賺錢。

巴黎對他來說是「自由」，南特對他來說是「束縛」。他寫過一首描寫南特的詩，充分表達他的不滿：

一個嶄新、體面的地方，
處在眾多的醜怪之中。
愚蠢的人在沙灘上建築，
好一筆肆無忌憚的生意。
科學方面無能的居民，住在總是骯髒的地方，
無數空洞的腦袋，無可救藥的愚蠢！
從事大米、紅糖買賣的老百姓
錙銖必較，日夜為錢寢食難安，
女人普遍都很醜陋。
無能的教士、愚蠢的省長，
沒有噴水池，這就是南特！

　　他在 1850 年認識一位探險家賈克・阿拉戈（Jacques Arago），他也是優秀的地理學家，當時他已經很老了，雙眼差不多失明，但他仍努力探索科學新知。他給凡爾納很多啓發，也指導他如何鑽研地理、工程、天文等各種科學。

　　1856 年 5 月凡爾納在一次朋友的婚禮上，邂逅了新娘的姊姊歐諾琳・薇安娜（Honorine du Fraysne de Viane），她那時是一個寡婦，已有兩個孩子。凡爾納不顧一切愛上她，第二年初就與她結婚。凡爾納的父親這時也對他讓步，不但不反對他的婚姻，還花錢爲他和小舅子安插職位在巴黎的證券公司。後來凡爾納把他在商場的經驗，全寫進小說裡。

　　1863 年他完成第一部小說《氣球上的星期五》，結果遭到十六家出版社的拒絕。連續的打擊讓他一氣之下，把一修再修的稿子丟進火爐中，幸好妻子歐諾琳及時把書稿搶救回來，才沒有被火燒掉。而就如此巧合，第十七家出版社願意出版。從此凡爾納陸續寫出了《地心歷險記》、《海底兩萬哩》、《環遊世界八十天》⋯⋯ 共前後創作了六十二部小說，成爲「科幻文學之父」。

　　凡爾納的小說之所以引人入勝，最好的註解是教皇李奧十三世（Leo XIII）在接見他時，對他說的話：

　　我並不是不知道你作品的科學價值，但我最珍重的是它們的純潔、道德價值和精神力量！

10月
October

正面思考的人，人生總是喜劇。

負面思考的人，人生不免是悲劇。

10.1 跳脫框架

說一個人腦袋空空，其實是腦袋裝滿垃圾。因爲人腦的運作很固執，就是一旦有東西進去，就會先入爲主，其他新的東西很難進入。個人如此，變成群體時就會成爲教條、框架、傳統、禁忌。就算有科學上的新發現，人們還是會視而不見，因循過去的腳步。

從小我們就知道：「一日之計在於晨」，這是眞的嗎？

國際的時區有落差，人腦也有，根據牛津大學神經學研究，發現一個事實，青少年的生理時鐘平均比成年人慢二到四小時，所以青少年的腦下午比上午清楚，通常在早上十點鐘以前，是不會醒過來的。

英國蒙席頓中學（Monkseaton High School）從 **2009 年 10 月 1 日**開始，把原本九點開始上課的規定，改爲十點才上課。新規定實施半年後，長期缺曠課的學生下降 27%，遲到學生少了 8%。更厲害的是學生在「綜合中等教育證書考試」GCSE 中，數學和英語成績有 30% 以上的顯著進步。

美國和德國的類似研究，結論也相同，比較晚上課的學生不但成績進步，缺課和沮喪的狀況也大幅減少。

學生的反應特別好，他們說十點才上課，不但讓他們精神更好，也有時間好好享受早晨，對學習大有幫助。

蒙席頓中學的校長保羅‧凱利博士（Dr. Paul Kelley）當時要實行十點上課，遭到大部分老師和家長反對，大家都覺得這跟傳統違背，怕會讓學生變懶惰，但凱利相信應該把腦神經科學應用到教育上，教育家應該更像醫生，把最新的科學

與科技注入在工作，形成教育的轉變。所以他獨排眾議，積極改變，不只延後上課時間，也改變教學法。

根據現在對人腦長期記憶的研究，記憶組成是細胞在大腦內的相互連結，但妙的是持續的刺激並無法開啓這樣的聯結，刺激間的空檔反而是關鍵。意思是說讓孩子一直學習，學習的時間越久，並不會增加效果，反而更糟。如果學習時間稍短，加長學習與學習間的空檔，效果變好。如同插秧，每一株秧苗要有一定的間隔，插得太擠，稻子就長不起來。

所以凱利再度打破傳統，改變上課時間的長度。不管什麼課，每堂二十分鐘，然後下課十分鐘，自由休息。這樣讓腦細胞有機會進行化學組織。就是用「分心短時間教學」取代「專心長時間教學」，學生的興趣與教學效果大增。

腦神經科學已經清楚告訴我們，學習就是大腦中的生理變化，凱利所做的教育改造，了不起的地方是不用花錢，只要改變觀念，就能改善學生的學習和健康。

凱利說進行這些改變，讓他學到最寶貴的教訓就是：

你認爲存在的限制，以及你認爲不該跨越的界線，其實根本不存在。

●英國蒙席頓中學改爲十點開始上課，讓學生學習效果更好。

10.2 再窮也借得到錢

不要問你有多少知識？要問你利用知識做了多少事？

尤努斯（Muhammad Yunus）在美國得到經濟學博士後，回到孟加拉擔任大學經濟學教授。1976 年他帶學生在喬布拉村做田野調查，遇見一個二十一歲的村婦蘇菲亞（Sufia Khatum），

「蘇菲亞，這些竹板凳都是你做的嗎？」

「是的，先生。」

「板凳做得很好，你的材料是從哪兒來的？」

「買來的。」

「你有錢買嗎？」

「當然沒有，買材料的錢是借來的。我每天向債主先生借 5 塔卡 taka（等於 6 塊台幣），然後向他買竹子。做好板凳再賣給他，可以換 5 塔卡 50 波沙 poysha。還他 5 塔卡，還剩 50 波沙（6 毛台幣）。」

「天啊，這麼少！」

「不，我根本連五十波沙都賺不到，因為還要付利息。利息像天氣，每天高低不一定。」

「這樣你夠生活嗎？」

「難啊！我還有三個小孩要養，怎麼夠？」

「那怎麼辦？」

「只好再借錢，可是利息滾得很快，我拼死也來不及還。我們村子裡很多人跟我一樣，有人最後還不了錢，只好自殺。我的三個孩子還小，我希望他們快點長大，這樣也許

可以幫忙做工還錢，否則我也是死路一條。只要孩子能長大，我到時死也無所謂了。怕的是他們將來跟我一樣，也是借錢做工，還不了利息，最後被利息逼死。」

尤努斯聽了如同被重拳擊中，他想他在課堂上教學生分析經濟，數字都是幾千幾百萬美金，而真實的世界是用「幾分」美金，決定一家人的死活。他深入調查，發現同村共有四十二個婦女跟蘇菲亞一樣情況，共欠了857塔卡，約27元美金，因為有高利貸，算起來他們一輩子都別想還清。

他從沮喪變生氣，這些村民不是愚笨，更不是懶惰，他們既聰明也十分勤奮，但卻被高利貸壓得喘不了氣，而且只為了幾分美金的錢，就活在黑暗中。他自己掏了27美金，幫他們還債。但這不是辦法，問題沒有解決。村民的債是暫時還清，但他們沒有本錢買材料、做生意，還是要去借，又會再度陷入高利貸的惡性循環。

何況在孟加拉，像這樣的悲慘人生，何止千百萬，你總不能替所有人還債，惡性循環不打斷，一時還了，也救不了一世啊！

有了！尤努斯靈光一閃，想到他可以做債主，他可以不要高利貸，用低利借錢給村民。村民太窮，不可能向銀行貸款，但他可以扮演銀行的角色，借錢給村民，不要抵押。

如果是捐款，一筆錢只能夠用一次，但是如果是貸款，這筆錢就可以一直循環下去，永不間斷。

於是，尤努斯借錢給村民，果然到期時，所有人都能把錢還清。窮人也是有信用的，而且還錢比富人快。他便有了「鄉村銀行」的構想，提供小額的信用貸款給窮人，服務越來越廣，陸續有了房屋、創業各種貸款，特別幫助許多婦女

自力更生。但他個人的財力有限，他便向銀行敲門，終於給他敲開，1976 年 12 月他從國有的占塔銀行 Janata Bank 借出第一筆貸款，由他個人作保，再貸給窮人。接著他說服占塔銀行設立一個「鄉村分行」，小額貸款給窮人，主要對象是貧困的婦女。

　　1983 年 10 月 2 日，鄉村銀行終於成為一個獨立的銀行。到現在已經借出超過三十億美金，幫助二千多萬個家庭。他在 2006 年得到諾貝爾和平獎。尤努斯有句話很令人深思：

窮人本身能夠創造一個沒有貧困的世界。

●孟加拉經濟學者尤努斯創辦「窮人銀行」，
　期許創造一個沒有貧困的世界。

10.3 荊棘中的玫瑰

機會對砂子，時間對蚌殼，意義是珍珠。

　　一百年前，在中國，一個被賣進青樓的女孩，會有什麼樣的命運？再加一條，她長得不怎麼樣，應該是做奴婢，做到死，被埋沒在泥土中吧！但如果有人看你不是泥沙，把你從泥土中挖出來，你就有機會成爲一顆明珠。

　　陳秀清生於 1895 年，不幸爸媽早逝，十四歲被舅舅賣進妓院，這時她叫張玉良。以她的姿色，加上聲音、性情很男性化，可能只好做婢女，做粗活、苦工一生。結果她真的「遇良」，十八歲遇到良人。

　　這個貴人叫潘贊化，出身書香門第，祖上爲官。他也是自幼父母雙亡，由伯母撫養。少年時就有救國大志，與堂兄潘晉華、陳獨秀、柏文蔚共組了「青年勵志社」，宣傳反清思想。後來被清廷通緝，跑到日本，在東京加入孫文的「興中會」。辛亥革命，推翻滿清後，柏文蔚做了安徽的都督，請他做蕪湖的海關都督。他思想很先進，行事很前進，這樣的人在當時就是「怪」，所以人稱「桐城怪傑」。

　　潘贊化認識玉良後，感覺這女孩性情爽朗、很想讀書，不像一般青樓內的女子。他便爲玉良贖身，並納爲小妾。玉良自己改姓潘，從此就是潘玉良。潘贊化請老師來家裡，教潘玉良讀書識字。那時潘家的鄰居剛好是上海美專的教授洪野。潘玉良跟著他學畫，她的天份這才顯露出光芒。潘贊化果然不同流俗，他全力栽培潘玉良的藝術夢想，他支持她考入上海美專，拜在朱屺瞻、王濟遠等名家的門下，之後又取

得安徽省政府的官費，前往法國。

1921 年 10 月 3 日，潘玉良考上法國里昂中法大學，學號六號。接著進入巴黎國立美術學院，與徐悲鴻當同學。

五年後，她得到獎學金，進入義大利國立美術學院。1928 年畢業。這是一個中國女子，從未有過的際遇。

潘玉良回國後，擔任上海美專西畫系主任，並兼任新華藝專、中央大學的教授，協助蔡元培組織「中國美術學會」。她忙著教書，更忙著創作，開了很多次大型個展，光在南京就一年辦了四次。

當她發光發熱時，無聊的小人也開始發功，忙著拿她的「妓院出身」毀謗她、羞辱她。1937 年潘玉良藉著參加巴黎萬國博覽會和籌辦巴黎個展的機會，前往巴黎，想要暫時避開在國內的紛擾。沒想到中國和日本開戰，她便留在巴黎作畫。沒想到接著德國打進巴黎，她的畫室被德軍強制占用，她只好搬到郊區。

但她沒有停止創作，二戰後，她立刻獲得「法國國家金質獎章」。但國共內戰又打得天昏地暗，她回不了國。1959 年潘贊化去世，潘玉良悲慟萬分，長達兩年不能作畫，自此她也斷了回中國的念頭。

如果說中國近代最偉大的畫家是誰？林風眠、徐悲鴻、劉海粟、齊白石、傅抱石、張大千、常玉，那有的吵啦！

但要說中國近代最偉大的女畫家是誰？那只有潘玉良。

而民國第一奇男子呢？也是可以爭論，但是第一有心肝，我說是潘贊化。

10.4 糖果大作戰

　　每一個孩子的誕生，都是上天對人類沒有失去希望的象徵。「大人者，不失其赤子之心」，除了是要我們長大後仍要保有童心，更是要大人，不能讓赤子失去對夢想的希望。

　　二次大戰後，德國被美、蘇、英、法，四國分區占領。蘇聯和美國對德國的處理問題，矛盾如水火不能相容。

　　1948 年 6 月 18 日，美、英、法三國宣布德國將重新制定憲法，成立「聯邦德國」。並在 6 月 21 日起發行有 B 記號的新德國馬克。蘇聯立即強烈抗議，並在 6 月 22 日發行有 D 記號的德國馬克，從此德國走向分裂為東、西德。德國原來的首都柏林，也是由四國分區占領，這下也分為東柏林、西柏林。但整個柏林其實在蘇聯的占領區中，所以西柏林就像一個被紅色領土包圍的孤島。

　　蘇聯為了報復英美，決定從 6 月 24 日起，全面切斷西柏林對外的水陸交通和貨物運輸，意圖迫使美國退讓。這是美蘇冷戰開始後，第一次爆發的危機，稱為第一次「柏林危機」。雖然水陸交通掌握在蘇聯手中，但空中蘇聯可管不著。

　　美國從 6 月 29 日起對西柏林進行空運，利用飛機運送糧食、燃料、日用品。西柏林當時有 250 萬市民，物資需求量非常龐大，所以蘇聯起初根本不怕美國。老子想看看你能撐多久！沒想到美國是全撩下去，在長達一年之間，277728 飛行架次，空運 211 萬噸的物資到西柏林。同時進行反報復，封鎖鋼鐵、煤炭、電力進入東德，這些也都是東德急需的資源，最後，蘇聯只好在 1949 年 5 月 12 日宣布解除封鎖，柏

林危機落幕。

柏林危機的最高潮，是西柏林市民以雙手和簡陋的工具，等於用人力修建了一座新機場，讓大批的美國軍機能夠降落。而美軍的飛行員也知道西柏林的市民時時抬頭望著天空，每一架飛機都是他們的希望，因此每一次降落，都代表美國的承諾和決心，都再一次加強西柏林市民的信心，所以他們日以繼夜，不計辛勞、危險，在德國上空來回穿梭。蓋爾·哈佛森（Gail Halvorsen）中尉是當時運輸機隊的飛行員，他回憶空運最忙的時候，每隔五分鐘就有一輛飛機降落。他們每天就是裝貨、起飛、降落、卸貨、休息，再起飛、降落、休息，再裝貨、起飛……有一天，他到了柏林決定不休息。他帶了一台小型攝影，想四處拍拍，留個紀念。當他正在機場的跑道邊拍飛機起降時，他發現有三十多個小孩，隔著鐵絲網看著他。

他以為孩子會跟他要糖吃，結果沒有，他們只是靜靜的看著他。於是他帶著好奇的心情，和孩子們談起話來，哈佛森告訴小孩，到了冬天，天候很差時，空運會減少，柏林的人要面對更大的艱難，這時有個十歲的小女孩對他說：

你們那時不必給我們足夠的食物，我們總有一天會有足夠的東西吃。但如果我們失去自由，就再也拿不回來了！

哈佛森被女孩的話震動，他不由自主的從口袋翻出兩片口香糖，從鐵絲網遞過去給小孩。他說：「我簡直不敢相信拿到口香糖的孩子，臉上認真的表情，他們非常仔細的剝開糖紙，小心翼翼的把口香糖撕成一小片、一小片，不敢碰掉

碎渣，分到大家手裡，有些孩子快樂的聞著糖紙的香氣。」

這時他心裡盤算著要如何帶給這些孩子快樂！

他和孩子們約定，他下次載物資飛回來時，會空投糖果給他們。

1948年10月4日，柏林的一群孩子聚集在美軍機場外，癡癡的望著天空，急切的等待哈佛森的 C54 型運輸機，果然他們看見一架飛機，從天際飛來，飛機向他們擺動機翼，這是哈佛森和孩子約定的信號。然後他們看見三個手帕做的降落傘，從飛機中拋出來，緩緩降落。這是哈佛森和他的副機長、機械員三人每星期固定配額的口香糖、巧克力，他們用手帕做成三個降落傘，空投給孩子們。

孩子們都高興得像發瘋，我把糖果投下去，不知道結果如何？因為來不及看，飛機已經要降落在跑道上。我很緊張，不知道會不會被長官發現？又擔心孩子會不會受傷？卸完貨物，我趕緊往機場邊跑，遠遠看見三條手帕在鐵絲網外瘋狂的揮舞！

從這天起哈佛森每回進行任務，都偷偷空投糖果給孩子。沒多久，他的秘密行動就被發現。他被傳喚到上校的辦公室，長官問他在搞什麼？哈佛森只有從實招來。上校是如何發現哈佛森的行動呢？原來他的「糖果空投」很快就傳開，有記者跑去採訪，他的糖果降落傘差點砸中了一個記者的頭。上校拿出一份報紙，丟在哈佛森面前，報紙整版都在寫這件事。

上校把哈佛森訓了一頓，警告他不准在沒有得到長官的

允許前，自己行動，然後突然和顏悅色的對他說：

但是將軍打電話來向我們祝賀，說我們幹得很好，我當時還不知道他在說什麼呢！所以算你很走運，繼續幹吧！

於是，整個運輸隊的人都把口香糖、巧克力捐出來，所有人的手帕都用完了，他們還把舊的 T 恤也拿來做降落傘。孩子收到糖果降落傘後，會把手帕送回來，讓他們再用。

消息傳開，每週有上千封德國小孩寫的信寄來給「巧克力投手」，告訴他要把糖果空投在哪兒，軍方還配了兩個德國秘書給哈佛森，專門處理孩子的信件。其中有個叫彼得的孩子，寄給他一份地圖，叫他飛過柏林時，先飛到斯伯里河，過兩座鐵橋，看到一間被炸過的房子，就是他家，彼得說他每天下午兩點鐘會在那裡等他。有時候哈佛森會找不到地方，他收過一封信是這樣寫：「我給你畫了一份地圖，你怎麼找不到地方？你是美國空軍飛行員，像你這樣，怎麼打勝仗呢？」

他只好用包裹寄糖果過去。還有一個叫墨西迪絲的小女孩說：「我家很好找，因為院子裡有幾隻白色的雞，你只要找到白色的小點就可以了。」結果他飛來飛去，就是看不見白色小點，也只好用包裹寄給她。

柏林空運在軍方的代號叫：「存糧作戰」，所以空投糖果就叫「小存糧作戰」。美國的小孩、糖果公司也加入，捐出糖果、巧克力和手帕。在麻州，有一群小學生利用廢棄的消防站，成立「小存糧作戰總部」，光是從這裡送去柏林的糖果就有十七公噸。

　　哈佛森成了英雄，尤其在孩子心中。他除了要運送物資、空投糖果，還會帶糖果去醫院，送給那些生病不能去等待降落傘的孩子。他的「小存糧作戰」一直持續到柏林危機結束。

　　二十多年後哈佛森升任少校，被調回柏林管理美軍的機場，柏林人熱烈歡迎他們的英雄回來。每天都有人邀請他吃晚餐，約太滿，要排到一年多後。有一對德國夫婦邀請他，哈佛森赴約時，發現女主人就是當時寫信給他說，家裡有白色雞的墨西迪絲，到這時她家的院子還養著白色的雞。

　　是的，就是赤子之心，使世界往美好的方向運轉！

●飛行員蓋爾‧哈佛森用手帕、T恤做降落傘，
　為孩子空投糖果。

10.5 天使網路

　　天使來到人間，翅膀會隱藏起來。祂有各種面貌，也許是大明星，也許是小歌手，也許是棒球員，也許是流浪漢，而最常出現的面貌是小孩！

　　有時候，他們幫助人；有時，看看人們會不會幫助他？

　　小女孩哈迪潔‧威廉斯（Khadijah Williams）從小就沒人照顧，她從小學開始，十二年念了十二所學校，用垃圾袋為床，生活在皮條客、妓女、毒販充斥的街頭。早上，到沃爾瑪百貨的洗手間洗澡，這樣同學才不會聞到她身上的異味。她無家可歸，沒有人幫助。神奇的是，她功課卻很好。

　　2009 年 10 月 5 日，哈迪潔上了歐普拉的節目，講她怎樣獨立過活，力爭上游！這一天，終於有人要幫助她，而且不只一個，是一群天使。歐普拉為她申請「天使網路」的獎學金，幫助她去讀哈佛。2013 年歐普拉應邀到哈佛大學為畢業生演講，演講中最動人的一段，就是歐普拉告訴大家這屆哈佛畢業生中，有一個女孩令她驕傲無比，就是哈迪潔！

　　「天使網路」是歐普拉推動的公益計畫。目標是為在社會底層的婦女和兒童，提供機會，激發他們的潛力，改變人生。天使網路已經在十二個國家窮困的農村，建造五十五所學校。2005 年，提供一百萬美金幫忙貧困兒童上學，給他們制服、鞋子。在貧困地區為孩子設立圖書館。設立「利用生活獎」Use Your Life，頒獎給幫助人們改善生活的組織，已經有幾十個組織得到資助。

　　其實天使網路之所以會成立，來自一個九歲的小女孩。

她叫諾拉‧葛羅斯（Nora Gross），她四歲那年，有一次和她的爸爸泰迪‧葛羅斯（Ted Gross）在街上看到一個流浪漢，那時正值寒冬，流浪漢在冷風中一直顫抖，居然還向諾拉微笑。泰迪給諾拉零錢，讓她放進流浪漢的碗中，諾拉感覺這樣不夠，她問爸爸說：「我可以帶他回家嗎？」

泰迪雖然沒有把流浪漢帶回家，但他沒有忽視女兒的問題。有一回，他在家找鑰匙時，發現鑰匙放在玄關邊的「零錢碗」裡，那裡放著平常用不到的零錢。於是他和諾拉想出一個主意，父女一起去問鄰居，家裡有沒有多餘的零錢可以捐出來，大家把這些零錢集起來，就可以幫助人。

這就開始了「零錢收獲計畫」Penny Harvest Project，諾拉和她的朋友，每收集到一千塊，就捐給不同的慈善組織，讓他們去幫助別人。五年下來，捐了無數的一千元。諾拉後來去上歐普拉的節目，講她為什麼要收集零錢？諾拉說她最感謝爸爸，因為爸爸沒有認為她的問題只是小孩天真和無知，而是認真關注孩子的問題，並試圖找到答案！

歐普拉聽了諾拉的話，大為感動。決定號召電視機前的觀眾，學習諾拉收集零錢幫助人。反應出乎意料，短短幾個月就匯集了三百萬美金。於是歐普拉把這筆錢設立獎學金，幫助一百五十名在貧困下力爭上游的美國孩子。收集零錢活動持續擴大，後來就成立了「天使網路」，把散在各地天使的力量，匯集起來。

也許，你身邊的孩子就是天使；也許，你就是天使！

怎麼知道是不是？看你接下來要做什麼？就知道了！

10.6 愛心全壘打

把跟小孩的約定，看作跟上帝的約定一樣，那上帝會為你送來一陣風，使你的船航行更遠！

美國棒球史上最有名的英雄就是貝比魯斯，他是全壘打王，22年生涯共擊出714支全壘打，這個紀錄保持了39年，才被打破。他的名字等於「棒球之神」。其中有三支全壘打，是最感人的全壘打。

有一個十一歲的小孩名叫強尼・席維斯特勒 (Johnny Sylvester)，他不幸得了腦部病變，醫生評估情況不樂觀。臥病在床的強尼跟爸爸說，唯一能讓他開心的事，就是洋基和紅雀的世界冠軍大戰，洋基可以獲勝。愛子心切的父親，為了給孩子打氣，拜託朋友要來洋基和紅雀兩隊全體球員的簽名球，跟著簽名球一起來的，還有貝比魯斯親手寫的短信：

我會在星期三的比賽，為你打一支全壘打！

1926年10月6日，世界大賽的第四戰，貝比魯斯果然實現約定，為強尼打出全壘打，而且單場一口氣打出三支全壘打。洋基獲勝，強尼在收音機聽得欣喜若狂。

雖然這次世界大賽，洋基最後在第七戰敗給紅雀，沒有奪得冠軍。但大賽結束第二天，貝比魯斯和洋基球團一起去強尼家探望他，大大鼓舞了強尼，強尼後來克服病魔，健康長大。在二次大戰時當上潛艇指揮官，一直活到七十四歲。

貝比魯斯小時候，家境很差，父母為了生活疲於奔命。

疏於管教的他，常常打架鬧事，而且成績很差，被學校退學多次。到了第六次入學，碰到一位改變他的老師——馬夏斯（Brother Matthias）。馬夏斯充滿愛心，完全不因他曾被五次退學、品行不良，就把他擱在一邊放牛吃草。

他發現貝比魯斯有運動天分，便教他打棒球。貝比魯斯因此找到自信，開始勤學苦練，成為一個棒球好手，更因此改掉過去的惡習，循規蹈矩，不再跟人逞兇鬥狠。

但貝比魯斯的棒球天份，一開始就是打擊超強嗎？

貝比魯斯是個左撇子，絕的是那個年代沒有生產給左撇子的「右手套」。他一開始是捕手，所以傳球時，要先脫下左手上的手套，用左手傳球。對手都想利用他這個弱點，趁機盜壘，沒想到他的動作夠快，總能脫下手套，再傳球把對手刺殺。

有一回比賽，貝比魯斯這一隊的投手被打得七零八落，一再換投，換到無人可換。教練居然把捕手也調去做投手，沒想到從沒當過投手的他表現極好。從此，貝比魯斯改行當投手。他進入美國職棒金鶯隊就是以投手身份簽約。沒料到金鶯隊財務吃緊，便把他轉給波士頓紅襪隊。他在紅襪表現亮眼，是王牌投手之一。再沒料到，紅襪在 1920 年把他以十萬美金賣給洋基。這可給他出了難題，因為洋基投手群很完整強大，他到了洋基之後，輪不到他來當投手。怎麼辦？

他轉去守外野，從此再改行，全力拼打擊。不只要打安打，更全力拼「全壘打」。他說過一句名言：「打擊率超過四成，對我來講，是輕而易舉。但要這樣的話，我就該多打一壘安打。可是觀眾花錢來球場，是為了看我打全壘打。」

就這樣，他打下了全壘打的傳奇。

● 貝比魯斯是美國棒球史上的傳奇球員，被尊稱為「棒球之神」。他在
　世界大賽單場打出三支全壘打，實現與一個孩子的約定。

10.7 邂逅

「書中自有顏如玉，書中自有黃金屋」。眞的嗎？

眞的！

1970 年 10 月 7 日，星期三下午，倫敦是難得陽光燦爛的好天氣。托尼‧惠勒（Tony Wheeler），一個在倫敦商學院讀 MBA 的研究生，出門買了一件新外套，然後抄近路到攝政公園，選了一張能曬到陽光的長椅，開始閱讀。讀著、讀著，他看見一個年輕女孩朝他走來……

女孩叫莫琳（Maureen）。她上週六才從愛爾蘭的貝爾法斯特來倫敦，展開新的人生，昨天剛剛得到工作，老闆叫她下週一正式上班。她打算這幾天輕鬆一下，下午本來要去看電影，不巧電影票賣完了。走著、走著，經過書店，買了一本托爾斯泰的自傳體小說三部曲《童年、少年、青年》。走出書店，她決定如此陽光怡人的天氣，應該到公園裡看書，享受知性的悠閒。於是莫琳轉進攝政公園，她也要找一張能曬到陽光的長椅。

妙的是，當時攝政公園裡只有一張長椅可以完全曬到陽光，而長椅上的一端坐著一個傢伙在閱讀。雖然有人坐，但莫琳不願放棄這麼好的位置，於是她坐在長椅的另一端，翻開書，讀著，讀著……。

莫琳讀了幾分鐘，聽見長椅那端傳來：「啊。請問這裡是週三下午最熱門的閱讀之地嗎？」

托尼開口向莫琳搭訕，然後晚上開始他們第一次的約會，一起去看了電影，片名是《風流醫生俏護士》Mash。他

們就這樣墜入情網，在第二年的 10 月 7 日，也就是相識一週年的日子結婚。

當托尼從 MBA 一畢業，他們兩個就帶上背包、帳篷、睡袋、野炊工具、地圖和書，再加上一張四百英鎊的旅行支票，開著一百三十英鎊買來的二手迷你奧斯汀，開始嬉皮式的蜜月旅行。

他們計畫從歐洲到亞洲，一路殺到澳洲，到了澳洲留在那邊找工作，賺了錢再回倫敦。

他們踏上歐陸，一路經巴爾幹半島、土耳其、伊朗到阿富汗，在那裡賣掉迷你奧斯汀。

再利用三等火車、野雞車、長途卡車，一路遊遍巴基斯坦、印度、尼泊爾、泰國、馬來西亞、印尼，終於到達澳洲雪梨，兩人全身只剩二十七個便士。

他們都感到這趟旅行是一生中最快樂的時光。

朋友聽說也都十分好奇，他們怎麼能用這麼少的錢？走這麼遠的路？還這麼快樂？

於是他們在墨爾本家裡的餐桌上寫出了他們的旅行經驗，一本九十六頁厚的《便宜走過亞洲》Across Asia On the Cheap。

為了出這本書，兩人開了一家出版社。這是他們出版社的第一本書，他們的出版社叫「孤獨星球」Lonely Planet。

這是當今世界上最大的旅行書出版社。

是不是書中自有顏如玉，書中自有黃金屋？當然也有好老公。

很浪漫吧！買一本書，找個好天，去公園，找個好位置坐下來，看看書吧！

● 惠勒夫婦以他們的旅行經驗，寫出《便宜走過亞洲》，更創辦世界最大的
　旅行書出版社。

10.8 被考試否定的天才

「阿爾拔，不乖乖在慕尼黑上學，到米蘭來幹什麼？」

「爸爸，我不想待在現在的學校。」

「為什麼？」

「老師上課都很死板，功課都是要人死記，學校就像一灘死水。」

「你的腦筋怎麼會這麼死？老師講老師的，學校做學校的，你通過考試就好了。你懂嗎？你要先有中學文憑，才可以進大學，進大學以後就比較自由啦！」

「不行，我待在那裡，等於腦袋被判死刑！」

「你不回去，會被學校退學，只有死路一條。阿爾拔，你已經十六歲了，不能再像小時候那樣，感覺老師不好就蹺課。爸爸我是在德國的生意失敗，才不得已把工廠搬到米蘭來……」

果然，阿爾拔被學校退學，他中學沒畢業，也不能在德國考大學。

於是 **1895 年 10 月 8 日**，他跑到瑞士蘇黎世參加聯邦理工學院的入學考。他的物理考得很棒，數學也可以，但法語、歷史都不及格。反正，要用到記憶力的，他都不行，所以沒有考上。他辜負了父母的期望，前途一片茫然。

幸好聯邦理工學院的校長赫爾岑（Alexander Herzen），看出阿爾拔是可造之材，推薦他去離蘇黎世三十公里的阿勞鎮（Aarau）去讀阿勞中學。這所中學的教學理念和其他學校不同，他們講求「概念思考是建立在直觀上」。

　　這正好與阿爾拔很合，所以他在阿勞中學過了快樂的一年。原本語文、歷史的弱項，也大有進步。第二年重考，進入聯邦理工學院物理系，展開了他的物理人生。

　　是的，阿爾拔就是阿爾拔‧愛因斯坦（Albert Einstein）。他說過一段名言：

　　每個人都是天才，但如果你用爬樹能力來斷定一條魚有多大本事？那他整個人生都會相信自己是愚蠢不堪！

　　沒錯，這就是愛因斯坦的少年經歷，他曾經被看成是條爬樹能力很差的魚。父母或學校會引導你該學什麼東西？該做什麼事情？但其實只有你自己才有辦法知道，自己該學什麼、該做什麼！

● 少年時期的愛因斯坦

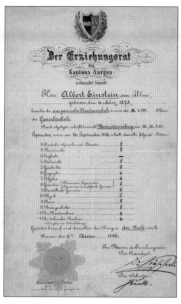

● 愛因斯坦在阿勞中學的畢業考成績單

10.9 圓滿

　　圓滿的世界有兩種人，一種是破壞者，他破壞圓滿讓世界破洞；一種是修補者，他修補破壞讓世界美好。

　　莎拉・霍伊妲（Sarah Hoidahl）是一個年輕的女服務生，她在連鎖餐廳 Ruby Tuesday 工作。

　　2013 年 10 月 9 日，她聽到兩個女客人的談話。

　　「真是的，他們居然讓聯邦政府關門！」

　　「搞什麼呢？竟然連我們國民兵團也能關門！」

　　「就是說嘛！如果現在出事了，要叫誰去救災、誰去管制交通？」

　　「真的出事的話，還不是要叫我們歸隊。」

　　「就是嘛，但是我們現在是放無薪假，歸隊可沒有一毛錢領喔！」

　　「這些政客真可惡，這樣亂搞有什麼意義？」

　　「一點都不替人著想，我們辛苦的替國家工作，但他們隨隨便便就叫我們放無薪假，沒有錢怎麼養家？尤其我們又是單親媽媽！」

　　莎拉雖然只有二十一歲，卻正好也是一個單親媽媽，她當然更能感同身受養家的辛勞。

　　於是她毫不遲疑的寫了一張紙條給這兩個客人：「雖然因為政府關閉，導致像你們這樣為國家犧牲、保護國家的人沒有得到酬勞，但是還有我在支持你們。這餐算我的，謝謝你們為國家付出的一切！祝你們有個美好的一天！」

　　莎拉自己掏了 27.75 美金，幫這兩個國民兵團的女客人

付帳。事後這兩個客人把莎拉留給她們的紙條分享到臉書，一下子得到三千次分享。

脫口秀知名主持人艾倫·狄珍妮（Ellen DeGeneres）也注意到這件事。她決定要表揚這個善心的女生。她把莎拉請到節目中來訪問，訪問完後，還給她 27.75 美金的餐費，並當場拿出一張簽名支票，送給莎拉一萬元美金！

善有善報，而且馬上報，真好！

10.10 貴人和高人

　　竹子不知道自己會發出音樂，除非有人看出它可以做成笛子。

　　荒川博是日本的職棒選手，效力於每日新聞獵戶隊，他平日還真的有「獵戶」精神，看到有棒球天分的少年，就會推薦給自己的母校「早稻田實業高校」。

　　有一天，荒川博出來遛狗，看到操場上有一群孩子在打棒球，其中有一個少年根本是鶴立雞群，他不只是個子比別人高許多，球技也比所有人高一大截。他以為那少年是高中生，一問之下才知道他只有初二。荒川熱心的說，要推薦他去上早稻田實業高校，並建議他：「你應該從右打改左打！」

　　少年初中畢業後，果然進入早稻田高校。1957 年，少年以主力投手和第四棒主力打擊，帶領球隊拿到創校以來第一座「甲子園冠軍盃」。這個少年就是王貞治。

　　1959 年，王貞治加入巨人隊，表現很不理想，一上場連續二十七次打擊，通通沒有安打。雖然他擊出的第一支安打就是全壘打，但總體打擊率只有 1.67。他本來以為會被開除，運氣好也要被減薪。結果球團代表宇野卻告訴他，他不但可以留下來，球團還要給他加薪。為什麼？

　　原來日本職棒的習慣，新人要在練習結束後，負責把球撿回來。王貞治不但乖乖撿球，還在大家休息後，一個人在晚上把打破皮的球，用針線一一補好。這些都不是他份內的工作，他卻沒有聲張，默默的做。這一切都看在教練水原茂的眼中，他感覺王貞治必是可造之材。

1962 年，當年在偶然機緣鼓勵王貞治的荒川，從球員退休，來到巨人隊當打擊教練。王貞治聽從他的指導，從右打改左打，而且他教王貞治「稻草人打法」。就是在投手舉腳時，王貞治也跟著舉起右腳，採金雞獨立式，打擊揮棒時踏出右腳，這樣在擊球的瞬間，可以貫注全身的力量。

王貞治為了這個全新打法，日夜苦練，荒川還教他練習用武士刀砍竹子。他用一張浸水溼透的紙片，掛在空中，然後練習用武士刀去砍。紙片是濕的，刀子如果沒有砍得又快又準，紙片很容易黏在刀上，根本砍不斷。他就是這樣持續苦練，練出能掌握瞬間揮擊的本領。他自己說，這樣的鍛鍊使得他「眼力」大增，他看球的速度就變「慢」了許多，可以把來球看得一清二楚！這樣一來，當然打擊力完全改觀，幾乎年年成為全壘打、安打、打點的「三冠王」！

1976 年 10 月 10 日，王貞治擊出第 714 支全壘打，平了貝比魯斯的紀錄，全日本為之瘋狂，世界注目，就等著他破記錄。這天對他、對我們都有特殊的情感，因為這是中華民國的國慶。王貞治一生到現在都是拿中華民國的護照，沒有歸化日本。第二天，他在萬眾期待下，就擊出了第 715 支全壘打。

1997 年 9 月 3 日，他擊出了 756 支全壘打，超越漢克阿倫，成為世界全壘打王。1980 年 10 月 12 日，擊出第 868 支全壘打，留下輝煌的紀錄退休，到現在還沒有人超越他。

成功當然要有高人指點，貴人相助。荒川博是王貞治的高人，水原茂是王貞治的貴人。但還是如他所說：

如果肯不斷苦練，運氣也會站在你這邊！

10.11 正面思考

人生，像騎腳踏車，你要一直前進，才能保持平衡！

但路上難免會撞到石頭或出現坑洞，怎麼面對？

變化，對習慣正面思考的人來說，總會轉向光明，人生是喜劇收場。但對總是負面思考的人來說，那可是災難、黑暗，人生不免是悲劇。

1987 年 10 月 11 日，有二十萬人集結在華盛頓，為同性戀的人權發聲，這是最大一次的同性戀平權大遊行。為了紀念這個日子，現在的 10 月 11 日就成為「出櫃日」。

出櫃對當事人來說，需要很大的勇氣。出櫃者的親人，更要有了解和包容。身處無知、保守的社會時，這可不是件簡單的事。最難處理的是，當出櫃者已有配偶，還有小孩，那要面對的衝擊，可能是人生巨大的風暴，但也可能是另一片海闊天空！

亞里安娜（Arianna Stassinopoulou）是一個不折不扣的美女，1950 年出生於希臘雅典，十六歲進入英國劍橋大學，得到經濟學的學士和碩士。1971 年她成為劍橋大學同學會的主席，她是史上第三位女性主席。三十歲的她來到紐約，出版了好幾本暢銷書，有探討婦女角色變化的《女性》，畢卡索的傳記、女高音瑪麗亞·卡拉斯（Maria Callas）的傳記。她也成為曼哈頓社交圈的名人，因此認識了石油大亨麥可·赫芬頓（Michael Huffington），兩人熱戀結婚，生下兩個女兒。麥可在她的協助下，進入政壇，當選國會議員。

到此，亞里安娜這一生是最典型的喜劇，人漂亮、腦聰

明、學歷高、能力強，老公是億萬富翁、孩子健康快樂、又貴爲國會議員夫人，未來只有更美滿……沒想到，變化從天而降。麥可在 1998 年向《君子》Esquire 雜誌，揭露自己是同性戀。

麥可是共和黨，身處保守右派陣營，他經過多年的天人交戰，才決定出櫃。他說自己是雙性戀，他和亞里安娜的婚姻不是幌子、也不是煙霧彈。他是眞心愛上亞里安娜。他在婚姻期間，沒有對太太不忠，沒有與任何女人、男人發生關係。他花很多年的時間，想用宗教力量來改變自己的性向，但都沒有效。他越來越痛苦，他決定要坦承。他選擇出櫃也是爲了年輕的一代，他希望未來非異性戀有更多的空間，年輕人更有希望。

身爲妻子的亞里安娜，面對這種巨變，怎麼辦？如何面對？她先跟麥可和平離婚，她希望他快樂，要求媒體和政敵不要以此打擊前夫。

亞里安娜和麥可一直是好朋友，她保留「赫芬頓」的夫姓不改。她的政治立場開始向左轉，離開共和黨成爲自由派。2003 年她以獨立候選人的身份和阿諾史瓦辛格競選加州州長，聲勢一度看好，她自己戲稱這是「雜種和悍馬的較量」，她在最後時刻退出選舉，媒體對她毀譽參半。

2005 年她自己來辦媒體，創立網路報《赫芬頓郵報》。以部落客的評論爲主力，她自己也披掛上陣。第二年她就被《時代》雜誌選爲「世界最有影響力的一百人」。不到三年《赫芬頓郵報》就成爲美國流量第一的部落格，長期保持領先。2011 年《赫芬頓郵報》被「美國線上」以三億一千五百萬美金收購，亞里安娜並成爲「美國線上」所有內容產業的總把手。

　　一個本來以「相夫教子」當她一生天職的美麗女子，在面對老公出櫃時，她不把這件事當打擊，反而把它當變化。她改變自己的定位，現在她的夫姓「赫芬頓」因她而彰顯。

　　她最近的名言是：

要想有一個成功的人生，請關掉手機多睡覺！

　　她曾經因為工作過勞，在辦公室昏倒，撞傷頭部，差點沒命。她說太多人為了追逐金錢和權力，過著睡眠不足和過勞的日子。金錢與權力就像兩隻腳的凳子，一直坐在上面，遲早會掉下來。所以她現在一定多睡覺，絕不勉強工作。那她的金錢與權力有沒有因為多睡覺而減少？沒有，更多。

　　看吧，正面思考的人，人生總是喜劇收場！

● 亞里安娜‧赫芬頓是《赫芬頓郵報》的創始人。

● 亞里安娜的前夫麥可‧赫芬頓。

10.12 看誰運氣好

紐約中央公園的路邊，一個老頭兒擺的畫攤，賣的好像是單色的塗鴉作品。一幅要賣六十美金。很多人走過，拿起畫看了看，又放下。不喜歡呢？還是嫌貴？不知道！反正從中午到下午三點半，完全沒開張。

終於，一個女士有興趣，她想買兩幅，但要殺價，殺多少？殺一半。好，成交，她用六十元買走兩幅。四點鐘，又是一個女生，她是紐西蘭來的觀光客，她不錯，夠大方，沒殺價，每幅六十元，買走兩幅。又來了一個男生，他從芝加哥來，他正好想買東西補牆壁，一口氣買了四幅。就這樣，一天下來，老頭兒賣了四百二十元美金。對擺地攤來說，好像差強人意，有點兒賺頭。但對買畫的人來說，可賺大了！

他們不知道他們買的可不是地攤貨，是街頭藝術大師班克西（Banksy）的真跡，每一幅至少值三萬美金以上。芝加哥來的那個補牆哥最幸運，他買到班克西的名作 "Love is in the air"，這幅畫最近的拍賣價是二十五萬美金。

這是怎麼回事？原來是班克西為了測試人性，故意拜託一個老頭兒在中央公園擺攤，用地攤貨的價錢來賣他的畫，看看會怎樣？他裝置了隱藏式的攝影機，把過程全拍下來，放到他的網站上播。播出後，所有在 **2013 年 10 月 12 日**走過中央公園的人無不大呼可惜。眼下就有黃金，但你眼力不夠，錯失發財的機會！

班克西為什麼要做這個事？是惡作劇嗎？是的，但他的惡作劇不只是好玩，背後是有道理的。

　　班克西少年時就在英國的街頭塗鴉，真正開竅是十八歲那年。有一天，他花了整個晚上在火車廂噴「又誤點了」幾個泡泡大字。還沒來得及欣賞自己的傑作，警察出現了！一陣追逐，他火速鑽進一輛垃圾車底，躺著動都不敢動，全身沾滿引擎漏出的油，豎起耳朵聽著從鐵軌傳來的動靜，警察還在搜捕他的同伴。

　　過了一個多小時，他看著油箱底盤的模板牌子，他頓悟！他可以利用模板，把噴漆的時間在瞬間完成，他就有充裕的時間消失。

　　從此在英國城市的街頭、牆角、橋梁，不時出現他的塗鴉作品，他用幽默的圖畫、尖刻的標語，以另類的藝術嘲諷權貴、挖苦政府，連皇室也不放過。他的立場很明顯，就是牆壁和雞蛋，他站在雞蛋的這一邊！治安單位當然把他當作破壞公物的搗蛋鬼，偏偏他神出鬼沒，抓不到！他的名氣越來越大，偏偏沒有人見過他。他就像藝術的俠盜羅賓漢，塗鴉的蝙蝠俠！

　　班克西的創作手法也一再翻新，他曾畫了一些有反諷意味的假古典作品，混在博物館的遊客中，然後把他的作品快速貼上牆，乍看之下遊客還以為是博物館內的收藏。他還曾發送一張英鎊鈔票，把女王的頭改成黛安娜王妃，更是轟動一時。他還跑到以色列在巴勒斯坦地區修築的高牆，在牆上畫好多幅發人深省的反戰作品！

　　班克西創作是為了表達，從來不想以此謀利。偏偏有人就是會賺錢，他們把班克西塗鴉的牆面拿來拍賣，居然可以賣到天價。富豪也不看看作品的主題是什麼？不管黑貓、白貓，只要價錢高，就是好貓！本來是反對有錢人的作品，結

果最後竟被有錢人收藏，反而成為炒作金錢的工具。班克西竟成為街頭塗鴉作品被當作藝術品高價收藏的第一人！

　　所以班克西故意請人在中央公園以低價賣他本人的真跡，就是要「撥亂反正」，藉此顛覆。他不容許他的作品失去原意，被金錢侮辱！另一方面，也為他的作品將出現在紐約街頭做預告。

　　所以他的地攤大賤賣，其實是有很深意涵的惡作劇。偏偏媒體爭相報導，使得他的名氣更大更熱，連本來對他不熟悉的亞洲富豪，也因趕時髦，對他的作品極富興趣，所以他的創作又再飆高！看來這場仗還要無休止的鬥下去，但班克西源源不絕的創意，實在是當代奇蹟！

●塗鴉藝術家班克西的作品 "Love is in the air" 被幸運的補牆哥以 60 美元買到價值 25 萬美金的真跡。

10.13 法律之前

　　你現在到德國的波茨坦玩，在郊外有一處觀光景點，是一個老磨坊。這個磨坊是什麼名家設計？還是造型優美？都不是？它是很普通的磨坊。它成為景點，是因為它背後有個好故事。

　　波茨坦郊外有一個德皇的桑蘇西行宮，這是腓特烈大帝仿照法國凡爾賽宮所蓋的。你站在行宮高處遠眺，全波茨坦的美景盡收眼底，感覺君臨天下，爽！

　　但德皇威廉一世不爽，因為有一座破舊的風車磨坊，正好插在眼前，很煞風景，破壞畫面。

　　威廉一世派人去跟磨坊的主人交涉，願意出錢買下磨坊。磨坊主人不賣，威廉提高價錢，比市面行情高很多。磨坊主人是個倔老頭，他說這磨坊是祖傳的，多少錢都不賣。

　　威廉一世這下子火大了。好個刁民，給你臉你不要臉，便派兵以「妨礙市容」為由，把磨坊給拆了。這下視野遼闊，神清氣爽，而且不用花錢。

　　我們都會說這老頭兒自討苦吃，你跟國王鬥什麼？何況那是一百五十年前，又不是現在。結果，老頭兒不願忍氣吞聲，**1866 年 10 月 13 日**，磨坊的主人一狀告到法院，控訴國王濫用職權，違法拆除他的磨坊。

　　普魯士法院不但受理，而且公開審案。開庭當日，法院爆滿，全國各地來旁聽的人，都好奇想看看法院如何審理？威廉一世拒絕出庭，也不指派律師訴訟。法官在聽完原告的陳述後，三個法官立刻做出了裁判。

「被告威廉一世因擅用皇權，侵犯原告的財產權，事證確定。違反帝國憲法第七十九條，判決被告在原地立即重建一座一模一樣的磨坊，並賠償損失及訴訟費用，共一百五十馬克。」

威廉一世收到判決書後，權衡輕重，決定向法律低頭，不上訴，按照法院判決乖乖照辦。一座礙眼的磨坊又站立在桑蘇西行宮前。磨坊主人也收到國王的賠償金。

威廉一世是個軟柿子嗎？絕對不是。他的首相是人稱「鐵血宰相」的俾斯麥，而且依普魯士的憲法，首相只要聽命國王，不用搭理議會。他在普法戰爭，大敗法國，在凡爾賽宮即位德意志皇帝。所以他不是軟弱的人，是一個強人君王。但他知道守法的重要，如果國王不守法，人民怎麼守法呢？這種「法律之前，人人平等」的精神，就是德國、歐洲之所以能領導文明的基石。

● 波茨坦近郊的老磨坊，
　位於德皇的桑蘇西行宮旁。

10.14 黃絲帶

　　一個因倒閉破產而坐牢的丈夫，在他即將服刑期滿返家的前夕，擔心遠在喬治亞家鄉的妻子無法接受他，寫了一封信告訴妻子，如果願意再一次接納他，請妻子在他出獄回家的那天，在家的大門前那棵老橡樹上，繫上一條黃絲帶。如果他回家時沒有看到黃絲帶，他會默默離開。

　　出獄當天，他坐上巴士，心裡忐忑不安。當巴士快開到家鄉小鎮時，他把自己的事告訴同車一群要去佛羅里達海邊戲水的大學生，拜託他們幫他看橡樹上有沒有黃絲帶，因為他近鄉情怯，緊張到沒有勇氣張開眼睛看有沒有……。

　　巴士穩穩向前開，車上突然爆出一陣歡呼聲，學生們叫他快看，他緩緩張開雙眼，熱淚泉湧而出，他看到老橡樹上有一百條黃絲帶在空中飛舞！

　　1971 年 10 月 14 日，《紐約郵報》刊出了這篇「黃絲帶」的故事，作者是專欄作家彼得‧漢米爾 (Pete Hamill)。黃絲帶的傳統起源於 19 世紀，美國有些軍人的妻子會在頭髮上綁黃絲帶，作為想念在軍中先生的象徵。而這個故事是漢米爾聽來的。故事登出後，迴響很大。但最大的迴響是出現了一條「老橡樹上的黃絲帶」Tie a Yellow Ribbon Round the Old Oak Tree 的流行新歌，這是李文 (Irwin Levine) 和布朗 (Russell Brown) 的創作。專輯上市才三週，就賣出了三百萬張的唱片。根據美國音樂廣播協會統計，光是在收音機就播了三百萬次，等於十七年不間斷播放。從此「繫黃絲帶」就成為希望遠方親人回家的象徵動作。

I'm coming home. I've done my time.

揮別了圍牆　回家路徬徨

Now I've got to know what is and isn't mine.

我想知道還有什麼屬於我

If you received my letter telling you I'd soon be free,

當你收到信後　知道我將自由

Then you'll know just what to do if you still want me,

如果你還接納我　你知道怎麼做

if you still want me,

如果你還接納我

Oh, tie a yellow ribbon 'round the old oak tree.

噢！在老橡樹繫條黃絲帶

It's been three long years.

漫漫三年已過

Do you still want me?（Still want me?）

你還接納我？（還接納我？）

If I don't see a ribbon 'round the old oak tree,

如果沒看到老橡樹的黃絲帶

I'll stay on the bus, forget about us, put the blame on me,

我會隨巴士遠離　忘掉過去只怪自己

If I don't see a yellow ribbon 'round the old oak tree.

如果我沒看到老橡樹的黃絲帶

Bus driver, please look for me,

司機先生啊　幫我望一望

'Cause I couldn't bear to see what I might see.

我害怕看到失望的景象

I'm really still in prison, and my love, she holds the key.

我心陷入陰霾　唯有愛能啓開

A simple yellow ribbon's what I need to set me free.

一條黃絲帶　就能讓我釋懷

I wrote and told her please,

我寫了信請求她

Oh, tie a yellow ribbon 'round the old oak tree.

噢！在老橡樹繫條黃絲帶

Do you still want me? (Still want me?)

你還接納我？（還接納我？）

If I don't see a ribbon 'round the old oak tree,

如果沒看到老橡樹的黃絲帶

I'll stay on the bus, forget about us, put the blame on me,

我會隨巴士遠離　忘掉過去只怪自己

If I don't see a yellow ribbon 'round the old oak tree.

如果我沒看到老橡樹的黃絲帶

Now the whole damn bus is cheering,

哇！全車響滿了歡呼聲

And I can't believe I see,

我無法相信自己的眼睛

A hundred yellow ribbons 'round the old oak tree.

老橡樹上繫滿了黃絲帶！

I'm coming home, mm- hmm.

我要回家來！

Tie a ribbon 'round the ole oak tree.

在老橡樹上繫條黃絲帶！

Tie a ribbon 'round the ole oak tree.

在老橡樹上繫條黃絲帶！

10.15 林肯的鬍子

　　如果你有缺點，該怎麼「藏拙」？最好的方法是找到你的優點，發揮它，吸引到人的目光，使他們沒空看到你的缺點。這樣「拙」就自然藏住。攻擊才是最好的防守。

　　1860 年 10 月，美國總統選舉進入最後決戰時刻，一個住在紐約州西費爾德十一歲的小女孩葛瑞絲・貝德爾（Grace Bedell），在 **10 月 15 日**這天寫了一封信給林肯，信中說：

　　親愛的先生，

　　我爸爸剛從市集回來，帶回一張你和哈姆林先生的照片。我是一個小女孩，今年只有十一歲，但我很想要你當美國的總統，所以希望你不要覺得我很大膽，居然敢寫信給像你這樣的偉人。

　　你有沒有和我一樣大的女兒啊？如果有，幫我問候她。如果你不能回信的話，可以請她寫信給我。

　　我有四個哥哥，有的會投票給你。如果你能留鬍子的話，我就能想辦法要其他的哥哥也投票給你。

　　因為你太瘦了，留起鬍子，你就會英俊很多。所有的女士都喜歡留鬍子的男人，如果你有鬍子，她們會纏著她們的丈夫投票給你，這樣你就能選上總統了。

　　我爸爸也會投給你，如果我是男的，我也會投給你，還會想辦法讓大家都投給你。

　　沒錯，「人不可貌相，海水不可斗量」，用在林肯身上

最貼切。林肯很瘦，兩頰凹陷，一臉倒霉相。而且他身高有一百九十三公分，又駝背，更是喪氣，望之不似人君。但他的遠見之深，心胸之廣，真如大海不可斗量。

　　林肯的幕僚，拆了葛瑞絲的來信，看了以後當兒戲，差點丟進字紙簍。林肯不但把信拿來看完，還親自回信：

　　我親愛的小女孩，

　　很開心收到你 15 日的來信，很遺憾的是，我必須告訴你我沒有女兒；我有三個兒子，一個十七歲，一個九歲，一個七歲，我們家裡除了他們之外，還有我和我太太。

　　說到鬍子，我從來都沒有留過，你說如果我現在開始留的話，大家會不會覺得很奇怪？

　　但林肯還是聽從葛瑞絲的意見，留起了鬍子，果然遮蓋了他凹陷的臉頰，整個人顯得有精神許多，而且看起來十分威儀莊重。林肯當選總統後，從伊利諾州搭火車到華盛頓上任，特別安排火車在西費爾德停下，林肯站在火車尾端的平台上，對著人山人海大批跑來歡迎新總統的民眾說：

　　「有一位叫葛瑞絲的女孩住在這裡，她曾寫信給我，如果她在現場的話，請站出來好嗎？」

　　「總統先生，我在這裡！」一個滿臉通紅的小女孩很興奮的走出來。

　　「嗨！葛瑞絲。」林肯彎下腰，由柵欄間伸出手去握住小女孩的手，「你看，我特別為你留了鬍子，是不是比較英俊呢？」

　　「總統先生，你是我所見過最英俊的總統！」

　　沒錯，留了鬍子的林肯，他的容貌身影就更鮮明，配上他的智慧和胸襟，顯得更加偉大。那封林肯回給葛瑞絲的短信，在 1966 年被人以一萬八千美金標下來收藏。

● 沒有留鬍子的林肯。

● 林肯看了葛瑞絲的信，決定開始留鬍子。

10.16 買一送一

醫院現在都有一個基本配備，在出入口裝有自動噴霧式的小型洗手器，讓我們洗手消毒。可是大部分人都懶，實際的使用率都很低。要怎樣做，才能讓人們多使用洗手器呢？

如果你在洗手器旁貼上一個標語「為了維護你的健康，請洗手消毒」，有沒有效？有，這樣會增加 15% 的使用率，效果不如預期。每個人當然都在乎自己的健康，但越小越簡單的動作，人們越容易輕忽。即使你提醒他，這有多重要，他也嫌麻煩。

但如果你換上另一個標語「為了避免別人受到感染，請洗手消毒」，這樣使用率會大大提升 45%。我們身體好壞，我自己負責。但是如果因為我們的行為輕忽，使別人受到傷害，那我就對不起人家了。為了別人不會受感染，我應該要洗手消毒。所以「利人」大於「利己」，要是能「利人利己」，那麼力量就更大。

年輕有活力的麥考斯基（Blake Mycoskie）嘗試過幾種行業，還在美國的真人秀紅過一陣子，手頭上有點錢，但他一直找不到可以激發他的熱情、使他充滿動力的事業。

2006 年 1 月麥考斯基跑到阿根廷去學打馬球，阿根廷的鄉間有最佳的馬球莊園。到了那裡，他發現很多窮人得到一種「象皮病」，這種病起因於泥土中的血絲蟲，會從腳部侵入人體，破壞淋巴組織，使腿部腫脹變形如同象腿，所以叫象皮病。

得到這種病，就好像以前得到痲瘋病，會被人排擠、孤

立。最可憐的是小孩，連學校都不給你上學。而防止得病的方法就是要「穿鞋」，只要不打赤腳，血絲蟲就無法侵入。偏偏窮人、尤其是窮人的小孩沒鞋穿。

他同時又發現阿根廷有種傳統的帆布鞋叫「奧帕嘉圖斯」alpargatas，穿起來舒服、輕鬆、又有型。他靈機一動，在當地找人幫忙用手工做了二百五十雙布鞋，他打算帶回美國賣，如果二百五十雙賣光，他就有錢再做二百五十雙。他要拿來賣嗎？

不，他要把這二百五十雙鞋，送給買不起鞋子穿的小朋友。然後，再做，再賣，再送。以此循環，讓每個窮孩子都有鞋可穿。他不必去募款，只要做好這門生意，利人利己，利己利人。

他成立了「TOMS」鞋公司，告訴客人：「買一送一，你買一雙鞋，TOMS 就送一雙鞋給需要的兒童。」

TOMS 的鞋子非常好穿，美國以前沒見過，而且大家都樂意幫助小孩。所以他的鞋子一下子就賣光了。

2006 年 10 月 16 日，麥考斯基送出第一批二百五十雙鞋給阿根廷的孩子。他的「買一送一」立刻引起媒體關注，好事一出門，馬上傳千里。許多好萊塢明星也愛穿他的鞋，等於替他打廣告。TOMS 的鞋基本上只有一種鞋款，但有許多顏色、新潮的設計，迅速成為新的流行時尚。三十歲的麥考斯基創造新的生意經，一個魚幫水、水幫魚的成功模式。

現在 TOMS 幫助的地區除了初始的阿根廷，還有南美、非洲、東南亞和中國。麥考斯基至今已送出超過一百萬雙的布鞋。也就是說他也賣了一百萬雙鞋。

真是「好」生意，生意「好」。

10.17 新伊甸園

　　如果你厭倦走同一條路，換條路走是不夠的。你需要的是一雙翅膀。

　　提姆・史密特（Tim Smit）大學時主修考古人類學，畢業後走上音樂路，加入搖滾樂團，後來成為作曲和製作人。這條路他走得很成功，擁有七張白金唱片和金唱片。

　　十年的音樂路，讓他在倫敦過著耀眼奢華的生活，他厭倦了。離開大都會，搬到鄉下的海勒根莊園。他陶醉在一片自然美景中，想要讓更多人分享，便找到了BBC來做報導。沒想到BBC只報導莊園有多美，忘了說他的莊園還沒整理好，根本還沒開放。報導一出去，第二天、第三天，每天都有大批的遊客跑來。這些遊客發現莊園沒開，白跑，是不是跟他抱怨或大鬧一場？不是，很多遊客反而願意當莊園的志工，免費幫他整建莊園，希望莊園早日開張。

　　陌生遊客的熱情，等於給史密特插上一雙翅膀，讓他想飛！他感受到不只他一個城市人，對自然深深著迷。植物、泥土不斷向他們的內心呼喊，他想要打造一個「伊甸園」。植物的天堂，成為世界第八大奇景。

　　他帶著「伊甸園」的構想，到處去提案，大家都興趣缺缺，講一些風涼話。但慶祝千禧年委員會中有人說：「我看你要先找個國際水準的建築師，才有成功的機會吧！」他抓住這句話，找到了設計滑鐵盧車站的尼可拉斯・格林蕭（Nicholas Grimshaw），劈頭就跟他說：「我要告訴你一個好消息，和一個壞消息。好消息是我要請你來建造世界第八大

奇景，壞消息是我沒有錢！」

格林蕭隔天打電話給他，說他所有的員工都想投入「伊甸園」，所以他願意接下這個設計案，而且不收錢。十八個月後，史密特拿到了完整的設計圖。有了設計圖，就不能紙上談兵。

1988 年 10 月 17 日，史密特用積蓄、信用，買下了康瓦爾郡（Cornwall）一座廢棄的礦坑，開始動工。承包伊甸園的工程公司，有個叫傑瑞（Jerry Tate）的工程師本來要在這天退休，他為了參與伊甸園，決定不退休，做完世界第八大奇景再走。

第一天開工，就下起大雨。而且連續下了一百三十四天的雨，礦坑嚴重積水，多處坍塌。什麼意思？難道老天不給他飛？本來要退休的傑瑞這時招集六十個壯漢，日夜趕工，重新打造地基，還因此建造了一個可以百分之百回收雨水的系統。老天不是不給你飛，是要你的翅膀更硬！

2000 年 5 月《伊甸園》Eden Project 正式開幕，它有兩座巨大的六角形泡泡狀溫室，裡面有來自世界各地的植物、農作物，還有一個戶外生物的展示景觀。經過幾年，已經有七百萬人來參觀。各種藝術、音樂、流行的活動，也紛紛選在伊甸園舉辦。

康瓦爾郡本來是英國最窮的地方，收入比全英國平均還低 28%。有了伊甸園，每年創造了 1.5 億英鎊的收入，員工全是本地人，40% 超過五十歲。

一個有翅膀的人想飛，就會激起其他人也長出翅膀！

10.18 腦力遊戲

寶藏不一定藏在深山裡，有時候大白天就擺在大街上。問題在經過的人沒看見，看見的人看不出，還有擺的地方不對。好像「滑鼠」這個東西，1964 年就已經發明，然後就一直躺在全錄的研究中心，不曉得要拿它幹什麼？ 1972 年全錄的人把它裝上個人電腦，效果很好，但他們沒感覺這有什麼價值。直到 1983 年賈伯斯去參觀，看見滑鼠，回來後把它裝在蘋果的 Lisa 電腦，從此滑鼠和電腦就分不開。

華納·高樂德（Wayne Gould）是紐西蘭人，他在香港擔任高等法院的法官，1997 年他將退休時，到日本旅遊，在東京書店，無意中發現一種數字矩陣的填字遊戲叫「數獨」。

「數獨」的玩法很簡單，就是以 1 ～ 9 九個數字，把大正方形裡的空格子填滿，而規則就只有一個：1 ～ 9 的數字在每個直行、每一橫列，以及每個小九宮格裡，都只能出現一次。

想解開「數獨」，不需要計算，也不需要上課，只要動一下腦筋，利用邏輯推理出答案。這種遊戲趣味性高，又能開發大腦潛能，適合各年齡層玩家。「數獨」規則雖然簡單，卻有萬千的變化，你不用擔心很快就會玩遍所有模式。

高樂德一玩，自己就上了癮，於是花了六年，編寫電腦程式，製造「數獨」的題庫。然後他向英國泰晤士報投稿，在 **2004 年 10 月 18 日**第一次刊出，很受歡迎，其他報紙也來邀稿。再利用網路傳播，玩「數獨」，快速席捲全球。

其實數獨起源於拉丁矩陣 Latin Square，1975 年第一次

出現在美國的《戴爾的鉛筆與填字遊戲》Dell Pencil Puzzles and Word Games 這本雜誌的 5 月號，是一位退休的建築師霍爾‧格昂斯（Howard Garns）發明的。再從美國傳進日本，1984 年由鍛治眞起命名為「數獨」，意思是每一個格子只能有一個獨立的數字的限制。

　　鍛治眞起創立一家叫 Nikoli 的出版社，專門研發、出版各種數字遊戲。並且他堅持要「原創」，就是說每一則都是人想出來的，用手工做的，絕不重複。而電腦程式的題庫，不但失去原創精神，而且不「美」。什麼意思？

　　因為透過人的設計，不只是每一個空格要填上唯一的數字，題目做完，畫面會有數字的對稱、特殊排列規則、或不同的數字組成的圖案。它含有「藝術」的成份和美感，不是純粹的填數字遊戲，所以比電腦程式設計的，更具巧思與挑戰性。

　　而設計「數獨」的人，如同柔道、劍道、棋道、茶道，還有等級之別，厲害的是黑帶級，這個級別的才能出書，才能與讀者相會。

　　所以他們鄙視電腦之作，認為那不是藝術。因此真正的玩家不能不講究。一定要玩 Nikoli 的「數獨」，這才是正宗。就像米其林餐廳和麥當勞速食的差別。

● 「數獨」是出自鍛治真起的命名，他堅持原創，每一則數獨都是有作者手工設計，境界遠遠高出電腦排列。

10.19 返家十萬里

世界上有兩種人，一種是有翅膀的，一種是沒有翅膀的。有翅膀的人拼命想飛；但是沒翅膀的人以為他們有神經病，因為沒翅膀的人看不見別人的翅膀。

比爾‧利胥曼（Bill Lishman）是個有翅膀的人，他是發明家，也是藝術家，他非常愛好「飛」，愛好開著輕航機在天空遨遊。他一直有個夢想，就是「跟鳥一起飛」。

有一天，他想到現代動物行為學之父勞倫斯（Konrad Lorenz）的「印記」Imprinting 學說，就是當鵝蛋孵化，小鵝破殼而出時，如果小鵝第一眼看到的是勞倫斯，那小鵝就會以為勞倫斯是牠的媽媽，往後不管勞倫斯走到哪兒，小鵝都會跟在他的屁股後面跑。

所以利胥曼想如果他能夠變成野雁的媽媽，他可不可以教會小野雁飛？他能不能帶著小野雁飛過南遷的路線？教會牠們如何遷徙？牠們會不會再飛回來？

如果成功，他就可以幫助許多因故沒有南飛的候鳥，好像說母鳥在中途死亡，沒有媽媽帶領小鳥飛。這樣對復育瀕臨絕種的候鳥有決定性的作用。因為我們可以用人工的方法，保證把候鳥的蛋孵出、養大，但如果沒有人當鳥媽媽，來教會這些幼鳥如何遷移，那麼候鳥們只能養在動物園。如同我們可以繁殖熊貓，但要讓熊貓野放，成功機會就不高。

利胥曼找到另一個有翅膀的人——多夫（Joe Duff），他們倆先利用「印記」理論，變成一群加拿大野雁的媽媽，然後利用駕駛輕航機，教會野雁跟著他們飛上天。

　　不過他們發現輕航機的速度太快，長程飛行時，小雁跟不上。於是，他們把輕航機的機翼縮短，改用馬力較低的引擎，使輕航機保持在二十五到二十八英里，跟加拿大野雁的飛行速度一樣。

　　1993 年 10 月 19 日，利脣曼和多夫駕著兩架輕航機，兩個野雁媽媽帶領三十六隻野雁，從加拿大安大略省出發，沿著野雁南飛的路線，平安飛到美國維吉尼亞州。這是人類第一次教鳥飛、帶鳥飛，成功帶領候鳥遷移。對於保育動物有很大的貢獻。

　　最感人的是，第二年野雁會自己成群飛回來，不需要「媽媽」帶！

　　這段真實事蹟，後來被好萊塢拍成電影，片名就是《返家十萬里》。

●利脣曼和多夫駕著輕航機，帶領候鳥南遷。

10.20 沒有不可能

　　我們現在以為「理所當然」的東西，在發明之初，招來的前三大反應是「不可能」、「不可能」、「不可能」！

　　「諾曼，我跟你說，我今天聽到一個『芝麻開門』！」

　　「柏南得，這有什麼好興奮？你小時候沒有聽過《阿里巴巴與四十大盜》的故事？」

　　「我這是比喻，好嗎？我說的是，我們有機會可以挖到寶藏。」

　　「什麼寶藏？趕快說！」

　　「你每次去超市等結帳時，是不是等很久？」

　　「對，而且還常打錯！」

　　「今天有個連鎖店的老闆來找我們教務長，希望學校幫忙發明一套系統，能夠讀取每樣商品的標籤。」

　　「這樣就不用人工一樣一樣的打價錢，快又不出錯！」

　　「對啦！你說這是不是好點子？」

　　「當然是，你的教務長有什麼反應？」

　　「他說『不可能』！」

　　「那連鎖店老闆怎麼說？」

　　「他說這已經是第三個人跟他說『不可能』！」

　　「他遇到三個豬頭！如果我們能發明這套商品辨識系統，那我們就發財了！」

　　「對，你說這是不是『芝麻開門』？」

　　柏南得‧席瓦（Bernard Silver）和諾曼‧伍得藍（Norman Woodland）都是就讀於費城卓克索理工學院（Drexel Institute of Technology）的畢業生，當時席瓦是研究生，伍得藍已經在學校教書。兩人決定合作來「挖寶」，他們一開始想用可感應紫外線的感光墨水，不但效果不好，成本也太高，而且墨水很快就褪色。

然後伍得藍辭掉在卓克索理工學院的工作，回到他祖父在佛羅里達的家，以便全心研發。他受到「摩斯密碼」啓發，把點與線往下延伸，變成窄線和寬線，並且製造出一台可以讀取寬窄線的機器。

1949 年 10 月 20 日，伍得藍和席瓦正式申請專利，他們發明以圖形辨識商品的分類法，就是今天我們處處看到的「條碼」。

這對「條碼二人組」以爲這下芝麻開門挖到寶，誰知道挫折才要來襲！光是專利核准，就足足等了三年才拿到。這時伍得藍已經在 IBM 工作，他想說動 IBM 的頭頭，將他的發明商品化，結果頭頭對「條碼」的反應是「不可能」、「不可能」、「不可能」。

伍得藍和席瓦把錢都耗乾了，只好在 1952 年把專利賣給一個電器廠 Philco。這家公司居然在花錢買來以後，感覺「不可能」，又把專利賣給美國無線電公司 RCA，同一年就轉手三次。

就這樣「條碼」擺在 RCA，又過了十七年，到了 1971 年 RCA 才開始搞出名堂，這時 IBM 怕 RCA 獨佔這塊餅，決定加入戰局。

妙的是，伍得藍這時人還待在 IBM，而且原來的「條碼專利」已經過期了。於是 IBM 指派他主管一個部門，全力開發「條碼」。

1973 年 4 月 3 日，伍得藍新開發的條碼 UPC，正式在商業啓用。第一個貼有條碼，經過掃描機完成結帳的商品是一包箭牌口香糖。這包口香糖現在保存在美國國立歷史博物館，展示給人們觀看。

條碼成功時，挖寶二人組的席瓦早在十年前就已經去世；而且因爲專利已經賣掉，伍得藍也沒有賺到。

芝麻眞的打開大門，但寶藏被別人搬走了。最後，最沒有眼光的公司賺到最多錢！

幸好，伍得藍在 1992 年由布希總統頒贈「國家科技成就獎」，成就總算沒有埋沒！

● 伍得藍是條碼的發明人之一。

10.21 失敗的價值

如果把「成功」比喻為堆金字塔，那麼「失敗」就是堆起金字塔的每一塊磚，它讓我們更接近成功。但是如果我們中途停下來，所有的失敗就白費了。

1879 年 10 月 21 日，在經過一千六百多次耐熱材料和六百多種植物纖維的實驗失敗後，愛迪生和他的門洛帕克實驗室團隊，終於找到用竹炭絲為材料，製造出能耐用四十五小時的電燈泡，從此世界的夜晚走向大放光明。

電燈剛發明出來時，雖然通電會亮，但很快就燃燒到白熱化，亮一下就滅了。愛迪生第一個想到的是炭，他把炭絲裝進燈泡中，可是一通電也是馬上燒盡。他又想到燈泡中有空氣，氧氣會助燃，所以他把燈泡中的空氣抽掉，如何？結果好多了，一通電沒燒盡，但只撐了八分鐘。然後他改用白金，撐了二小時，但白金太貴，開燈比燒錢還兇。接著試用鋇、鈦、銅……搞了一千六百多種耐熱材，都沒有白金好。

這也不行，那也不行，怎麼辦？這時門洛帕克實驗室所在的紐澤西，已經進入冬天，愛迪生在爐火旁看著燒得火紅的炭，思考還有什麼比炭更好。坐久了，炭火溫度高，愛迪生把圍巾拿下來，看到棉紗織的圍巾，想：棉紗的纖維比木頭好，能不能用棉紗？反正不行再試就是，他從圍巾上扯下一根棉紗，在爐火上慢慢烤成焦炭，然後小心翼翼把這根炭絲裝進燈泡，怎樣？居然可以撐十三小時，於是他開始轉向植物，試了六百多種植物纖維，連馬鬃、豬鬃、人髮都試過，最後用竹子做成竹炭絲，撐到四十五小時。

　　但四十五小時的使用時間還是太短，而且竹炭絲不好大量製造，達不到商業化的標準。最後在 1908 年終於用鎢絲實驗成功，燈泡壽命可以達到一千二百小時！

　　他同時研發出並聯電路、保險絲、絕緣體、銅線電網和穩定的變壓器、發電機。建立了全套電力網，使電燈普遍被使用。所以認真講，電燈不是他發明的，但是因為他，大眾才能日常使用，所以他「發明了電燈」。

　　愛迪生真正厲害的是在 1876 年建立了門洛帕克實驗室（Menlo Park Lab），網羅一百多位各類科學專才，集合眾人智慧，分工合作成為一個「發明工廠」。而實驗室所發明的權益都歸老闆愛迪生所有，所以他能擁有超過二千項發明，一千五百項專利，成為「發明大王」。是的，他是大王，底下還有一群強兵猛將！除了電燈，還有留聲機、複印機、電影放映機……改變人類的日常生活。

　　他之所以能有如此巨大的成功，關鍵還是在他對待失敗的態度，他說「失敗也是我需要的，它和成功一樣對我有價值，只有在我知道一切做不好的方法以後，我才知道做好一件工作的方法是什麼！」

● 創辦「門洛帕克實驗室」使
　愛迪生成為發明大王。

● 位於福特博物館內「門洛帕克實驗室」
　的還原。

10.22 原則

諾貝爾文學獎是寫作的最高榮譽，有沒有人得到了這項榮譽，卻拒絕接受它？

只有一個，那就是「存在主義」大師沙特。

1964 年 10 月 22 日，瑞典神學院宣布諾貝爾文學獎頒給沙特創作的《詞語》。得獎的理由是沙特「充滿自由精神和探求真理的創作，已經對我們的時代產生巨大的影響。」

消息傳到法國，舉國歡慶，可是沙特自己卻心靜如水。他刻意避開媒體的追逐，和女友西蒙波娃到一間小餐館吃午餐，用過扁豆鹹肉後，接著吃起司，中間他抽起菸斗，然後寫下了他「謝絕」諾貝爾文學獎的聲明。

沙特的理由有個人方面的，他一向謝絕來自官方的榮譽。二戰後，政府要頒勳章給他、法蘭西學院要授予他院士頭銜。他都謝絕。

因為他認為任何「榮譽」都會對讀者產生一種壓力，一本書是「沙特著」或是「諾貝爾文學獎得主——沙特著」，那絕不是同一回事。作者應該用純粹的文字來行動，不應該摻入其他東西。

而且沙特當時同情委內瑞拉的革命游擊隊，他怕他的政治態度會牽扯「諾貝爾獎委員會」。他強調這是他「個人」的態度，絲毫沒有指責過去的得獎者，他非常尊敬他們，也以認識其中某些得獎者為榮。

還有客觀的理由，當時是冷戰時期，存在東西文化戰線的衝突。他個人生於資產階級的家庭，也在資產階級的文化

中成長。但他的情感傾向社會主義，所以他算存在於兩種文化的矛盾中。他感覺諾貝爾文學獎偏向西方資產階級觀點，他不適合這個獎。但如果是社會主義陣營頒給他「列寧獎」，他也不會接受。

最後談到「獎金」，這筆獎金很大，他很想拿這筆錢去援助像南非的種族平權運動。但這樣他就會被「機構化」，不論東方西方的機構，他都不該接受。他更不能為了巨額獎金，放棄他的原則。

沙特這出乎人們意料的舉動，有人稱讚，有人嘲弄，更多的是疑惑。記者當然盯著沙特不放，整天圍在他家周圍。他越不講話，記者越來勁。逼得他不得不再說幾句：

> 我希望我寫的書，能由那些想讀我的書的人來讀。而不是由沽名釣譽的人來讀。我拒絕榮譽頭銜，因為這會使人受到拘束，我一心只想做個自由人。一個作家應該真誠的做人。

說完他揮了一下手，表示結束。但是記者趕不走，沙特要進家門前，回過頭來，語帶雙關的說了一句：

> 我不希望自己被埋葬！

這樣講，夠清楚了吧？不行，媒體有更多揣測。有人說沙特太驕傲；有人說是故意做這種動作來炒作，還有人說他是怕西蒙波娃不爽，不得不拒絕……。

其實沙特之前就已經聽到風聲，他有可能得諾貝爾獎。所以他在 10 月 15 日就寫信給瑞典神學院的院長，解釋他的立場，希望不要把他列入候選人。

沒想到院長 14 日就去渡假，所以沒有收到他的信。就

● 法國哲學家、文學家沙特，是存在主義的
代表人物。

算收到，諾貝爾獎從來不事先徵求候選人的同意。所以沙特得獎了。

沙特的標準很高，但他的高標準是用來「律己」，而不是用來「待人」的。這就是一代大家，不同凡俗的地方！更是汲汲營營之輩，不可及也望不到的所在！

● 沙特與西蒙波娃站在巴爾札克紀念碑前。

10.23 義無反顧

那些以為自己是上帝的選民，別人是豬的人。不知道一隻公豬和一隻母豬，生下達文西，生下了愛因斯坦、甘地、金恩、曼德拉。

1945 年 10 月 23 日，傑基・羅賓森（Jackie Robinson）正式與道奇隊簽約，先待在小聯盟磨鍊球技，等待登上大聯盟的日子到來。一年半後機會終於來了，1947 年 4 月 15 日，他首次穿著布魯克林道奇隊 42 號的球衣，站上大聯盟的球場。羅賓森是個罕見的全能球員，除了投手、捕手外，他每個位置都能守。第一年他就贏得年度新人王，並且幫助道奇隊打進總決賽，雖然被洋基打敗，但洋基隊史上最偉大的捕手尤金・貝拉（Yogi Berra）就預言：「道奇隊有了羅賓森，我們以後將與他們有無數次的決戰。」

1949 年他得到國家聯盟最有價值球員獎，1955 年果然貝拉的預言成真，道奇打敗洋基，這不只是道奇隊在總決賽第一次打敗洋基，也是道奇成軍七十三年來第一次得到世界大賽冠軍盃。羅賓森的表現如此亮眼，但他第一次站上一壘手的位置時，一點兒也不風光，觀眾對他叫囂，用髒話侮辱他。為什麼？因為他是「黑人」。

美國的職棒原來是種族隔離，就是黑人跟黑人打，白人跟白人打，不可以混在一起。羅賓森是第一個站上大聯盟的黑人球員。

回到球場，不只觀眾會大聲辱罵、嘲笑羅賓森，對手的球員也當他是透明人，就連隊友也有人不屑。有一次，當

羅賓森守二壘時，游擊手李斯（Pee Wee Reese）看到羅賓森臉色凝重，故意走過去，搭著他的肩膀，跟他說悄悄話。沒有人確切知道李斯跟羅賓森說什麼？只看到羅賓森露出一絲笑意，整個人不再緊繃，身手表現更佳。傳說李斯對他說：「傑基，你一定是大聯盟最傑出的球員，你一定會進名人堂。不要管那些豬在說什麼！」

現在在紐約布魯克林，立著一座雕像，刻的是一個棒球員手搭在另一個棒球員肩上，就是紀念羅賓森的堅忍不拔、李斯的道德勇氣，這珍貴友誼的一幕。

羅賓森的壓力不只在球場，球場下很多旅館不准黑人進餐廳和白人一起吃飯，隊友還要偷偷拿食物給他。有些地方的警察不想讓他進球場，或是想趕他出場。三 K 黨揚言要殺他，有的球隊甚至揚言，有他就要罷賽。

但有邪就有正，有道德勇氣的不只李斯一個。道奇隊總經理瑞奇（Branch Rickey）就力挺他，不顧種族歧視的壓力，延攬羅賓森入隊。而且發現隊員中，誰顯露歧視羅賓森的態度，立刻把他交易出去。還有紐約《國際先鋒論壇報》的運動版編輯伍華德（Stanley Woodward）也是他的支持者。當他得到聖路易紅雀隊準備罷賽的消息時，立刻在報紙揭發。事件曝光後，國家聯盟的主席佛利克（Ford C. Frick）毫不遲疑，強硬的表示：「如果紅雀隊敢罷賽，我不在乎會不會有半個聯盟都罷打。哪個罷打，哪個以後就禁賽。這裡是美國，任何公民都有打球的權利。無論怎樣，聯盟都會和羅賓森站在同一邊！」

1987 年，美國大聯盟的年度新人王獎項改名為「傑基・羅賓森獎」。

1997 年，爲了紀念羅賓森進入大聯盟五十週年，全大聯盟三十支隊伍，所有球員的球衣，都繡上了「傑基・羅賓森50」。

從此規定羅賓森的 42 號球衣，永遠留給羅賓森，新進球員的球衣都不再有 42 號。

耶穌說：「當有人打你的右臉，你把左臉也迎上去讓他打。」羅賓森在球場上，被羞辱從不還口，只用他的傑出表現來回應，他的忍耐、毅力、意志都值得讚揚與學習。

但耶穌沒有說：「你看到有人的右臉被打，你不要動，等著看人家的左臉也被打！」

耶穌看到有人要用石頭打婦人，祂就挺身而出。

是的，游擊手李斯、總經理瑞奇、主席佛利克，才是眞正行耶穌的路，做耶穌的事，有道德勇氣的眞英雄！

● 第一位大聯盟黑人球員
傑基・羅賓森

10.24 不可思議

　　平凡的人在偶然的時機，可能成為非凡事件的主角。而主角個人的命運其實是利益在機遇和計謀驅使下的結果。

　　伯納‧布爾希科（Bernard Boursicot）出生在法國平凡的小鎮，父親是一個平凡的裁縫，他的學歷很平凡，高中都沒念完。**1964 年 10 月 24 日**，二十歲的伯納來到中國，成為法國駐北京大使館的平凡會計和打字員。

　　1964 年聖誕節的前夕，他在法國大使館的晚會上，遇到一個穿著中山裝、留著短髮、皮膚柔細、眉清目秀的「人」，因為這個人外表像俊俏的男生，但舉止言談又極像女生。

　　不光是他的外表引起伯納的注意，更直接的原因是，這個人能講流利的法語，還有一個非常女性化的名字，叫「時佩璞」。他是北京青年京劇團的演員，主演旦角，也是編劇兼團部書記。伯納被時佩璞的談吐深深吸引，兩人相約，時佩璞願意做伯納的中文家教。

　　有一天，時佩璞對伯納說：「我的母親在生下兩個女兒後，祖母說如果她再不能生出男孩，就要為我父親納妾。所以當母親生下我後，父母就向祖母撒謊，說我是男孩，從此我就被當成男生養，其實我是一個女孩。」伯納聽得神魂顛倒，從此進入一個「天方夜譚」。他看著時佩璞在舞台上百媚千嬌，掉進了情網，如癡如醉的愛上時佩璞。

　　1965 年 7 月 14 日，他們發生了性關係。時佩璞讓伯納相信，中國有一個特殊的階層，存在含蓄的性文化，女子不能褪卻衣衫，並且一切都必須要在黑暗中進行，否則就是一

種羞辱。這話我們聽來好像很可笑，可是伯納當時面對的中國，是非常封閉的，而銅板的另一面就是非常「神秘」。加上伯納只有二十歲，少不更事，完全沒有過性行為。而且……而且時佩璞在事後，褲子上帶著血跡，使伯納更加相信他愛的是一個「奇特的女子」，一樣因愛為他付出。

1965 年底，伯納被調往中東，時佩璞在分離時告訴他，她已經懷孕了。這更加深伯納對她的歉疚和愛戀，他下定決心一定要回到中國。四年後，伯納果然被調回北京，他下飛機後才兩天，就在北京近郊找到時佩璞的住處。

久別重逢，兩人深情重燃，時佩璞拿出一張四歲男孩的照片，是一個可愛的混血兒，說這就是她與伯納的兒子時度度，她告訴伯納，她是如何躲過文化大革命的批鬥，如何生下孩子，如何保全性命……過程艱險辛苦。伯納正在悲喜交集時，忽然一群人擠進時佩璞房間，原來伯納這次調職在法國大使館，擔任文書檔案的收發官，所有重要的外交文件都要經他的手。中共要求他做間諜，為中共盜取情報，要是他不答應，便不讓他看兒子，時佩璞也會很慘。

伯納在愛情、親情的交逼下，掉進陷阱，成為中共的間諜。固定把經手的重要文件，藉外出與時佩璞見面時，交給中共人員影印。這樣過了三年，伯納又將被調走，中共為了酬謝他，要給他一大筆錢，但伯納拒絕。他感覺他只是幫中國了解世界，因此他離開時，被中共視為英雄。

之後，伯納和時佩璞斷斷續續的維持聯絡，而在 1977 年伯納又被調去蒙古共和國的大使館。他趁著休假的時間，到北京和時佩璞、時度度母子見面，當然也帶情報給中共。後來伯納又被調去南美洲，才中斷了間諜工作，但他仍保持

和時佩璞的聯繫。

　　1982 年 10 月，時佩璞因中法交流活動，來到巴黎。這時伯納便從南美回巴黎與她相會，但他不知美國中央情報局已向法國舉報伯納是間諜。他在 1983 年 6 月 30 日被捕，時佩璞也以間諜嫌疑被拘捕。審訊她的情報官還以為是在審訊一個穿男裝的「女子」。結果時佩璞被移送到檢查官處時，他們為了確定她是男？是女？強行檢查下體，時佩璞抵死反抗，還像女人一樣咬傷醫生。最後確定「她」是個「男人」，只是他陰莖內縮，外表幾乎看不出來，陰囊也萎縮，有點看似女人的陰部，但確實有睪丸，確實是男人沒錯。

　　這個案子轟動法國，裡面牽扯間諜、性別錯亂、愛情、謊言 …… 都是最八卦腥羶的話題。伯納和時佩璞都因間諜罪被判刑六年，伯納在一次和時佩璞單獨相見時，滿腹疑惑的問：「你為什麼要騙我？」時佩璞只淡淡的回答，一切都是上面的安排。而且脫下褲子，讓伯納清楚看明白他是男人。

　　這時伯納第一次看清時佩璞的身體，這一刻他陷入崩潰，他一生愛的女人是男人，他以為的兒子是中共安排貌似混血兒的維吾爾族孤兒。伯納終於受不了羞辱、懊悔，在獄中用塑膠刮鬍刀割喉自殺，但沒成功而獲救。

　　時佩璞在中國的壓力、關說下，不到一年獲得特赦。他居然沒有被驅逐出境，而留在巴黎，還成為巴黎文化界中國文化圈的名人，一直到 2009 年 6 月 30 日才過世。伯納呢？他出獄後，當然想隱身在茫茫人海，但他的故事被改編成舞台劇在三十幾個國家巡演，甚至在 1994 年被好萊塢拍成電影《蝴蝶君》，由尊龍和傑里米艾恩斯主演。這下伯納不可思議的命運不屬於他個人，他連隱藏自己的自由都失去了。

伯納接受訪問時，自嘲的說：「我想我是上個世紀，最蠢的故事男主角吧！」一個人失去愛人、失去孩子、失去隱私、失去信任，還要面對各方的嘲弄、羞辱、質疑，卻仍要保持坦然，實在令人鼻酸。

伯納有什麼錯？不過是太過天真、純情。一切奇怪的命運在第一分、第一秒都是在利益的設計中，他不過是一個被擺弄如在迷宮的白老鼠。我們能嘲笑他嗎？

●時佩璞和伯納一同出庭受審。

●京劇演員時佩璞

10.25 你不知道有多危險

每次聽到什麼專家說「這個出錯的機率只有百分之一」，「那個危險的機率只有千萬分之二」，我就頭皮發麻。不會是萬分之幾？千萬分之幾？其實數字都是假的，真實的是數字是 50、50，就是要麼出錯，要麼不出錯。就跟你買彩券一樣，中獎機率對莊家有意義，對我們而言，只有中獎，跟不中獎而已。

1962 年 10 月 25 日，美國威斯康辛州沃克空軍基地（Volk Field）的警衛，看到一個鬼鬼祟祟的人影試圖翻過圍牆，他擔心可能是蘇聯的特工！為什麼他會這樣想？因為 1962 年 10 月 14 日發生「古巴危機」，美國和蘇聯此時正是劍拔弩張的時刻，所有人都感覺隨時會爆發第三次世界大戰。所以這個衛兵當然不敢大意，於是他按下警鈴，發出警告，可能有人意圖闖入。好，問題是他按下鈴後，連到基地內響起來的警報，是錯的，是通知第三次大戰開打的警報！這下不得了，美國所有的核子武裝全數出動，B-52 轟炸機升空，核子潛艇進入作戰位置，當核子導彈要進入運送程序時，終於有人發現不對，緊急喊停。

後來查出來，原來衛兵看到的蘇聯特工，其實是一頭熊，一頭好奇的熊想翻過圍牆來瞧瞧。在越緊張的時候，越容易看到黑影就開槍，你一開槍，對方只好也開槍。這槍可是核子彈啊！差點兒因為一頭好奇的熊，毀了全世界。這怎麼能怪熊？千錯萬錯都是人會出錯。這是意外，如果不是意外呢？

　　第二天，10 月 26 日，加州的凡登堡（Vandenberg）空軍基地，往太平洋發射了泰坦 2 型火箭，方向都對著蘇聯。

　　為什麼？誰叫他們這樣做？當時沒有人下令，演習是沒發生古巴危機前幾個月就排好的，所以是例行演習。只是古巴危機後，沒有人下令取消，所以他們按表操課，依規定辦事，就把火箭打出去。如果蘇聯人稍稍敏感，以為是美國要先發制人，那……那這一天就是世界的毀滅日。

　　你說這種疏忽很少發生，對不起，當天下午，另一個 Cape Canareral 基地，照久久之前的原定計畫，進行了飛彈發射演習！天啊，他們到底知不知道現在是什麼時候？你現在知道當美國總統三軍統帥有多可怕了吧！一天發射兩回飛彈，幸好蘇聯人沉得住氣！

　　更恐怖的還有，1961 年 11 月 24 日，美國預先警告雷達站和戰略空軍指揮部 SAC 的通信電路忽然故障，SAC 發現狀況，改用備用線路聯絡也不通。於是他們用民間的線路來聯絡，也無效。SAC 判斷，一定是蘇聯先發制人摧毀所有雷達站，先使你失去耳目，再來解決美國。他們立刻發出警報，結果在十二分鐘內，所有的戰略轟炸機都升空，只等總統一聲令下，就要讓蘇聯消失在地球表面。

　　幸好一架 B-52 轟炸機的飛行員，飛過其中一個雷達站時，發現雷達站好好的，一點煙也沒冒，完全沒有被攻擊的跡象。緊急回報，才使所有人冷靜下來，撤回行動！

　　追查後才知道，其實就是科羅拉多的中繼站有一顆變壓器過熱，結果切斷所有線路。

　　這讓我想起阿姆斯壯登陸月球回來後，記者問他踏上月球時「怕不怕？」，阿姆斯壯說：「當然怕，像登月小艇有一

萬兩千多個零件，只要有一個小零件出問題，我們就可能回不來。你知道嗎？這些零件都是最低標的廠商得標的啊！」

你說那是以前，現在已經吸取教訓改善了吧？再講一個故事讓你害怕！

1980 年 6 月 3 日半夜 2 點，美國防空司令部 NORAD 值夜班人員發現異狀，雷達螢幕上平常顯示「零枚導彈接近中」的地方，突然出現「二枚導彈接近中」，然後「嗶」的一聲，螢幕上顯示有「二百二十枚導彈接近中」！

每個裝備都響起警報，又是進入緊急狀態，核子導彈進入發射預備。白宮安全顧問布里辛斯基（Zbigniew Brzeziski）被叫醒，他正要去叫醒卡特總統。老天有眼，這時螢幕上的導彈突然全部消失，又歸零，行動緊急取消。

三天以後，他們查出兇手，是一個電腦晶片品質不佳，突然功能異常，才造成錯誤的顯示。那一小塊晶片值多少錢？報價只有四十六美分，就是不到五毛美金！

怕不怕？是不是我說的機率是一半一半？

這個世界現在還沒有毀滅，真的要感謝蘇聯，幸好他們沉得住氣，再不要說都是蘇聯的錯了！

10.26 醜小鴨變天鵝

搭錯車，不怕；下對站，就好！

1822 年 10 月 26 日，哥本哈根附近的一所語文小學校，來了一個叫漢斯的新同學。他準備從一年級開始讀，學生們都瞪大眼睛看著他。為什麼？

因為他已經十七歲了，而這所學校學生的平均年齡只有十一歲。漢斯要跟七歲的小朋友一起上學，他瘦瘦高高活像一隻鸛鳥，站立在一群淘氣的企鵝堆中。

孩子們先是驚奇，接著就是嘲笑他、捉弄他。漢斯是大人了，他不能跟小孩一般見識。但孩子雖小，他們不友善的語言，還是像針一樣刺痛他敏感的心，讓他想起童年。

漢斯的爸爸是個補鞋匠，他會給漢斯做木偶玩，漢斯常把幾個木偶擺在一起演戲，所以雖然家境貧窮，但是漢斯不感覺苦。

他八歲的時候，發生戰爭。爸爸被徵兵上了戰場，打了兩年仗，幸運的活著回到家。不幸的是爸爸得了病，窮人家生病是沒錢醫的。所以漢斯十歲時，爸爸就在大雪紛飛的日子，離開人間。

漢斯的媽媽不認得字，唯一能做的事就是替人洗衣服來討一口飯吃，再辛苦也養不活兩個人，更別說讓他去上學。萬般無奈，只好送孩子去做童工。

工廠的工作很重，環境又差，十一歲的他常常幹得頭昏眼花。有一天，他實在透不過氣，恍惚中唱起歌來。沒想到他有唱歌的天份，所以工人們就不讓他多做工，要他唱歌給

大家聽，在勞苦、沉悶的工作中，稍稍尋求一點安慰。每個人都說他應該去做演員，讓一向害羞的他，升起一股莫名的自信。

所以，當媽媽要安排他去做裁縫的學徒，漢斯不要。

十四歲的他帶著一點錢和心愛的木偶，離開鄉下到哥本哈根闖天下！

他一到哥本哈根，就跑到皇家劇院毛遂自薦要當演員。劇院經理打量了他一下，說：

「你長得太瘦了，你這樣瘦巴巴的要演戲，會被觀眾噓下台的！」

「這個容易，只要給我一個月一百塊的薪水，我很快就會把自己養胖！」漢斯說。

「你是白癡，還是以爲我是白癡？尋本大爺開心啊？」經理揮手叫他滾蛋。

漢斯想去舞蹈學校拜師，可是學期已過。他手頭上錢很緊，便找機會打零工。可是不管他去哪兒，總是被人譏笑他那一口的鄉下土音。他表面好欺負，心裡可是有熊熊怒火。氣不過，只好離開，換地方打工。在他換東換西，前途茫然之際，看到報上登出義大利的歌唱家西博尼（Giuseppe Siboni）要在哥本哈根辦歌唱學校，他想到工人夥伴們給他的鼓勵，便不顧一切闖進西博尼的家，人家正好在辦宴會。好奇的賓客聽了他的故事、他的夢想，又聽了他的歌聲，大受感動。紛紛慷慨解囊，合力送他進西博尼的歌唱學校。

他如願進了學校，沒想大雨剛過，洪水又來。可能是生病，也可能是青春期來臨，他的聲音變了，歌喉失去原有的甜美。同時他也發現自己並沒有跳舞和演戲的才能，他不可

能成爲舞台上的明星。

那麼幕後呢？他努力閱讀莎士比亞、歌德的劇作，立志成爲劇作家。

1882 年，他寫了一部劇本，送到皇家劇院。劇院的舞台指導發現，劇本裡句子的語法有很多錯誤，一看就知道寫的人沒有受過良好的正規教育。可是再一看，其實劇本的故事非常生動，不時有精采的對白。

於是舞台指導便請劇院的財務顧問瓊斯・古林（Jonas Collin）幫忙，古林爲他申請了一筆皇家獎學金，依照他的程度，送他來到這所「斯萊格斯」Slagelse 的語文小學就讀，把基本的語文學好。這就是十七歲的漢斯，爲什麼來讀一年級的緣由。

漢斯雖然有文采，已經能寫劇本。但也許是過了年紀，就是搞不定基本的文法。考試的成績都是勉強通過，當然也可能是他對學習拉丁文繁複的文法，感到呆板又無聊。所以學習得很痛苦，校長也很討厭他，總是要他留級。

最後他讀了五年，離開學校，但沒有拿到文憑。他自己請了一個家教，終於通過大學考試，但他也沒有去讀。

他拼命的寫，忘情的創作。他的詩很受好評，劇本也很受歡迎，場場賣座。他終於掙脫了「醜小鴨」的命運，成功的開創不同的命運。

而真正讓他飛上天空，成爲美麗的天鵝，是他爲孩子寫的「童話」。他的童話故事改變後來所有孩子的童年！是的，他就是漢斯・安徒生（Hans Christian Andersen），他共創作了168 篇不朽的「安徒生童話」！

● 童話大王安徒生

當然，安徒生最該感恩的人是古林，如果沒有古林給他長期的金錢贊助，安徒生不會有穩定的環境來創作。還有古林的兒子愛德華·古林（Edward Collin），安徒生的手稿都是由他幫忙校正，修正文法的錯誤。

● 丹麥皇家劇院財務顧問古林

10.27 冷靜

　　古巴危機是美蘇冷戰的最高峰，美國要求蘇聯撤除在古巴佈署的飛彈，為了表示決心，甘迺迪總統下令封鎖古巴。蘇聯的赫魯雪夫回應「封鎖」等於「入侵」，拒絕妥協。美國升高戰備，六十架 B-52 轟炸機攜帶核彈頭，保持升空待命，航母、潛艇全數出動。蘇聯也不甘示弱，除了在古巴架起導彈發射架，攜帶核子彈的潛艇也向美國挺進。眼看冷戰要變「熱戰」，核戰一旦開打，人類可能要就此毀滅。

　　在汽油貯存槽旁邊，一個菸蒂就會造成大爆炸。尤其在情勢緊繃時，更容易擦槍走火。越緊張越容易失誤，越失誤就越加緊張。

　　根據最新的蘇聯解密檔案，最致命的走火處是在加勒比海的深處。

　　1962 年 10 月 27 日，蘇聯 B-59 號潛艇在加勒比海被美國艦艇困在水下，已經過了四十八小時，無法浮出海面換空氣，潛艇有點老舊，艙內溫度高達攝氏 50 度，加上柴油發動機的廢氣，船員都像活在壓力鍋中，被熱得頭昏腦脹。

　　最糟糕的是，他們和莫斯科失去聯繫二十四小時，搞不清楚外面的情況，壓力、悶熱、緊張、恐懼，偏偏這時火上加油，他們聽見潛艇上方有巨大爆炸聲，連續五次。

　　「啊，是美國人在丟深水炸彈嗎？」船長薩維斯基（Valentin Savitsky）想：「該不是打起來了吧？那麼第三次世界大戰就要……」

　　他還沒想清楚要如何應變？又傳來連續五次爆炸聲。

美國人是要擊沉蘇聯潛艇嗎？不是，他們只是要鎖定潛艇的位置，把它困住。為了避免誤會，美國國防部長麥克納馬拉（Robert McNamara）還特意通知蘇聯，封鎖古巴的行動，美國對蘇聯潛艇投擲的深水炸彈，都是會響不會炸，無害的空包彈，只是要告訴你，我知道你在哪裡，別想亂跑噢！

問題是薩維斯基和蘇聯失去聯絡，他不知道這是空包彈。莫斯科也不知道為什麼會和薩維斯基失去連絡？可怕的是美國不知道這艘潛艇上面有核子導彈！

按照蘇聯規定，潛艇上有一名安全官，只有他知道啟動核導彈的密碼，當艦長收到莫斯科的命令，和參謀長確認，才能要求安全官安裝核彈頭，發射導彈。可是這次出海前，薩維斯基接到口頭命令，要他在潛艇受敵方襲擊，潛艇被擊破前要發射導彈。現在，是什麼狀況？他該不該發射導彈？

他再次緊急聯絡莫斯科，聯絡不上。完了，是不是莫斯科已經被襲擊？艦長決定發射導彈，他下令安全官開啟密碼，裝上核彈頭。如果核彈打出去，美國在古巴附近的艦隊一定會全部摧毀，那甘迺迪只能下令報復，那赫魯雪夫只能反報復……。在千鈞一髮之際，潛艇上的參謀長阿夏波夫（Vasili Arkhipov）堅持不同意，發射核導彈需要艦長、參謀長、安全官三個說好，只要有一個不點頭，就沒辦法發射。

阿夏波夫是怎樣使薩維斯基保持冷靜？是怎樣判斷？怎樣說服？怎樣堅持？他在 1988 年過世後，當時的情況也隨之入土，變成永恆的秘密。但是不管怎樣，世界因他而免於核子大戰，他在那一天拯救了全世界。

古巴危機結束後，甘迺迪和赫魯雪夫都體認到，不可能控制所有的狀況，在美蘇複雜和緊張的關係中，隨時會在小

地方走火，而導致大災難。因此雙方多次商議，終於在 1963 年 8 月建立白宮和克里姆林宮的「熱線電話」，以避免溝通不良，導致重大錯誤。

愛因斯坦有一段話說的，越看越有道理：

任何一個有智力的笨蛋，都可以把事情搞得更大、更複雜、也更激烈！往相反的方向前進，則需要天份，以及很大的勇氣！

說的絕好吧？一個笨蛋就能攪翻天，如果是一群笨蛋，那就不可收拾了。感謝阿夏波夫，他有多高的天份，我不清楚。但他一定有超高的「勇氣」！

● 航行於加勒比海上的蘇聯 B-59 號潛艇

10.28 新奇還是怪異

　　對吸煙的人來說，聖誕節應該是 10 月 28 日。

　　1492 年哥倫布經過七十一天的航海，橫越大西洋，來到了美洲。他把登陸地命名為聖薩爾瓦多島。根據哥倫布的航海日誌，島上的人送給他們「水果、木槍和一些發出獨特香氣的乾葉子。」他們把水果吃光，不曉得那些葉子有什麼用？便隨意扔在甲板上。

　　哥倫布繼續航行，在 **10 月 28 日**到了古巴。他派了兩個水手，一個叫羅德里哥，另一個叫盧卡斯，上岸去打探情況，兩個人上岸後，看見當地人有的用大片棕櫚葉，有的用玉米葉裹著他們原先收到的黃色乾葉，捲成槍管的樣子，一端點燃，用嘴吸另一端，再從嘴巴、鼻子吐出一圈一圈的煙。當地人請他們嘗試，羅德里哥試著吸了一口。原來哥倫布收到的禮物是「煙草」，羅德里哥是歐洲第一個吸煙人。

　　羅德里哥立刻吸煙吸上癮。他回到西班牙後，當著眾人的面「吸煙」現給大家看。當他從嘴裡冒出滾滾濃煙，人人都目瞪口呆。他又吸又吐，又從鼻子噴出濃煙。人們驚呼連連，看到他這樣吞雲吐霧，以為他在搞什麼邪術？便把他抓起來，關進大牢。

　　倒霉的羅德里哥居然因此被關了七年，當他出獄時，發現人人都學會了吸煙。很多醫生還把「吸煙」當做「神藥」，認為可以治百病呢！但吸煙人都忘了羅德里哥，更不知道他為吸煙所付出的犧牲貢獻！

10.29 親愛的小王子

你可以改變命運，但不能拒絕天命。天命不會只敲一次門，它會敲到你開門為止。

一個維吉尼亞大學畢業的美國大男孩，一生沒有吃過苦。他像很多年輕人，出國做志工，藉機看看世界。他選擇尼泊爾，因為志工宣傳小冊提到「內戰」，他認為有內戰比較酷。他在酒吧裡到處找正妹談這件事：「我要去尼泊爾的孤兒院，沒錯，那裡有內戰，可能有危險，但我顧不了那麼多，我只關心那些孩子！」換來崇拜和好感。

他是康諾・葛瑞南（Conor Grennan），為了在女生面前耍酷，**2004 年 10 月 29 日**，康諾來到了尼泊爾。他受到第一個文化衝擊，是「蹲式馬桶」。第二個文化衝擊是「沒有馬桶」。但他真的不是來觀光而已，他來到「小王子兒童之家」做志工。

小王子之家的資源很少，孩子們連撿到樹枝，也玩得像手中有一把寶劍。他們熱情天真，毫無保留，對待他像上天派來的天使，或者說像天上掉下來的親哥哥。他不知道他已經變成一把琴，只有孩子來彈奏他，他才能發出快樂悅耳的聲音。

他在小王子之家待了兩個月，繼續環遊世界的旅行，跑了一年才結束。他明明想要回家休息一陣子，但他忘不了離開尼泊爾時，孩子們一直問他什麼時候回來？於是他又回到尼泊爾。

這一次回來他才清楚，小王子之家的孩子，純真的笑臉

背後，都有一個悲情的故事。尼泊爾打了十年內戰，不只奪去十萬人的生命，更毀壞了無數的家庭。而反抗皇室的毛派武裝份子，控制偏遠的山區，會強迫村民每家至少要出一個男丁，加入他們的陣營，連小孩也不放過。

這時兒童人口販子就有機可乘。他們向父母說可以帶小孩到加德滿都受教育，等長大以後，情勢穩定再送回來。否則小孩留在山區，早晚會被毛派份子抓去當兵。

但是孩子的上學、吃住都要錢啊！愛子心切的父母，眼前沒有選擇，一定會上當，常常賣牛賣田，把家裡所有的錢都給他們，把小孩託給他們。而這些人口販子把小孩帶到加德滿都後，良心沒有全被蟲啃光的，就把孩子丟到像小王子之家的孤兒院，良心全無的就逼迫大一點的孩子去做童工；小的隨地遺棄，讓他們淪為乞丐。

而小孩離家時年紀很小，有的只有兩、三歲，根本不知道家在哪裡？怎麼回家？

像小王子之家，就是國際的慈善組織成立的，除了在歐美募款，也招募國際志工，康諾就是這樣來的。可是有了小王子之家，很多人口販子更明目張膽，把小孩直接丟來。

有一回，居然一次丟來七個孩子。而小王子之家根本無力一下子收容這麼多個小孩。剛到的孩子害怕得不得了，康諾使出渾身解數，才博得孩子們的信賴。他積極奔走，好不容易找到另一個慈善團體「雨傘基金會」能收留。但他來不及送這七個孩子到新家，三個月簽證到期，只好回去美國。

他以為回到美國，事情過去了，就會成為人生的回憶。他開始找工作、找樂子、找女朋友。結果有一天，他收到志工的消息，雨傘基金會沒收到那七個孩子。這七個孩子在半

途，又被人口販子載走，命運未卜。康諾這下待不住了，他決定回去尼泊爾，把七個孩子救回來，這是他的「責任」。

他先在美國籌錢，一邊募款的同時，他決定不只要把孩子找回來，還要把他們「送回家」。

2006年9月，康諾第三次來到加德滿都，他的目標明確，希望渺茫。但意志堅定，這是他的天命。長期努力下，一個奇蹟接著一個奇蹟，他和志工夥伴居然把七個孩子都找到。然後憑著孩子的記憶，他自己先去，帶著孩子的照片，一山一山的過，一村一村的問，找到孩子的家，再回來，帶小孩回家。他同時成立另一個兒童之家「尼泊爾的下一代」，收容更多孩子，為他們找到回家的路，一個希望都不放棄。

他從來不曾想過「偉大」，但他正在做偉大的事。

莎士比亞說得好：「不要害怕偉大，有人生來偉大，有人努力成為偉大，有時候偉大會自動降臨！」

●康諾‧葛瑞南和尼泊爾的孩子

10.30 認假不認真

有些事你要看見，才會相信。

有些事，你相信就會看見。

1938 年 10 月 30 日，美國人從收音機聽見哥倫比亞廣播電台 CBS 的「突發新聞」，播音員說：

天文學家觀測到火星上，有幾個因爆炸而產生的白色熾熱氣團……

其中有一個巨大的燃燒物體，已經降落在新澤西的一個農場……

火星人正從太空船爬出來……

我的天，有個東西正在爬出太空船。他的身上閃著亮光，像溼漉漉的皮毛發出的光澤……

啊，他的臉，簡……簡直無法形容！

第二天，這段電台的播音上了各報頭版，標題是「CBS 電台宣稱：火星人進攻地球」，結果引起全美國大恐慌。

據普林斯頓大學的調查，有一百七十萬人相信這是真的新聞，有一百二十萬人產生嚴重恐慌，紛紛逃離家園。事情鬧了一陣子才完全平息。

其實這只是一個突發奇想的廣播節目，主角是二十三歲的奧森・威爾斯（Orson Welles），根據英國小說家 H. G. 威爾斯所寫《星際戰爭》，編成一段像新聞報導的廣播「劇」，他自己演天文學家、記者、目擊者。雖然廣播劇的開頭和結尾，

都有聲明這是改編自小說的科幻劇，中間還插了四次相同聲明。結果還是驚動全國。

奧森‧威爾斯因此在新聞媒體上公開向大眾道歉。但也讓他一炮而紅，引起電影公司的注意，打進好萊塢。1939年，二十四歲的他自導自演，拍出電影史上的巨作《大國民》Citizen Kane。這部片子是講追求權力和財富的悲劇，他以多重時間順序來敘述故事，並運用大量的長鏡頭、移動攝影、多層次配音等創新手法，開創電影藝術的里程。《大國民》是所有學電影的人必看的經典。

奧森‧威爾斯的戲劇天才、獨立不羈的性格、和他對人性敏銳的觀察，像彗星掃過天空。很年輕就表現無遺，但一下衝上頂峰，《大國民》之後，就沒有更成功的作品。所以，如果沒有火星人入侵地球的廣播，就可能沒有《大國民》，那電影的藝術不知道會慢多久？至於他那天為什麼要播如此可怕的科幻劇？因為那天是萬聖節。

同樣白癡的事，後來又發生，而且時間更久，影響更大。

強尼‧卡森（Johnny Carson）是美國著名的節目主持人，主持 NBC 深夜時段脫口秀節目《今夜秀》，很多美國人每晚必看。

強尼‧卡森在 1973 年 12 月 19 日，在節目中說：

「你們知道什麼正逐漸從超市的貨架上消失嗎？是衛生紙！美國即將出現衛生紙大短缺！」

於是美國人瘋狂的掃貨、搶購他們所能找到的任何一捲衛生紙。超市限制每個人的購買量，但徒勞無功。到隔天中午，幾乎全美國超市內的衛生紙都被搶購一空。

在這個搶購事件發生後，卡森在節目中解釋他那天只是

開開玩笑，並對大眾道歉。

　　但全美的超市衛生紙存貨已經所剩無幾，衛生紙的貨架一直都空空蕩蕩，所以不管何時，只要有少許衛生紙上架，都會立刻被人民搶購並囤積起來。這股衛生紙搶購熱潮持續了整整三個禮拜。

　　有時候，你說假話，人人深信不疑；

　　你說眞話，他們反倒不信！

● 美國導演奧森‧威爾斯，他的作品《大國民》被譽為最偉大的電影。

10.31 創意加料

紐約的 Housing Works 是一家慈善商店，他們賣東西所賺的錢，專門用來幫助患愛滋病的兒童，還有流浪漢。

有一天，走進一個客人，拿起一幅風景油畫，

「請問這幅畫多少錢？」

「五十元，先生。」

「很好，幫我包起來。」

2013 年 10 月 29 日，這幅賣出去的風景畫被送了回來，是畫有問題嗎？不是，風景畫上加了東西，加了一個穿著納粹軍服的軍官，坐在椅子上欣賞風景。這是惡作劇嗎？是，也不是。原來買畫的人正是世界上最神秘的塗鴉藝術大師班克西（Banksy），沒有人公開看過他的真面目。他買了畫，然後畫上納粹軍官，簽上他的大名，等於是他的創作。他把畫送回來，捐贈給慈善商店，讓他們上網拍賣，底價是七萬四千美金。

隨後，班克西的官方網站證實這件事，沒錯，這畫是他加畫的，是他的手筆，如假包換！

2013 年 10 月 31 日，網拍結束，這張標名為「陳腐的惡魔」的小小風景畫，以二十萬美金拍出。

商店的發言人艾默森（Rebecca Edmondson）說：

「班克西可能備受爭議，但做好事本身卻不容置疑。這是一個很偉大的舉動，他的行為非常有意義。我們好久沒有遇上這樣的好事！」

是的，做善事，也可以很有創意，很有顛覆性！

●塗鴉藝術大師班克西買下畫作後，在畫中添加一名納粹軍官，再捐贈回
慈善商店。

11 月
November

不要冷漠對待陌生人，

因爲他們有可能是

天使喬裝的。

11.1 天才就是天才

　　人生，不可能永遠好花常開，而且還常常是壞事發生在好人身上。這時候不是要逆來順受，接受負面的事實；而是要把負面的事物，轉為正面的機會。

　　1512 年 11 月 1 日萬聖節，教宗專用的禮拜堂——西斯汀教堂開放給大眾參觀。教宗要向大家展示教堂天頂上，米開朗基羅宏偉壯麗的偉大壁畫「創世紀」。每個人都仰頭驚嘆，人群中有另一個未來的大師，當時只有二十五歲的拉斐爾，他那時也正在為教皇的其他房間畫壁畫。當他看見米開朗基羅的傑作時，感動的說：

　　「感謝上帝，讓我和米開朗基羅生在同一個時代！」

　　其實米開朗基羅之所以會畫「創世紀」，是出於非常負面的事件，要不是競爭對手親戚的「陷害」，他才不要畫壁畫呢！米開朗基羅自認是偉大的雕刻家，他一心一意想為朱力阿斯二世（Julius II）建造陵墓，他花了半年時間採集建陵要用的石材，自己還負債墊錢。可是教皇卻聽信親信布拉曼特（Bramante）讒言，說人還活得好好，就造陵墓很不吉利，不但要米開朗基羅停工，而且不付錢。

　　米開朗基羅火大不幹還不行，教皇又叫他去畫西斯汀教堂的天頂。米開朗基羅擅長雕刻，沒搞過大型壁畫，這不是存心整他嗎？這是誰給教皇出的主意，是，又是布拉曼特。他是誰？跟米開朗基羅有什麼仇？他正好是拉斐爾的親戚，而拉斐爾最擅長畫畫，這樣就可以把米開朗基羅比下去。烏龜跑得沒兔子快，叫兔子來比游泳，兔子不淹死也輸定了。

所以米開朗基羅在筆記裡寫到：

1508 年 5 月 10 日，我，雕刻家米開朗基羅，開始做西斯汀的壁畫……

滿腔悲憤，他一直認為「繪畫是月亮，雕刻是太陽！」。現在，他要如何把月亮變得比太陽還要耀眼？

改變，首先改變主題。教皇本來只想畫十二個使徒，其他畫些裝飾圖案填空就好。這個主題太小，挑戰性太小。米開朗基羅說服教皇「讓他做任何他想做的」。

西斯汀教堂天頂，兩側有 28 個拱窗的半月形垂直壁面，向上延伸三角形弧壁，再連接到平坦的天花板。前後兩端的壁面又分為四條拱肋，在四角連接到天花板的三角形弧壁。面積超過 1000 平方公尺，結構很複雜，不適合繪製壁畫。

但這難不倒他，他決定以「創世紀」為主題，在中間展開，以「錯視」的技巧將平平的天花板畫出逼真的假石柱、雕刻，其他地方畫 7 個先知、5 位女神，半月形區畫耶穌祖先的故事。四角弧壁畫猶太人民得救的奇蹟。這樣共計 50 幅構圖，總共 343 個人物，製造氣勢宏偉的構圖，讓人仰望而生敬意。

構圖完成如同電影劇本寫好，現在是要怎麼拍？這是在高 20 公尺的天頂作畫，人要躺著往上畫，油彩會往下滴，難度超高。米開朗基羅設計了「工作平台」，橫跨兩側窗頂的鷹架。他從佛羅倫斯找來了一群壁畫高手，由他打稿，再由壁畫師轉畫上去。但效果不符他的理想，就是說他感覺別人畫得不夠好！

改變，他把畫師都遣散，自己來。他不打圖稿轉描，直接在泥灰壁面打輪廓。他改變原有壁畫技術，融和當時所有的技術，再加上自己新開創的筆法，製造出色彩更鮮明、強烈、有力的效果。雖然有創新，但工作是一筆一畫，省不了力的。他自己在寫給朋友的信中說：

在工作的酷刑中，我腫著甲狀腺炎般的脖子，鬍子向著天，頸子貼後背，雞胸好像人鳥妖，顏料不時淋到臉上，像路面的斑駁。腰縮腹底如秤桿，臀抗體重如秤砣。我視茫茫而步履蹣跚，後背皮膚擠皺縮短，前身皮緊繃拉長，就像敘利亞的一張彎弓！

米開朗基羅不只是大藝術家、建築師，他還是一個詩人，所以寫來格外傳神。

他除了要全心作畫，還要克服許多技術問題。像要怎麼調出適當水份的顏料，才不會發黴，因而發明了抗黴配方。教皇很性急，不時來催他快點完成。他才畫了一半，就忍不住向人炫耀。更糟的是，他還要分心去「要錢」，教皇率兵去攻打波隆那時中斷付款，他必須兩次跑到戰場去要錢。

他這樣日以繼夜，獨立工作了四年，終於在 1512 年 11 月 1 日萬聖節，讓世人看到什麼叫做「天才」！

天才的米開朗基羅這時只有三十七歲，但因為長期消耗心力，過勞的他看來像個七、八十歲的老頭。他畫的耶利米先知（Hieremias），其實就是當時的自畫像。

「創世紀」的故事，多少人做過。但沒有人能超越米開朗基羅創造出來的神聖、力量、偉大。尤其是「創造亞當」，

更改變了後世人們的想像。

　　雖然事情的開始，是使他陷入一個負面的處境。但他之所以能把負面轉向正面，完成萬世不朽的傑作，是因為他用最高標準要求自己，不遷就、不含混、不妥協，因此証明自己的創作可以超越前人所有的作品，而且為後世的藝術家立下典範！

　　不要害怕把標準定太高而不成功，這樣就算失敗，你還是會有不少成就。要害怕的是，你完成了低標準的東西！

● 米開朗基羅的傑作「創世紀」，位於梵蒂岡西斯汀禮拜堂的天頂。

11.2 益智比賽的法則

　　強烈的聚光燈下，我們往往只看見光圈內的光亮，沒看見光圈外一片黑暗。

　　「你的節目『21 點大滿貫』收視率要是再不提高，廣告進不來，就要停掉啦！』

　　「奇怪，問題出在哪兒？」

　　「是不是題目太深？」

　　「是嗎？我感覺題目要有點深，才能讓觀眾感覺來賓很厲害。」

　　「來賓，也許是來賓出問題。」

　　「我們找的來賓都挺有人緣，有什麼問題？」

　　「對了，問題出在全都有人緣！」

　　「什麼意思？」

　　「你想呢，一齣戲都是好人，能看嗎？沒有壞人，怎麼有戲？」

　　「所以，得找個壞人？」

　　「不是壞人，是觀眾會討厭的人。我們找個面貌不討好的肥仔，然後讓他贏，這樣觀眾為了想看他輸，就會打開電視。他贏越多，觀眾越氣，越想看他輸，就非看節目不可！」

　　「對、對，就跟在古代競技場，觀眾不是想看誰贏，而是想看有人被殘殺一樣！」

　　「是的，恨的力量比愛的力量大，恨比較容易挑起來。但真的要給討厭鬼贏嗎？」

　　「不，我們再找一個帥哥，和這個一直贏的討厭鬼決

戰，幾次平手，創造高潮，最後帥哥險勝！」

「講得我的眼淚都快掉下來！」

「可是這樣不是等於打假球？」

「傻瓜，我們是娛樂事業，不是開賭場，哪有什麼造假不造假？觀眾爽，你就爽，我就爽。觀眾不爽，就換老闆不爽，我們爽個屁，只能滾蛋，懂嗎？」

美國國家電視台 NBC 的「21 點大滿貫」Twenty One，可算是益智比賽節目的祖宗。觀眾看電視上比賽激烈，其實是一齣排好的戲，參加的來賓努力答題，卻不知道另一方早就知道答案。他們找來一個不得觀眾緣的討厭鬼，讓他一直贏。果然收視大幅提高，最後找到一個帥哥，這個帥哥就是查理・范多倫 (Charles Van Doren)，為什麼找他？因為他有一個好爸爸，馬可・范多倫（Mark Van Doren），是得過普立茲獎的詩人和文學評論家，而且查理本身是哥倫比亞大學的高材生，本來也是博學多聞。最要緊的是他長相溫文儒雅，一定可以迷死一堆女生。

1956 年底，查理果然在激烈的比賽中，驚險打敗討厭鬼，成為英雄。再一路連贏十四週，成為偶像。獎金超過129000 美金，在當時可是天文數字。范多倫在 1957 年 2 月登上《時代雜誌》的封面，而在 3 月 11 日敗給另一位參賽者，他真的輸了嗎？不是，是他不想再玩下去。

夜路走多，一定會碰到鬼。21 點大滿貫有作弊的傳言，不斷流出。**1959 年 11 月 2 日**，查理・范多倫向美國眾議員的監察委員會承認，他的參賽是個騙局，事前他和 NBC 有簽約，NBC 給他問題和解答，整件事是作弊造假。揭開了電視製作的黑幕。

　　查理因此辭掉哥倫比亞大學的教職，就此隱姓埋名。再出現時，他的名字是和芝加哥大學的名教授艾德勒一起。他跟隨艾德勒編輯《大英百科全書》，並和艾德勒合著《如何閱讀一本書》這本名作。

　　有人說：「人生如戲，戲如人生」。我說人生會有意外，但戲裡不能有意外。所有的意外都是安排好的。

11.3 小便立大功

「小便」有什麼用？小便中有「磷」。

「磷」有什麼用？磷可以用來當肥料。從前的農夫會拿小便來澆菜園，等於是天然肥料。

但自從抽水馬桶普及以後，小便就直接沖走，做不成肥料。結果人只好去開採「磷礦」來施肥。現在磷礦越來越少，成本越來越高，早晚有一天會採完。

小便呢？小便因為含有大量的磷，磷會使水管結晶，造成下水道阻塞。修水管、換水管都要花很多錢！

原來不要錢的東西不用，花更多錢去開採；為了清除可用的東西，結果又花更多的錢……你說這筆帳算起來，人是不是又笨又勤快？

2013 年 11 月 3 日，荷蘭阿姆斯特丹推動一個新計畫叫「綠小便」Green Urine。政府在公共場所裝設許多新的小便斗，鼓勵男人多多小便！

他們把小便送到新的汙水處理廠，把小便的磷分離出來，然後用來給城市裡的「屋頂農場」施肥，光阿姆斯特丹男人一年在公共場所的小便，就可以給一萬個足球場大的農作物當肥料！

厲害吧！小便可以再利用，大便呢？

大便可以發電！阿姆斯特丹把公共廁所的大便收集起來發電，專門供應處理小便的新汙水處理廠用電，真是「涓滴歸公，大小通吃」！

以後你看到荷蘭一堆男人在公園搶著小便，他們不是懶人屎尿多，他們是在做公益。

同樣是在公共場所大小便，境界差很遠啊！

11.4 善因惡果

善良的動機，未必會有善良的結果。尤其關係到人的行為，往往種冬瓜得西瓜，種梅花得豆花。

因為人是最不理性的動物，一向是感情、衝動在總指揮，理性、思考只能當墊背。

理查・蓋特林（Richard Gatling）是位喜歡研究工程學的醫生。他出生在一個農場，從小就對機械有天份，他曾幫父親設計一個種棉花的機器。長大還發明過種水稻的機器。美國南北戰爭開打，雙方死傷慘重，前所未見。他看到年輕的生命，沒道理的大量犧牲，心裡難過得要命。他就想：

「如果我能發明一種機器、一種槍械，可以快速連續射擊，讓一個人就可以完成一百個人的戰鬥任務，那麼就不再需要大量的軍隊。這樣一來，暴露在戰火下的壯丁就會大量減少，不就可以拯救許多寶貴的生命？」

於是他把六枝槍束在一個自動旋轉的中軸，設計自動擊發，自動裝填子彈的功能。利用手搖，使輪軸轉動，一分鐘可以發射三百五十發子彈，比一個人一枝槍快一百倍。

1862 年 11 月 4 日，他將這個設計申請專利，「機關槍」就此誕生。這樣照他的理想，軍隊有一支機關槍，就可以少用九十九個人。戰爭規模、傷亡就會縮小。結果呢？

蓋特林準備進入量產時，一把大火燒掉了他的廠房和所有設計藍圖，他只好重新來過。等到機關槍造出來時，南北戰爭已到末期，北軍採用他的機關槍，果然火力驚人，殺傷力更巨大。但戰爭已然結束，所以還看不到對戰爭的影響；

然而發現一個缺點，就是機槍手在搖轉把手時，應該要保持穩定的速度。可是人往往打起仗來，會陷入興奮和失控，所謂殺紅了眼，機槍手會不停瘋狂搖動，結果很容易就造成故障。可見人很難用理性控制自己的行為。

戰爭一打完，還有下一場戰爭。美國開始大量採購機關槍，世界各國也紛紛向他購買，連大清國也進口了機關槍，稱為「格林快炮」。所以他的理想完全粉碎，軍隊不會因為有了強大火力就減少上戰場的人數，一方有了機關槍，另一方也馬上會跟進。你加碼，我也加碼，最後死傷更巨大。蓋特林機槍也變十管一束。

後來馬克沁（Hiram Stevens Maxim）在 1883 年，利用槍射擊產生的後座力量，完成開鎖、退殼、送彈、擊發的一系列動作，捨棄蓋特林的轉軸式，機槍變得只要有一根槍管，不需一束十管，輕巧得多，射擊力也可高達一分鐘六百發。

但馬克沁向各國推銷，反應很冷淡。當時各國軍方認為，一發子彈可以打死一個人，為什麼要連打三發，這不是浪費嗎？用機關槍亂射一通，還不如好好訓練一百個神槍手，既有準度，又不浪費。而且馬克沁的機槍，因為連續擊發，槍管很快會太燙，要不斷澆水、冷卻。打仗時，還要找一個人來負責澆水，這不是白癡嗎？所以一直到 1887 年，才賣了 3 挺機槍給英國。

1893 年馬克沁機槍才第一次實戰，地點在非洲羅得西亞，當時英國一支五十多人的小隊，用 4 挺機槍對付五千個非洲祖魯戰士，當場幹掉三千多人。這麼驚人的效果還沒有引起注意，因為西方強國認為非洲土著是白癡野蠻民族，他們被輕易殺死，本來就是應該的事。

　　但是德國看到了，還找馬克沁在德皇面前表演他最新的MG08 馬克沁機槍，德軍立刻向他買 12500 挺機槍，每團配備 100 挺。而且德軍想出一個絕招，如果用機槍正面掃射敵軍，效果有限。但如果在陣地的兩頭，各架一挺機槍，向中間掃射，形成一個三角交叉的火網。哇，沒有一個人可以活著走出來。這個新武器、新打法，在一次大戰大發威。在索姆河一役，英法軍死了 61 萬 5 千人，德軍死了 65 萬人。絕大多數是馬克沁機槍的恐怖傑作。

　　誰也想不到，當時發明機關槍的動機，是爲了拯救更多人的生命！

● 馬克沁改良機關槍，使其威力更強大。

● 機關槍的發明人蓋特林

11.5 鑽石與鐵鏽

「人們很少做他們相信是對的事，他們做比較方便的事情，然後後悔！」

有一個人用她的歌聲做她相信是對的事，她堅持不做容易、方便的事，然後感動人心，改變世界。這個人就是「民歌之后」瓊拜雅（Joan Baez）。

瓊拜雅 1941 年出生在紐約，她的爸爸是墨西哥裔的物理學家，媽媽是愛爾蘭裔。因為父親的血統，瓊拜雅的膚色較深，常被誤認為是印第安人或有黑人血統，因此常常遭受到歧視。她不太適應學校的教育，成績不好，只有音樂是她的強項。這跟父母都熱愛音樂有關。

她十五歲時第一次聽到馬丁・路德・金恩博士的演講，同時得到一把吉他。十七歲進入波士頓大學，接觸到傳統的民歌，如同企鵝找到大海，老鷹發現天空，她便退學，開始在一些小酒館演唱。

1959 年 7 月，她以「特別來賓」參加第一屆新港民謠音樂節。她那清麗自然的歌聲，沒有經過專業訓練的唱法，一派自我又悠柔傳神，真如天使降臨，光芒畢露，壓倒所有的民歌老將新秀。

1960 年 11 月 5 日，瓊拜雅在紐約舉行個人第一場演唱會，自此揭開瓊拜雅的旋風，從此她演唱會邀約不斷。但她卻表明演唱會的門票如果超過兩塊美金，她就不唱。她希望她的歌不是為有錢人唱，而是為所有人唱。

所以雖然她的場子很陽春，沒有炫麗的舞台，但就是以

一把簡單吉他和再自然不過的美好歌聲，感動天下人。雖然缺乏商業操作，但她的歌聲太有穿透力，一路唱去深受年輕人喜愛，越來越紅。當時最大的唱片公司 CBS 想和她簽約，沒想到她卻拒絕，跑去選擇一家獨立的小公司 Vanguard，因為她不喜歡過度商業色彩，而且 Vanguard 是唯一敢出有左派色彩歌手的唱片公司。

1961 年在格林威治村的一場表演，瓊拜雅遇到了未來的「民歌之王」巴布迪倫（Bob Dylan）。

「她的聲音極其、極其美好，可以把一切壞思想趕出人的靈魂。看見她的第一眼就讓我興奮，她像一個宗教偶像，有著讓你想為她犧牲一切的力量。和她同年，讓我覺得自己很沒用，毫無疑問她是真正的民歌皇后！」

當時瓊拜雅已經是登上《時代雜誌》封面的巨星，巴布迪倫的翅膀還沒有張開，是個還沒有名氣的小子。但有翅膀的人會認出同樣有翅膀的人，瓊拜雅迷醉於巴布迪倫的才華，兩人墜入情網。從此瓊拜雅有任何演出，都帶著巴布迪倫上台，演唱巴布迪倫的作品，在她的拉拔下，巴布迪倫一步一步踏上通往「民歌之王」寶座的台階。

「瓊拜雅有著和我一樣的孤獨感，她如同一個在遠方的埃及豔后，不可親近。她不是那種洋娃娃，儘管她也有苗條的身材和美妙的臀部。」

在巴布迪倫的鼓勵下，瓊拜雅也開始寫歌，嘗試創作。他們相知相愛，一起唱歌，一起反戰，一起投入社會運動。最讓人念念不忘的，就是馬丁・路德・金恩發表「我有一個夢」那場演講前，他們倆先上台唱巴布迪倫名作《隨風而飄》Blowin' in the Wind，演講後，瓊拜雅上台唱《我們一定會贏》

We Shall Overcome，把民權運動帶到最高潮！

　　這段愛情持續了兩年，兩人感情斷線，從此平行飛行，感情不再交集。但其實彼此在內心仍是相惜。1975 年瓊拜雅發表《鑽石和鐵鏽》Diamonds and Rust 這首歌，道盡她與巴布迪倫的愛戀情深，她自己下的註解：「時間可以把醜陋的黑炭化為鑽石，也可以使閃亮的金屬成為一堆鐵鏽！」

　　這是瓊拜雅的深情之作，也是她最登峰造極之作！

Well , I'll be damned

我的老天！

Here comes your ghost again

你的魅影又再度出現

But that's not unusual

但這並非不尋常

It's just that the moon is full and you happened to call

只因今晚滿月，你恰巧又打電話來

And here I sit, hand on the telephone

我坐在這兒，手持聽筒

Hearing a voice I'd known a couple of light years ago

聽著幾個光年以前就很熟悉的聲音

Heading straight for a fall

準備再次受到傷害

As I remember your eyes

依稀記得你的雙眼

were bluer than robin's eggs

比知更鳥的蛋更藍

My poetry was lousy, you said

你說我寫的詩糟透了

"Where are you calling from?"

「你從哪裡打電話來？」

"A booth in the Midwest"

「在中西部的某個電話亭」

Ten years ago I bought you some cufflinks

十年前我買過袖扣送你

You brought me something

你也回贈了一些東西給我

We both know what memories can bring

我們都明白回憶能夠給我們什麼

They bring diamonds and rust

它們給了我們鑽石和鐵鏽

Well, you burst on the scene, already a legend

你初出茅廬，便成為傳奇，鋒芒畢露

The unwashed phenomenon, The original vagabond

你是頹廢的奇景，流浪詩人的始祖

You strayed into my arms

你漂泊入我的臂彎

And there you stayed, temporarily lost at sea

而你的停留，如海上的短暫迷航

The Madonna was yours for free

受到聖母的眷顧

Yes, the girl on the halfshell
是的，這個女孩像蚌殼一般
Would keep you unharmed
能保護你不被傷害

Now I see you standing with brown leaves falling around
如今，我看到你佇立在黃葉紛飛中
And snow in your hair
髮上覆著白雪
Now you're smiling out the window
of that crummy hotel over Washington Square
你微笑著，在那可以遠眺華盛頓廣場的小旅館窗前
Our breath comes out white clouds mingles and hangs in the air
你我呼出的氣如雲霧般交錯，凝結在冷空氣中
Speaking strictly for me
對我來說
We both could have died then and there
那時那分，我們的生命已完美無憾，死不足惜

Now you're telling me you're not nostalgic
如今你對我說，你並不懷念這段情
Then give me another word for it
那麼請你找另一個字來代替懷念
You who're so good with words and at keeping thing vague
你向來擅於咬文嚼字，使之曖昧難懂

Because I need some of that vagueness now

而現在我正需要那樣的曖昧

It's all come back too clearly

過去的一切都太清晰了

Yes, I love you dearly

是的，我深愛著你

And if you're offering me diamonds and rust

如果你給我鑽石和鐵鏽

I've already paid

告訴你，我已付出過代價

● 瓊拜雅和巴布迪倫

11.6 夜路走多

夜路走多了不一定會遇到鬼，

但歹路走多一定會撞到抓鬼的神！

2005 年 11 月 6 日，英國的《世界新聞報》刊出一則獨家消息，威廉王子的膝蓋受傷。《世界新聞報》是英國有名的八卦報，每期銷售 267 萬份，是英國最暢銷賺錢的報紙。獨家刊出王子膝蓋受傷的消息，不足為奇。

但威廉王子感覺有鬼，因為他膝蓋受的是小傷，第二天就完全好了，外界根本看不出來。而且這件事他只跟親近的助理，用手機說了幾句，根本沒有跟別人講。所以不可能有人洩露消息，只有一個可能，他的手機被人竊聽了！

王室被竊聽，這還得了。警方開始嚴密調查，終於查出《世界新聞報》的記者古德曼和私家偵探馬爾凱爾兩人竊聽威廉王子的電話。他們還竊聽查爾斯王子、卡蜜拉、哈利王子和他們私人助理的電話留言共 609 次。

拉出一根線，扯出整片黑幕。古德曼只是個小鬼，真正的大魔頭在後面。原來《世界新聞報》竊聽的不只是王室成員，英國的政要、權貴、名人多達四千人都在他們的竊聽網中，連英國首相布萊爾夫婦也不能倖免。令布萊爾氣憤的是，《世界新聞報》的背後大老闆正是媒體霸主梅鐸（Rupert Murdoch）。梅鐸的女兒還認布萊爾為乾爹，兩人可說是私交很深。沒想到交情全是假，賺錢才是真！

而令英國群情激憤的是，《世界新聞報》竊聽被謀殺的少女蜜莉‧多樂（Milly Dowler）的手機，為了報八卦，嚴重

破壞警方辦案。在各方壓力下，梅鐸終於在 2011 年 7 月 10 日關閉《世界新聞報》，這家於 1843 年 10 月 1 日首度發行，歷經 168 年的英國第一大八卦報，就此關門。

　　梅鐸從人人敬畏的媒體大老虎，變成人人喊打的過街老鼠。歐巴馬的評論簡單有力：「報應！」

● 媒體大亨梅鐸

11.7 先知的孤獨

「想像力比知識重要。因為知識是有限的，而想像力是無限的。它包含了一切，推動著進步，是人類進化的源泉。」

愛因斯坦說得好，問題是世界上大部分專家都是有知識的人，他們無法想像，只能隨波逐流，常常被既定的偏見左右，而沒有哲學式的洞察力，所以沒有獨立性的創造力，他們穿著既定的鞋子，自然不能想像光腳踩著泥土的感受。

請他們脫掉鞋子，他們不敢，也排斥。所以當洞見出現時，他們看不見。而當洞見成為知識時，他們又緊緊穿著它來行走。

愛因斯坦在 1905 年發表了狹義相對論，沒有人注意，媒體也完全沒報導。

1916 年他又發表了完整的廣義相對論，那時候歐洲在打一次世界大戰，哪有人管什麼 $E=mc^2$？所以一樣，沒有任何消息見報。不過，還是有少數認識洞見的聰明人，其中一個就是英國的科學家亞瑟‧愛丁頓 (Arthur Eddington)。根據廣義相對論，重力會使空間彎曲，所以光線穿越這個空間時會偏折。根據這個來推論，如果發生日全蝕，那麼太陽周圍出現的星星，位置會與有太陽時稍微不同。愛丁頓爵士在大戰結束後的 1919 年 5 月 29 日，當天正好有日全蝕，他驗證了相對論。

11 月 6 日，英國皇家學會以及皇家天文學學會舉行聯合會，公佈愛丁頓爵士的觀測結果，大會的結論是：

「這是自牛頓以來，有關重力理論的科學中，最重要的

一個發現。如果愛因斯坦的理論是正確的，那就是人類思想的最高成就。而這個相對論的弱點是，要把它講清楚，實在太難了！」

言外之意是說，我們這些有聲望的學者專家，並不太懂相對論在講什麼？但現在有人證明它是對的啦！那就算對吧！你看，自己的牙齒不夠力，還嫌人家的肉沒燉爛！

1919 年 11 月 7 日，《倫敦時報》登出這個新聞，記者當然不知道自己在寫什麼？但報導的標題很容易懂；「科學大革命，牛頓被推翻，空間會變彎」，這下子一般人也看懂。

這是媒體第一次對愛因斯坦的相對論做報導。接著《紐約時報》跟進，世界各大報都跟進。從此「愛因斯坦」和「相對論」就大人、小孩都知道了。

消息見報後，有人向愛因斯坦恭喜道賀，愛因斯坦問：「有什麼好恭喜？」

「你的相對論是正確的啊！」道喜的人說。

「這個，我早就知道了！」

難怪愛因斯坦後來說了兩段名言：

如果我的相對論被證明是正確的，德國人會說我是德國人，瑞士人會說我是世界公民；如果我的相對論被否定了，那瑞士人會說我是德國人，德國人會說我是猶太人！

物理學家們說我是數學家，數學家們又把我歸爲物理工作者。我是一個完全獨立的人，雖然所有人都認識我，卻沒有多少人真正了解我。

最絕的是，還有記者去追問他的太太，問她懂不懂相對論？他的太太妙答：「我不懂相對論，但是我懂愛因斯坦！」

● 愛因斯坦發表「相對論」時，完全沒有引起注意。

11.8 選擇

曾有兩條小路在樹林中分手，
我選了一條人跡稀少的行走，
結果因此全然不同。

羅勃特從少年時代就愛上詩。他 11 歲喪父，由祖父養育。祖父希望他讀法律，安排他進達思茅斯學院。他不能忘情於詩，繼續寫，寫到連課業都丟下。而他的祖父不斷告訴他，寫詩不能糊口。

1894 年 11 月 8 日，羅勃特寫的《我的蝴蝶輓歌》這首詩刊登在《紐約獨立報》，他得到十五元的稿費。從此，他深信他可以靠寫詩維持生計。祖父對他說：「羅勃特，我告訴你多少遍了，做詩人會餓死，你怎麼不聽？」

「爺爺，但是我寫詩得到稿費了！」

「傻孩子，才十五塊，能吃多久？」

「詩人不會只寫一首詩，我會寫出更多詩！」

「好吧！我給你一年的時間。如果你一年內寫不出名堂，那就別再寫詩了，你看怎麼樣？」

「好，但給我二十年吧！」

這個想做詩人的二十歲小伙子，就是羅勃特‧佛洛斯特（Robert Frost）。果然他在二十年後，才在英國出版了第一本詩集。他是美國現代最重要，最受喜愛的詩人，一生得過四次普立茲獎。

佛洛斯特得到第一筆稿費，非常興奮。他出錢印了自己

的詩集，只印兩本。一本自己留念，一本送給他心儀已久的女同學愛莉諾（Elinor Miriam White）。沒想到，愛莉諾不領情，不要。佛洛斯特一氣之下，燒了他要送給愛莉諾的那本詩集。他幾番風雨，依舊問斜陽。三年後，他還是和愛莉諾結婚，進入痛苦多於快樂的婚姻。這是他的選擇，不怨、不悔，不回到原點。

十五元的稿費啊！你看到從小小門縫透進來的光，要勇敢去開門，抓住那份自由，勇敢選擇你心中的路，去寫人生的詩。

The Road Not Taken
未走之路

Two roads diverged in a yellow wood,
And sorry I could not travel both
And be one traveler, long I stood
And looked down one as far as I could
To where it bent in the undergrowth;

金色的樹林中有兩條岔路
可惜我不能沿著兩條路行走；
我久久的站在那分岔的地方，
極目眺望其中一條路的盡頭，
直到它轉彎，消失在樹林深處。

Then took the other, as just as fair,
And having perhaps the better claim,
Because it was grassy and wanted wear;
Though as for that the passing there
Had worn them really about the same,

然後我毅然踏上了另一條路，
這條路也許更值得我嚮往，
因為它荒草叢生，人跡罕至；
不過說到其冷清與荒涼，
兩條路幾乎是一模一樣。

And both that morning equally lay
In leaves no step had trodden black.
Oh, I kept the first for another day!
Yet knowing how way leads on to way,
I doubted if I should ever come back.

那天早晨兩條路都鋪滿落葉，
落葉上都沒有被踩踏的痕跡。
唉，我把第一條路留給未來！
但我知道人世間阡陌縱橫，
我不知未來能否再回到那裡。

I shall be telling this with a sigh
Somewhere ages and ages hence:
Two roads diverged in a wood, and I—
I took the one less traveled by,
And that has made all the difference.

我將會一邊嘆息一邊敘說，
在某個地方，在很久很久以後：
曾有兩條小路在樹林中分手，
我選了一條人跡稀少的行走，
結果因此全然不同。

● 當代最重要的美國詩人佛洛斯特

11.9 紙糊的高牆

當人心脆弱、意志分散時，一條粉筆畫的線，也能把人牢牢圈住。當人心堅定、意志匯集時，再高大的銅牆鐵壁，也會像蛋殼一樣脆弱。

全長 155 公里，巨大森嚴的柏林圍牆，是東西冷戰最明顯的象徵物。更是自由與奴役、民主與極權的分界。這堵一眼看去不見盡頭的圍牆，卻因一句被誤會的話而意外倒塌。

1989 年共產國家開始刮起革命的風，東德共產黨此時面對民眾的抗議，有點應對不過來。他們想要疏解人民不滿的情緒，決定放寬出境辦法，讓東德人民可以更簡便的申請去西德。

1989 年 11 月 9 日，東德高層叫當時的中央政治局委員君特・沙博夫斯基（Günter Schabowski）開記者招待會，宣布放寬旅遊限制，就是無需證明即可申請個人出境，各級機關簽發出境許可，不得拖延。在東西德的邊界也可以辦理。

沙博夫斯基說完，記者問他：「什麼時候生效？」

「據我所知，立即生效，毫不拖延。」

「對於西柏林邊界也生效嗎？」

「我們允許通過民主德國（東德）與聯邦德國（西德）以及西柏林的所有邊境檢查站離境。」

其實沙博夫斯基誤解了上級的命令，上級沒有告訴他生效的時間，具體的規定第二天會通知所有單位。上級只是要他籠統的宣示一下政府新的開放政策。沒想到他會說出「立即生效」。這是他自己的解讀，也可能是一時口誤。反正他

在晚上7點17分這麼一說，8點鐘的電視節目，主持人就說：「這是具有歷史意義的一天，東德政府宣布立刻向所有人開放邊界。柏林圍牆的大門已經打開。」

消息迅速傳開，上千人湧向柏林圍牆的邊界，大喊：「開門！開門！」要求通關。這時候駐守圍牆的邊防軍、國家安全局、還有蘇聯的軍隊，都沒有接到通知，不知道到底發生什麼事？

這要在以前，有幾個人就開幾槍，可是這回人太多了，而且時代不同了。軍隊與人群僵持了兩個小時，10點45分第一個邊防關口打開，允許人民通過，進入西柏林。而且幾乎沒有檢查證件。而在西柏林這邊也聚集大群的西德人，他們用香檳、啤酒和鮮花來歡迎。

原來可以通過圍牆是真的，而且是自由通過，沒人管，沒人開槍。這下子人群像潮水般湧來，有人乾脆爬上圍牆，直接翻過去。到了午夜12點，所有檢查站全部開放。

第二天早上，醒來的東德人欣喜若狂，更多人湧向邊界。西柏林的市長給每個跑過來的東德人每人一百西德馬克當零用金，並提供臨時住宿。過來的東德人是打死不回去，於是有人開始拿鎚子，去敲圍牆，軍隊也沒干涉。這道防衛森嚴、牢不可破的「柏林圍牆」，就這樣被沒有武裝的平民給搞垮了。起因只是一句言語的意外，可見人心等太久了。

第二年7月1日，東德宣布接受西德馬克，兩德統一。

統一的新德國本來打算用11月9日做為國慶日，但這一天在德國歷史上有很多事。1848年德意志威瑪共和國成立，1923年啤酒館暴動，1938年納粹發動水晶之夜，都在這一天。所以改用10月3日為德國統一日。

● 倒塌前的柏林圍牆,將柏林分割為
　東西兩半。

11.10 難唸的經

有時候人通往偉大之路的障礙，不是別人，而是他最親密的人！

托爾斯泰是偉大的作家，他的小說偉大，思想偉大，人格偉大，他注定要成爲偉大的人，他的人生一定要偉大！

但就如他在《安娜‧卡列尼娜》開頭所寫的：「幸福的家庭，都是一樣的幸福。不幸的家庭，則各有不同的不幸！」

不幸的是，托爾斯泰晚年的家庭生活，正是這許多種「不幸」中，最不幸的一種！

1862 年，三十四歲的托爾斯泰和十七歲的索菲亞‧伯爾斯（Sophia Behrs）結婚，他們共生了十三個小孩，這代表夫妻感情如何？很好嗎？可是索菲亞說：「他愛我，但只在夜裡，從來不在白天！」這可是很深的哀怨，那白天索菲亞在做什麼？她要幫丈夫管理 380 公頃的莊園，要照顧丈夫的起居飲食，要管教一堆小孩。

還要幫托爾斯泰謄寫文稿，要知道像《戰爭與和平》是厚達三千頁，這部巨著，索菲亞前後就謄寫了七遍。

那托爾斯泰白天怎樣對她？托爾斯泰喜歡散步，但他從不和索菲亞一起散步。他也懶得和她聊天，他跟她說的話都是指使她做東做西。

不會有人知道，他從來不曾讓他的妻子休息片刻，或給生病的孩子倒一杯水，三十二年來就算小孩生病，他也沒有在孩子身邊坐上五分鐘，好讓我安安穩穩的睡一覺。

　　托爾斯泰生大病，索菲亞在床邊照料他九個月。但當索菲亞生病，有次得在家中動手術，托爾斯泰發脾氣，生氣醫生不快點來。他是著急嗎？是，但他急的不是妻子的病要趕快治，他是著急醫生不快來，會耽誤他散步。所以當醫生一到，他就去散步了。可是當索菲亞和男性朋友聊天、來往，托爾斯泰卻像喝了一大桶醋的公牛，生氣、嫉妒、暴衝！

　　好，有作用力就有反作用力！只要她一察覺托爾斯泰跟女性有來往，立刻是一哭、二鬧、三出走、四臥軌、五服毒、六開槍要自殺、七多天躺在馬路等他的馬車回來壓！

　　晚年托爾斯泰改變宗教觀，他信仰的是「耶穌」，尤其是「登山寶訓」，主張「非暴力」、「和平主義」。他還認為印度人應該用「愛」的原則來拯救自己，不要「以暴抗惡」。有一個在英國求學的崇拜者，托爾斯泰在給他的信中闡述這些想法。這個崇拜者就是甘地，所以甘地在南非發動抗爭時，以他為名成立了「托爾斯泰農場」。

　　他的立場是同情農奴貧苦、厭惡貴族奢華、反對擁有「財產」。所以他在信徒的簇擁下，決定要放棄自己的版稅，要把莊園分給農民，很偉大吧？

　　可是索菲亞認為他根本是矯情、虛榮、自私，只想著為自己造神，根本不顧家人死活。他主張人有價值，要像農民那樣「勞動」，可是自己卻過著養尊處優的生活。而在索菲亞眼中，托爾斯泰的信徒根本就是來謀奪「他的」或「她的」財產，托爾斯泰可以成神，但她以後要靠什麼過活？何況這些財產都是她多年辛苦經營得來的，長期的積怨，加上失去財產的恐懼，一點小事都會使火山爆發，而且一天可以爆發好幾次。他們兩個真的是只有「戰爭」，沒有「和平」！

他們兩人在同一時間的日記，丈夫寫著：「睡眠很差、很少，又跟平常一樣激動、生氣！非常壓抑，我一直想哭！」妻子寫著：「臥床一天，茶飯不思，眼淚流了一天！」

只要心是肉做的，任何人讀了都會爲他們互相折磨而心痛！但索菲亞爲了保衛她的權益，一再要向社會證明她是托爾斯泰鍾愛的妻子，沒有人能取代在丈夫死後，她身爲妻子擁有的最高「發言權」和「財產權」。

所以在公眾面前，她要極力保持夫妻和諧的假象。但眞相是「別說她愛我，其實一點都沒有。她甚至不需要我愛她。她只需要一樣東西，就是讓人們認爲我愛她。這就是最糟糕的地方。」

1910 年 9 月 23 日，在他們結婚四十八週年這天，索菲亞找來媒體記者，一定要托爾斯泰跟她合照。她相信這張恩愛照一旦登上報紙，外面有關他們不和的傳言，就會不攻自破。她不但要求他一起照相，還要他轉過頭來與她「對望」！托爾斯泰打死也不肯做這「深情」的動作，只是面露兇相，死死的瞪著鏡頭。當天晚上，他在日記裡寫：「再次被她要求做恩愛夫妻狀來合影，我同意了，但是我從頭到尾感到羞恥！」這天他暗下決心，他要逃離她的掌握。

1910 年 11 月 10 日，托爾斯泰在幾個追隨者和他女兒的協助下，半夜從自己的家裡「逃走」。八十二歲的老人，在冰天雪地中「逃家」，這決心可不是一般！結果他在旅途中感染肺炎。不得不在一個叫「阿斯塔波沃」的火車站停留，站長把自己的站長室空出來給他用，此時全世界的記者全部都蜂湧到這個小車站，等著巨星殞落。

他的子女也全趕到，當然還有索菲亞。孩子們怕兩人相

見會加速托爾斯泰的病況，又不能對母親太殘忍，所以講好讓她進站長室看托爾斯泰一眼。沒想到，索菲亞叫來攝影記者跟著她，她要讓全世界看到她是托爾斯泰的妻子，死前守護著他。這一舉動不只讓子女震驚，也使托爾斯泰至死不肯見她最後一面！

是的，人通往偉大之路的最大障礙，可能是他最親密的人。在別人眼中的「神」，在親密的人眼中，只是「人」、「普通人」。人們看不到的「缺點」、「弱點」，在親密的人眼中，沒有「盲點」。

偉大的托爾斯泰，是世人心中的「神」，但卻是在索菲亞眼中的「人」。世人對托爾斯泰的崇拜越大，對索菲亞的折磨也越深。如同他們的女兒塔妮亞說的：「這就是兩個人共同生活的故事，有誰能說他們之中哪一個人是錯的呢？」

● 索菲亞深情望著托爾斯泰，
　但他總是死死的看著前方。

11.11 寬恕

還記得那張得到普立茲獎的照片，造成越戰提前結束的《戰火中的女孩》嗎？

照片中的女孩，後來呢？女孩叫潘金福，那年她才九歲。她發瘋狂跑時，英國記者韋恩（Christopher Wain）剛好抱住她，立刻往她身上潑水，然後黃幼公把金福送到最近的一個英國臨時軍醫院，接著韋恩來關心金福，護士說看來金福明天就會沒命。

於是韋恩動用關係，把金福轉送到設備良好，並有整形功能的軍醫院。她全身超過 1/3 被嚴重灼傷，在醫院待了十四個月，動了十七次手術，靠著堅強的生命力，奇蹟般的活下來。

本來金福回到村子，事情就慢慢淡了。沒想到十年後，金福已經在大學讀醫學，而這時統一越南的北越政權，發現金福就是當年照片中的小女孩，便強迫她放棄學業，作為一個宣傳樣板，利用她和西方媒體見面，進行反美宣傳。金福後來說：「那真是一場噩夢！」

1986 年金福向越南政府請求，讓她去古巴唸完醫學系，得到批准。她在古巴求學時，認識同樣來自越南的托恩。兩人相愛，請求結婚。越南政府允許他們去莫斯科渡蜜月。他們乘著飛機從古巴飛往莫斯科，在加拿大中途加油時跳機，得到加拿大的政治庇護。兩人隱姓埋名，默默在多倫多生了兩個孩子，過著平凡的生活。

沒想到，1995 年金福又被《多倫多太陽報》的記者發現，

她和那張照片又一起登上報紙頭版。這回她不再逃避。

　　我真的想從那張照片中逃脫出來，後來，我不願再當一個無助的受害者，照片是事實，它是一個強大的禮物，我可以用它來幫助促進和平。我意識到我可以控制那張照片，幫助那些戰爭中的兒童。

　　1977 年 11 月聯合國教科文組織任命她為和平友好大使，她成立金福基金會（the Kim Foundation International）。基金會主要替戰爭下倖存的孩童提供醫療與心理復健，協助孩童度過因戰爭所產生的恐慌經歷。她的基金會支持了世界各地許多學校和醫療院所，例如：烏干達、東帝汶、羅馬尼亞、塔吉克、肯亞及阿富汗。在成立大會上，她說：

　　我原本可以在時間的長河中無所作為，永遠只是「照片裡的女孩」，只是個受害者。然而，我不再逃跑，不再是受害者。讓心靈復活，讓愛和寬恕成為戰勝仇恨和死亡的良藥。

　　這張照片有一個沒出現的主角，那就是投擲汽油彈的美軍飛行員約翰普拉莫（John Plummer）。他出完任務後的第二天，看見這張照片，從此他陷入強烈的良心自責。當時他自己的兒子同金福一樣也是九歲，他內心的創傷和金福的苦難幾乎糾結在一塊兒。這使得他開始酗酒，妻子終於受不了，跟他離婚。他在絕望中遇到一位愛他的女生，才把他從酒精中拉出來。他自此篤信宗教，做了牧師。

1996 年 11 月 11 日，金福受邀在美國退伍軍人紀念集

會發表演講。當她講完，主持人在她耳邊輕聲說：「飛行員就在你的身後。」

金福轉過身來，看到了滿頭白髮的普拉莫。淚流滿面的普拉莫說：「我就是那個人，我對不起你們，我非常抱歉！」

金福伸出雙手，緊緊擁抱他。

「金福看到了我的悲傷和痛苦，她伸出手臂給我，擁抱我。我只能說的是對不起，一遍又一遍的說抱歉 …… 她說她原諒了我，我自由了，我終於可以平靜的生活。」

金福說得好：「我原諒了他。我們不能改變過去，但我希望我們可以共同建設未來。」

一條枝葉搖動一條枝葉，

一朵雲牽動一朵雲，

一個人的良知喚醒另一個人的良知！

11.12 火苗

人習慣畏果，不知道畏因。

狂牛症很可怕，但如果你不把羊剁成粉，拿來當飼料餵牛，牛是不會得這種病的，你也不會吃到有病的牛，然後十年、二十年以後得到狂牛症。牛本來不會狂，是人狂，害了牛、也害了自己。

核子電廠出事很可怕，但如果你用再生能源發電，不用核電，就不用提心吊膽，擔憂出事造成萬年大難。狂牛症是果，用羊餵牛是因。核災是果，核發電是因。果大因小，所以我們往往忽略因。只有消滅因，才不怕結果。果必有因，而因不一定立刻結果，但小小的因，時間越長，果就越大。

2008 年 9 月 15 日雷曼兄弟破產，這家超過一百五十年的銀行倒閉，引發美國金融大地震，全球股市應聲倒地，造成世界金融的大海嘯。而雷曼兄弟在倒閉前一個月，標準普爾還判定它的信用評等是 A+。這就好像大家正在狂歡派對，突然一聲爆炸，起火冒煙，所有人嚇傻。下一秒鐘，全部往門口衝，結果一團大亂，跌倒踩死的，比被炸死的還多。

雷曼倒閉，金融海嘯是果，而惡果的因在哪兒呢？

1999 年 11 月 12 日，柯林頓總統簽屬廢止《格拉斯・史帝格法案》Glass-Steagall Act。這法案是在 1933 年通過的，目的是針對 1929 年的金融崩潰，造成世界經濟大蕭條而來的。法案主要是限制商業銀行、證券公司、保險公司三隻老虎不可以跨足彼此的業務，更不准交叉持股。

法案禁止銀行包銷和經營證券，只能購買由美聯儲批准

的債券。金融業形成了銀行、證券分開經營的模式。

但允許商業銀行以信託的名義代客買賣股票。商業銀行於是普遍設立信託部，通過信託部和銀行控股的方式，參與大公司的人事和資本，大量進入非銀行金融業務。防止金融投資沒有節制的無限擴大，製造市場過熱。以免自己吹自己的氣球，越吹越大，一旦吹破，產生連鎖效應，害投資大眾的血本無歸。一旦造成經濟的重大傷害，會害死根本無辜的社會大眾，造成嚴重的社會問題。而且災難一發生，社會不知道要花多少年才救得回來？

1930 到 1933 年美國經濟大蕭條時期，華爾街股市崩盤，美國整體經濟萎縮約 30%，共計約一萬一千家美國銀行出現問題，佔當時所有銀行的 1/3。

現在普遍認為 1929 年那次經濟大蕭條，幸好後來羅斯福總統上台，採用凱因斯的理論，大力推動公共建設，製造就業機會，管制資本浮濫、嚴格限制銀行的行為，才使世界渡過危機。真的嗎？

羅斯福的「新政」確實有效，但藥效有這麼快嗎？要知道，後來金融危機發生不到十年，歐洲就發生戰爭，二次大戰接著開打，中日戰爭就更早了。戰爭把問題解決了，男的去打仗，女的代替男人進工廠，失業問題沒了。一打仗，各項物資生產加倍擴大。蕭條問題也消失。所以要不是戰爭，羅斯福的藥不曉得要多久才見效？美國要多久才會康復？

反過來，搞不好如果沒有世界經濟大蕭條，法西斯、納粹、日本軍國主義都沒有機會藉著經濟問題，造成人民痛苦到飢不擇食，為求一時特效，放任他們來奪取政權，進而發動大戰。

《格拉斯‧史帝格法案》一廢止，等於把柵欄全打開，放老虎歸山。銀行、證券、保險很快出現兼併，形成「金控公司」。錢可以用各種名目搬來搬去，最後搬到老虎私人口袋。還推出五花八門的高收益債信商品，讓槓桿風險不斷升高。最後公司掏空，大眾倒楣。

雷曼兄弟倒閉時，美國的財政部長鮑爾森（Henry Paulson），他原來是高盛（Goldman Sachs）的高層，柯林頓的財政部長魯賓（Robert Rubin）原來也是高盛的人，他離任後，又回到高盛當董事長。而現在歐巴馬的財政部長蓋特納（Timothy Geithner）就是鮑爾森在高盛的手下。你看看，銀行家想亂搞，都是「朝中有自己人」，才好辦事。像希臘為什麼破產？也是高盛幫希臘政府做假帳，用假帳去超額貸款，把錢亂花，最後挖出一個大洞，害死希臘人民。但高盛不但沒有法律責任，錢還賺得更飽。簡單的說，就是沒有了緊箍咒，孫猴子們還能不大鬧天宮嗎？

但是當時在廢止法案時，除了內行人，一般大眾並不清楚他們在搞什麼鬼？等到大禍來臨已經來不及了。所以劉備對阿斗說得好：「勿以善小而不為，勿以惡小而為之。」

但是，壞人不會因為「惡小」而不為噢！所以真正有大才幹的人，不是能應付危機，轉危而安。而是能在危機的草還沒有長出來前，就把它刨掉。

11.13 不老騎士

可能問不可能說：「請問你住在哪裡？」

不可能說：「我家住在沒有夢想的腦袋。你呢？」

可能說：「你在每一個有夢想的心中，都能找到我。」

我們從小就不斷會有夢想，但多少是會實現的呢？

有一天，當人八十歲，還有多少夢想的勇氣？

騎摩托車環島是年輕人都不容易做到，何況對老人，更是很難達成的夢想。

林依瑩是弘道基金會執行長，她想發起一個老人騎摩托車環台一圈的活動，問八十七歲的賴清炎有什麼意見。

「騎摩托車環島！」賴清炎堅定的說，「一定要辦，騎摩托車環島可以表現老人的元氣，證明人老了還是可以追逐夢想。」賴清炎的眼中閃耀著熱情：「沒有什麼不可能！」

果然，弘道基金會一宣布要舉辦「不老騎士環島」的壯舉，不到一個星期，就收到超過一百份報名表。

弘道基金會從報名表中，挑選出十七位「不老騎士」。

其中有二位曾經得過癌症、四位需要戴助聽器、五位有高血壓、八位心臟有問題、每一位都患有關節退化的疾病。

曾經是軍人的「賴皮爺爺」賴秀昇，當初只是覺得好玩就報名了，沒想到競爭對手這麼多，很擔心自己會被刷掉。收到錄取通知的那天，他興奮得跳起來，直說比中大樂透還高興。

賴清炎說：「七十歲太年輕了，把機會讓給八十歲吧！」

於是弘道基金會決定：八十歲以上都可以成為保障名額。

康建華眼前最重要的任務，就是考取駕照！儘管六十年沒做過功課，但為了完成夢想，康建華拿起交通規則猛K。考試當天，監考人員發現他已經八十一歲，心中充滿疑問：「八十多歲了，有必要考駕照嗎？」

結果，康建華不但筆試拿了九十五分，路考還一次就順利過關！

環島需要良好的體能，十六位不老騎士展開二個月的特訓。為了訓練平衡感，大家練習頂著書走S形道路。有人才走第一步，書就掉了。反覆練習，每個人終於都順利過關。

大家推舉賴清炎當團長，訂下一條條班規：騎車要保持安全距離、不超速、要關心別人……。

訓練期間，有許多年輕志工幫忙加油打氣。志工小婷總是掛著陽光的笑容，細心照顧王中天。可是後來，這個小太陽卻突然沒來。原來，小婷不幸得了鼻咽癌。雖然她不能來幫忙，卻把學校為她募到的兩萬元醫藥費，全數捐給不老騎士，幫助他們圓夢。

王中天知道後，心都揪了起來。他不但在自己的書法班分享小婷的善行，更親自在摺扇上寫下「忘年兄長，祝你成功」的祝福。

特訓以後，這些平均年齡八十一歲，內心卻住著十八歲夢想的老人，穿上不老騎士的服裝，帥氣的跨上摩托車。

2007 年 11 月 13 日他們以台中為「騎點」，一路向南。

「阿桐伯」何清桐的摩托車有個特別的地方：他把過世老婆的照片一起載著走。二十年前，愛旅行的夫婦兩人本來約好，到了八十歲還要一起環島。八十歲的阿桐伯，這次要實踐對妻子的諾言。

中途如果有人送花，阿桐伯都把花插在老婆的照片前，笑著說：「我老婆最喜歡花啦。」睡覺前，他會把老婆的照片帶到房間裡，擔心她一個人在外面怕黑；只要一下雨，他也會把照片上的水珠擦掉，好讓老婆看清楚前方的美景。

孫相春的太太全程陪伴，在遊覽車上擔任「後勤補給」。休息時間就拿水給孫相春喝，要出發時就大聲喊著：「老公我愛你，你要好好騎！」

李達基是車隊裡有名的「歪斜騎士」。他說：「我以前腳受過傷，沒辦法像一般人那樣直著身子騎車，才發展出這一套歪騎的技術。」每次轉彎，他都能神奇的取得平衡，從頭到尾沒摔過跤！

經歷過戰爭的李達基，內心曾經充滿陰影；參加環島以後，卻變得越來越開朗。不久笑容就成了他的招牌，大家暱稱他「肯德基爺爺」！

另一個開心果是「寶爺」石玉寶。當夥伴們騎到想睡覺時，他就大聲唱起軍歌，把大家的瞌睡蟲都趕跑。

基金會還特地安排了五次探訪老人院的活動。一位坐在輪椅上的老人拉著寶爺的手：「謝謝你們來關心我。」說著說著，眼淚就掉下來。

環島這幾天，經過幼稚園休息時，孩子就像最可愛的啦啦隊，幫不老騎士加油，這讓譚德玉特別想念孫子。

他女兒覺得他年紀這麼大，勸他：「爸，我給你十萬去美國玩，你不要去騎摩托車環島好不好？」

「人老，心卻不老，」譚德玉露出堅定的神色，「不可以小看我！」

團長賴清炎從出發時就身體不舒服，中間送了一次醫

院。重新上路沒幾天，再度入院。團員到醫院看他，要他放心養病，才能趕在最後一起完成夢想。

車隊經過台灣南端，來到台東的海邊，吳敬恆一馬當先，玩得最開心。

吳敬恆這一生累積的所有財產，都在九二一大地震中化為烏有。但他總是樂觀的說：「反正失去的也回不來，不如勇敢站起來！」

王克嶺最有赤子之心。車隊騎到台東，天氣熱得要命，他偷偷跑去買冰淇淋。大家拍合照時，怎麼都找不到他。原來王克嶺躲著，一面吃冰一面偷笑。

到花蓮時，黃媽存特別有感觸。四十年前，他的兒子偷偷騎單車環島，他一路追到花蓮才把兒子抓回去。沒想到四十年後，自己竟然也踏上環台之旅。他笑著說：「我在接續兒子當年沒騎完的路。」

不老騎士聊起少年時，有人投入對日抗戰，有人卻是日本殖民地的軍官，因為戰亂、命運的捉弄，善良的人成為戰場的敵人。多麼有幸，六十年後成為同甘共苦的夥伴，一起圓夢。

張陳映美不但成功走過兩次癌症風暴，更是不老騎士中唯一的女性。

平常，張陳映美騎車永遠只有去菜市場和教會兩條路線，路程不到一公里。沒想到，到了七十幾歲，卻一口氣繞過半個台灣。踩在東海岸的土地上，張陳映美呼吸太平洋吹來的空氣。她說：「土地的律動，透過不斷轉動的車輪，從每一個上坡、下坡、轉彎……傳達到我的手、我的心，我才深深的發現，台灣這麼美！」

張陳映美並不是一個人獨享這份感動，她的先生張弘道牧師騎著車一路相伴。他們是團員中唯一的夫妻檔，也是全隊最「幼齒」的不老騎士。「這一次環島就像是我們的二度蜜月。」這句話他們老掛在嘴邊。

最困難的挑戰是蘇花公路。在出發前，由張弘道牧師帶領大家一起祈禱。

蘇花公路是傳說中的「大魔王」路段，又狹長又陡峭，蜿蜒的隧道一個接著一個，路上大型車一輛接著一輛。最嚇人的是，砂石車緊緊逼近，轟隆聲在耳邊作響。不老騎士們根本不敢喘息，聚精會神的循著車道邊緣的白線前進，連山海交界的壯闊景致也無心欣賞。

「我們征服了蘇花公路！」車隊來到宜蘭，大家都鬆了一口氣。不老騎士的身體雖然疲憊，成就感卻在心中沸騰。

這時團長賴清炎身體雖然還沒全好，他仍堅持歸隊：「不能騎車沒關係，能在遊覽車上陪著大家也好。」

朱妙貴是全隊中最年長的成員，他的孫子剛好在蘇澳一帶當兵，他特別請假跑來給八十九歲的爺爺加油。原來在六十歲那年，朱妙貴就已經打算和家人騎機車環島一圈，卻在騎車到宜蘭時，因孫子突然發高燒而連夜返回台中。中斷三十年的環島夢眼看就要完成，祖孫的心一樣激動。

離開基隆，黃財驕傲的對夥伴炫耀：「大業隧道入口處的字，可是我掛上去的呢！」不老騎士中有本省人、客家人和外省人，大家都是一家人。

經過北台灣，一路往南，十七位不老騎士在大家的歡呼聲中回到起點台中。完成環台，大家都年輕起來。

弘道基金會執行長林依瑩說得好：「你的夢想是什麼？

我的夢想是在我阿嬤身上找到的！從小我們家三代同堂跟阿
嬤同住，直到她去年以九十六歲高齡離世爲止，跟阿嬤情感
很深。隨著我長大求學、工作，發現阿嬤越來越老，越來越
孤單，所以我的夢想就是希望讓老人老得精彩、有笑容！」

　　點亮一個夢想，就會點燃一個接一個的夢想。有人約好
要再騎車環島；有人跟基金會提出要組老人棒球隊、有人要
去美國大峽谷……

　　不可能問可能說：「現在你要去哪裡？」

　　「不管在哪裡，」可能回答，「都不能有你！」

　　就像約翰藍儂說的：「一個人作夢，夢想只是空想；一
群人作夢，夢想就會成眞。」

●不老騎士勇敢逐夢，騎機車環島。

11.14 現在盡我們所能

有人說：「等我有錢，我就要捐錢做慈善。」。

是呀，沒有錢，當然沒錢捐。但關鍵在「有」的定義，如果你講的「有錢」是像李嘉誠那樣有錢，那未來要捐錢的機會不能說沒有，但很渺茫。要是你是把「現在有」的錢，拿一部分出來，立刻可以成菩薩，馬上就有錢可以捐助。

托比・奧德（Toby Ord），1979 年在澳洲墨爾本出生，現在是英國牛津大學的研究員，他的太太是醫生。奧德想一生捐出一百萬英鎊來幫助人，他有祖產嗎？沒有，那要等他發大財以後才捐嗎？不必等，他現在就捐，怎麼做得到？

他每個月收入 2083 英鎊，房租 416 鎊，生活開銷 334 鎊，存款 500 鎊，這樣每月有餘錢 833 鎊，可以捐出去助人。

他目前已經捐了兩萬五千鎊，但他的生活有沒有受影響？他說沒有，他一樣可以偶爾出外用餐、泡咖啡館，他的愛好是閱讀、聽音樂、攝影，一樣也沒打折。

他和太太每年一樣去法國或義大利度假一週，存的錢可以用來買房子。他的生活跟沒捐錢時一樣舒適。他估算他要一生要活得舒服快樂得花五十萬鎊，所以決定捐一百萬鎊。

2009 年 11 月 14 日，他成立了「盡我們所能」Giving What We Can 的網站，號召大家一起來響應他的做法，他希望加入的夥伴每月至少可以捐出收入的 1/10，很快就有六十四個人參加，人數持續在增加，他希望可以達到 1400 萬鎊的規模。

奧德說：「當我還是學生的時候，年收入只有一萬四千

鎊，我發現在這個世界上，我已經算是前 4% 的有錢人。如果我捐出 1/10 的收入，我還是算在前 5% 的富人。我改變了看世界的方法，我不要更多的東西，我只是想要幫助更多人，我真的不需要更多。我不必為花更多錢在自己身上，而感到焦慮。」

根據世界衛生組織的算法，他一年捐一萬鎊，可以幫助貧困地區的人們，延長四千年的生命。

奧德說：「我從電視上看到貧困國家，那裡人的生活讓我感到非常內疚，現在捐出自己的部分所得，不但使我感到解脫，生活也有新的意義。」

真正的善心，是算算自己的能力，「現在」就盡力去做善舉。

賣火柴的女孩如果每天賣十盒火柴，便捐出一盒火柴，馬上她的貢獻就超過國王捐一頂王冠，她的快樂當下就有，而且持續到永久！

11.15 老鼠會的祖宗

一個瓶口小，瓶身寬的罐子，裡面裝糖果，你讓一隻猴子伸手去抓糖果，會怎樣？猴子的手會卡在瓶口出不來，因為牠手上裝滿糖果，不肯放手。人也是這樣，為了貪財，往往失去理智。所有的騙局，基本上都利用人的貪心才成局。人不貪心，騙子變不了戲法。

身高一百五十七公分的查爾斯・龐茲(Charles Ponzi)，出生在義大利一個沒落貴族的家庭。他的母親一直夢想，兒子有一天會飛黃騰達，重振家門。龐茲肩負著母親的希望，進入羅馬大學，行為也頗有貴族人家的氣勢。但他終究家底薄如紙片，禁不起兩三下揮霍就露了底、破了洞，不但被真正紈褲子弟羞辱、恥笑，還斷送學業。

洗刷恥辱，最好的辦法，就是遠離故鄉，到一個沒人認識的地方，大幹一場，再衣錦還鄉。什麼地方好呢？美國，自由的大陸，冒險者天堂。

他帶著叔叔給的二百美金，在 **1903 年 11 月 15 日**來到了波士頓，開始追逐他的美國發財夢。他做過小店伙計、路邊推銷員、油漆工、洗碗工。再辛苦工作也沒什麼搞頭，倒霉時連房租都交不出來，被趕到路上去睡公園。

天下大亂，機會大好。1919 年第一次世界大戰雖然結束，各國貨幣的匯率波動很大。龐茲發現根據各國在羅馬簽的條約，國際代金券和各國鈔票的兌換是固定的。意思就是說，如果義大利里拉貶值，我用美金可以換更多里拉，再用里拉去買代金券，就可以多買幾張，然後再把代金券拿回美

國，換成郵票，郵票再換美金。因爲代金券的兌換率不隨匯率調整，就可以換更多美金。這樣換來換去，錢越換越多。

龐茲當時計算最少有10％的利益，其實就是「套利」。現在說套利，大家都懂這個道理，可是在當時，國與國之間的交通，人與人的往來並不是像現在如此頻繁。所以龐茲可說是非常早就有「國際觀」。

問題是套利，要有本錢。本錢哪兒來？銀行不會借給窮小子，那怎麼辦呢？

他在1919年聖誕節後，開了一家公司，給投資人許下一個甜死人的未來。就是你投資龐茲的公司，他答應三個月內就給你40％的利息。他算過用代金券連鎖換來套利，三個月豈只賺40％，所以這點利息是小意思。結果賺的比他想的還多，起初的投資人各個眉開眼笑。所以來了更多人投資。

投資多不是件好事嗎？但是問題來了，各國發行的代金券，量不多。也因爲量不多，各國政府就沒發現有匯差的問題。所以你想多買，買不到。而且郵票是郵票，要把大量郵票換鈔票，理論可以，實際難行。

但龐茲有了另一個創意，就是第一號投資者，如果可以介紹新的投資者進來，那他就可以從中收取佣金，介紹越多抽越多。這樣公司即使沒有投資，也可以應付對投資者的承諾。1920年7月24日，《波士頓郵報》報導龐茲公司，宣稱他在四十五天就付給投資人50％的利息。去哪裡找這麼好賺的生意？這下吸引了三萬人來投資，他吸金八百萬美金，這錢在當時可以開一家大銀行。結果他手上只有價值六十一塊的代金券。

這樣敲鑼打鼓騙了一年多，泡泡吹破，公司破產，發財

夢碎。龐茲起初無存心騙人，只是一腳踩進去，收不回來，越陷越深。所以他也沒逃跑，後來判刑九年。

從此龐茲在金融史上就千古留名，這種用空殼公司來吸金，稱爲「龐茲騙局」，也就是我們說的「老鼠會」。其實龐茲人並不壞，還可以算善良，他在沒有發財時，有一回在醫院當臨時工，碰巧有個護士因鍋爐爆炸而嚴重灼傷，龐茲還捐了五十平方英寸的皮膚，給小護士做皮膚移植用呢！

而且他當時也不知道，他發明了套利和老鼠會。與其說他是個騙子，不如說人們因貪心而成了傻子。傻子如果不去騙下一批傻子，那怎麼會成老鼠會呢？你想誰是騙子呢？

●開創「套利」和「老鼠會」
　模式的龐茲

11.16 捍衛家園

知道「鐘擺」原理吧？如果你把鐘擺從你的鼻子前，推出去，當鐘擺擺到底，再擺回來時會打到你的鼻子嗎？

不會，再用力都不會！

鐘擺向前擺動的最遠距離，不會超過起點到中間點的距離。也就是說只要是從你的鼻子開始，擺回來時不會碰到你的鼻子。除非你把起點移到鼻子後，哪怕再小力推，保證擺回來時，一定正中你的鼻子。

「物理」如此，「人理」也一樣。

如果你看過東京成田機場的空照圖，就會發現它有一條跑道很怪，怎麼怪？不是直的。跑道端打三個大彎，很像可彎式吸管。為什麼會這樣？因為有七個「釘子戶」，民房擋住跑道，不得不拐彎。全世界只有成田機場這樣，這到底怎麼回事？

事情要從 **1962 年 11 月 16 日** 說起，這一天日本的內閣決議要興建「成田」機場，取代「羽田」機場，成為東京的新大門。當時日本已從戰後復興，大力展開各項建設，當然要興建一個新的現代化機場，來展現經濟大國的宏圖。

問題是機場的預定地有一半是原本屬於皇室的牧場，這個好商量。有一半卻是農民的土地。這個「應該」更好辦，給他們錢，補償嘛。如果農民不願意，那就強制徵收，為了國家，天皇都要捐土地，區區農民哪有什麼話說？

問題是機場預定地，成田三里塚地區的農民有一段悲情的過去。他們在戰前受政府鼓勵，原本從日本移民到中國東

北，成爲所謂「滿蒙開拓團」。結果日本戰敗，無條件投降，這些人便被遣返日本，等於所有辛苦、財產都化爲泡影。

日本政府爲了安置他們，就劃了三里塚這片「荒地」給他們。現在他們花了十幾年打拼，千辛萬苦建立的新家園，又在政府大筆一圈下，再度粉碎，實在是情何以堪。國家戰敗，被人家趕回來，沒話說。現在是自己國家，憑什麼你說要，我就得走？

而且日本政府哪會把農民放在眼裡，當時的總理佐藤榮作聲望正高，作風強勢，他有個外號叫「佐藤天皇」。國家拍板，法律當前，小小農民怎麼可以不屈服？所以政府根本懶得跟農民溝通，所有溝通只是做做樣子，擺出民主的姿態，眞實的心態是「你是民，我是主」，跟你宣導已經很禮貌了。

7月20日當地居民成立「三里塚芝山聯合機場反對同盟」，誓死抗爭。除了大男人要站出來，他們還組織青年行動隊、少年行動隊、婦女行動隊。政府以爲這些平常和順的農民，頂多是小打小鬧一番。沒想到，他們可不是玩假的。當然是眞的，他們要捍衛的是他們血汗點滴建立的家園啊！

結果從1967年到1978年，總共爆發56次衝突。最慘烈一次是「東峰十字路事件」，政府出動5300名全副武裝的鎮暴警察，當地居民加上各地來的支援志工也有5000人，警方擺出龐大的盾牌陣，人民便手抬著木樁，像古代打仗撞擊城門一樣，衝開盾牌陣，接著棍棒齊飛，汽油彈、水柱車一陣混戰。結果造成了3名警察死亡，而居民有150人受傷，475人被捕。後來有55個青年行動隊被起訴，3人判無罪，其他雖判刑但都緩刑。夠慘烈吧！

這時政府才有點清醒，興論也開始轉向。1978年成田機

場完工，也因衝突事件一再發生，而一再延後啓用。就這樣持續抗爭半個世紀，到現在還有七個釘子戶，打死不退，所以有一條跑道只好繞過他們，形成成田機場的「奇觀」。

而三里塚人民的犧牲，給了政府重大教訓，從此徵收土地的方式、規定、法律、執行都有了比較合理、周延的保障。

後來的「關西機場」興建，就寧願花比較多成本去填海造陸，而不從人民手中徵收。其實這樣最後比較省錢，因爲成田機場從最早預定的 1350 億日圓，後來因抗爭延宕改建所增加的費用，是原來的十倍！

政府把一根繩子懸吊著大鐵球，向人民擺過去，敲碎人民的家園夢，但擺回來的同時也使政府重挫！所以如果超過限度越大，重傷越大！

如果你要去日本，飛機在成田機場降落，又剛好碰到冬天，你要注意飛機如果因下雪延誤時間，萬一超過晚上 11 點，哇，那就麻煩了！

我有一次在冬天去日本，因大雪班機被迫延後降落成田機場，結果出關後，已經沒有電車、沒有巴士，排計程車的隊伍，看起來像雪中的萬里長城，那樣令人無奈！而且根本無車可等，都是像我這種外國人不知狀況！困在機場一大堆人，機場每人發睡袋和毛毯。幸好東京的朋友幫我搞到車，等我到達東京的旅館已經是凌晨 3 點半！我那時在想，日本人在搞什麼飛機？明明加開電車班次或加開巴士，就可以解決大家的困難，這比發睡袋、毛毯還便宜又有用。爲什麼有效率、認眞的日本會搞成這樣？每年都會下雪不是嗎？而且我這趟車資是平常的四倍，我奇怪成田附近的計程車爲何不趁此機會大賺一票？司機告訴我，成田的居民對這個機場有

　　複雜的情緒，他們看到有人困在機場，會些許安慰！所以不
會有人來賺風雪財，除非他不是本地人。因為語言不夠通，
我當時完全聽不懂他在講什麼？後來讀到這段歷史，才恍然
大悟！

　　我那一時的抱怨，比之三里塚人民的悲憤、怨恨，實在
有點難為情了！

●「三里塚芝山聯合機場反對同盟」豎立的抗議看版

11.17 對陌生人的親切

它是書店,任何冷門的期刊,女主人都會幫你找到;

它是圖書館,供人們盡情借閱;

它是出版社,出版全世界沒有人敢碰的禁書;

它是銀行,窮苦的作家如果有急用,可以賒欠;

它是郵局,流浪的作家以此爲通訊處。

它是「莎士比亞書店」。一個從巴黎聖母院過一條橋,位在塞納河左岸的「文學聖地」!

絲薇亞·比奇(Sylvia Beach)1887 年生於美國巴爾的摩,她在一次大戰快打完時,回到少年時曾居住過的巴黎,結識了開書店的阿得里安娜·莫妮耶(Adrienne Monnier)。當時在巴黎要買英文書很不容易,莫妮耶就鼓勵絲薇亞何不開一間專賣英文書的書店。於是「莎士比亞書店」就此誕生,**1919 年 11 月 17 日**開張,專賣英美文學書籍和雜誌。

戰後,書店成爲文壇、藝壇的交流中心,喬伊斯、費茲傑羅、史坦因、龐德、海明威、畢卡索、鄧肯、史特拉文斯基……都經常在此出沒,討論學問、談論理想、辯論人生,讓書店聲名遠播。

1922 年莎士比亞書店出版了喬伊斯的《尤里西斯》,這一部巨著在當時沒有人敢出版,出版後歐美各國都列爲禁書。莎士比亞書店自出自賣,這個事蹟更使書店成爲「文學的聖殿」。

1941 年德軍佔領巴黎,絲薇亞被捕入獄。她犯了什麼罪?因爲她不肯把店裡最後一本《尤里西斯》賣給納粹軍官。

莎士比亞書店就此中斷。

　　1951 年 8 月，喬治‧惠特曼（George Whitman）在聖母院的對岸，開了一家叫「密斯托」Le Mistral 的書店，他過去有二十年流浪生涯，所以特別在書店擺了一張床，讓流浪到此的藝術家臨時落腳。

　　1962 年絲薇亞過世，惠特曼買下她的藏書。1964 年惠特曼把書店改名為「莎士比亞」延續了中斷多年的「莎士比亞書店」。每一次書店擴大規模，惠特曼就會增加床位。他在 2011 年 12 月 14 日過世，活了九十八歲。他回憶莎士比亞書店收容過四千多個作家和藝術家。

　　如果你今天去造訪這家書店，你除了會在書店二樓、三樓，看到書架間擺設一張一張的床，免費提供住宿外，你還會在一道門上，看見貼著這句話：

不要冷漠對待陌生人，
因為他們有可能是天使所喬裝的。
BE NOT INHOSPITABLE TO STRANGERS, LEST THEY BE
ANGLES IN DISGUISE.

●文學聖殿莎士比亞書店

●絲薇亞和喬伊斯在莎士比亞書店內

11.18 善用所有

不要計算你缺少什麼？而要思考你擁有什麼？善用你所擁有，你會發現你什麼都不缺。飛吧，也許你沒有翅膀，但你有螺旋槳。

帕爾曼（Itzhak Perlman）出生在以色列，從小是音樂天才，三歲半開始學小提琴，九歲就開演奏會，十三歲到美國演奏，進入茱麗亞音樂學院，十八歲在卡內基音樂廳舉行獨奏會，技驚全球，聲名大噪。從此得獎無數，是小提琴演奏的巨星。

他不同於一般的小提琴家是站在台上演奏，他是坐著拉琴。因為他四歲時，得了小兒麻痺症，從此雙腿失去走路的能力，沒有拐杖，無法行動。

腿不能站立、走路，並沒有給帕爾曼帶來人生的創傷。因為他的音樂才華，不需要腿，只需要手。在舞台上，坐著或站著拉琴，只是高度不同，對音樂沒有差別。拐杖不是他的負擔，而是他的一種支柱。

1995 年 11 月 18 日，帕爾曼在紐約的林肯中心表演。音樂會開始，帕爾曼和往常一樣，一拐一拐的慢慢從後台走出。他坐定後，舉起小提琴，全場屏氣凝神，等待他醉人的演奏。沒想到，他才拉了幾個小節，小提琴的一根弦「繃」的一聲，斷了。管弦樂團停了下來，怎麼辦？

去後台拿備用的琴嗎？不是不行，而是帕爾曼走路不是「強項」，他走的很慢、很不方便，他不想讓觀眾等待。

帕爾曼坐在椅子上，低頭想了三四秒，抬頭和指揮悄悄

講了幾句，然後，重新開始演奏。全場觀眾目瞪口呆，帕爾曼運用他深厚的功力，變換和弦，不時改變曲調，用僅存的三根弦，完成整場表演。如果你沒看見前面斷了一根弦，根本就沒感覺他是用三根弦在拉。所有觀眾看到奇蹟，爲帕爾曼瘋狂！

　　此時，帕爾曼露出笑容，擦去臉上的汗水，吃力的站起身，開口對觀眾說：

　　你們知道嗎？有時候，音樂家的任務是找出自己在剩餘的條件限制中，能夠完成什麼樣的音樂！

●用三根弦完成整場演奏的
　小提琴家帕爾曼

11.19 洞見

「蓋茲堡演說」是林肯「最短」的演講，卻是被引用「最多」的政治演講。

1863 年 11 月 19 日，爲了紀念「蓋茲堡戰役」，林肯總統在蓋茲堡發表這篇偉大的演講。這篇短短 504 字的演講，林肯只講了不到三分鐘，當大家還準備往下聽，想不到他已經講完，現場的人都來不及鼓掌。

這篇演講最重要的就是在它的結尾，林肯立下了民主政治的標準，就是「民有、民治、民享」。而這個定義也被寫進中華民國憲法的第一條。

八十七年以前，我們的祖先在這塊大陸建立了一個新的國家，它孕育於自由，並且獻身給一種理念，就是所有人都是生來平等的。

當前，我們正在從事一次偉大的內戰，我們在考驗，究竟這個國家，或任何一個有這種主張和信仰的國家，是否能長久存在。

我們在一個偉大的戰場上集合。我們來到這裡，奉獻戰場上的一部分土地，作爲在此地爲國家的生存，而犧牲自己生命的人永久眠息之所。我們這樣做，是十分合情合理的。

可是，就更深一層意義而言，我們是無從奉獻這片土地的——無從使它成爲聖地——也不可能把它變爲人們景仰之所。那些戰鬥的勇士，活著的和死去的，已使這塊土地神聖化了，遠非我們的棉薄之力所能左右。

世人會不大注意，更不會長久記得我們在此地所說的話，然而他們將永遠忘不了這些人在這裡所做的事。相反，我們活著的人應該獻身於曾在此作戰的，所英勇推動而尚未完成的工作。我們應該獻身於面前所留存的偉大工作——由於他們的光榮犧牲，我們要更堅定致力於他們最後貢獻的事業——我們在此立志誓願，不能讓他們白白死去——要使這個國家在上帝庇佑之下，得到新生的自由——要使民有、民治、民享的政府不從地球上消失。

　　林肯的「蓋茲堡」，是他垂名千古的不朽演說。他在演講前，看到會場擠滿人群，向來催駕的富萊將軍說：

　　「不知怎麼搞的，我覺得自己像家鄉那個叫伊力諾的死刑犯。當他被送上絞刑台時，路上擠滿了來看他吊死的人，完全動彈不得。伊力諾最後忍不住向群眾大叫：『喂！各位鄉親，讓條路給我走好嗎？你們這樣把路都堵死，是在幹什麼？我如果過不去的話，你們要看什麼啊？』」

　　林肯很幽默，幽默的背後是他深刻的「洞見」。

11.20 撥雲見日

上帝給我們風，如果我們能善用，可以靠風航行，可以靠風飛行，可以推動風車，可以發電……正如同上帝給我們每一個人的天賦，不在上帝給多給少，而在我們用多用少！

威廉·坎寬巴（William Kamkwanba）生長在非洲的馬拉威，當地的政府很糟，人民生活很苦。像坎寬巴的家沒有自來水、沒有電。有一次旱災來臨，總統來巡視，他們的鎮長向總統提了一些建議，總統不愛聽，結果鎮長被人拖到路旁痛打一頓。有這樣的人禍，天災當然更嚴重。一遇到旱災，坎寬巴一家一天只能吃一餐，一人只吃到三口玉米粒。吃都吃不飽，還談什麼上學！

所以十四歲的坎寬巴雖然成績可上中學，但因為付不起約 2600 元台幣的學費，即便他是家裡七個小孩中唯一的男生，也只好輟學。但他很想上學，便回到學校偷偷上課。後來被校長查到他沒繳學費，就被趕了出來。

看起來好像老天放棄了他，但他不放棄自己。他有時間就跑去小小的圖書館，自己做自己的校長、老師，看書自修。

他看了很多科學的書，尤其喜歡物理。圖書館的書都是美國捐贈的，他的英文閱讀能力有限，但他看著書中的圖表來推敲文字的意思。有一天，他翻開一本《利用能源》的書，書中說「風車」可以抽水，可以發電。於是他決定做一個風車發電機。

他手邊沒有材料，他便跑到垃圾場找廢料，他收集一個風扇、一台減震器、一些塑膠管……還有一輛破腳踏車的

架子，開始動手做「風車發電機」。

　　村子裡的人都認爲他自不量力，連他媽媽也以爲他瘋了。只有鎮長的兒子相信他、幫助他。結果他用了一堆破銅爛鐵，居然拼湊成一台陽春「風車發電機」。

　　他接上一個小燈泡，然後，風車轉動，燈泡發出光，亮了！所有人驚呼、拍手、跳舞，這盞小燈代表無窮的希望。

　　他再接再勵，接上四盞電燈，讓他家大放光明。要知道整個馬拉威只有 2% 的人能享有電力。但是電線差點走火，於是他自行設計改裝汽車的電池和整流器，並且設計了保險斷路器，這下保證不會把屋頂燒掉了。

　　然後，他再做了另一台風車，專門用來抽水、灌溉，這樣就能度過旱災，確保收成，減少饑荒。他家的門口每天有一堆人排隊，都是來等著替他們手機充電的人們。

　　坎寬巴成了村民的英雄，事情開始傳出去，然後記者上門了，**2006 年 11 月 20 日**，馬拉威的報紙《每日新聞》The Daily Times 把他的故事刊了出來。接著透過網路，像風一樣四方流傳，國際間才看見這個感人的少年鬥士。他被封爲「天才輟學人」，然後 TED 找到了他，邀他去演講。

　　這個從沒有坐過飛機、沒有住過旅館、沒有看過電腦的大孩子，被帶到了 TED 在坦尚尼亞阿魯沙的會場。當他上台講話時，太緊張，幾乎把英文都忘記了。他在主持人幫忙問答下，生澀的講出他的風車故事。他以爲他的爛英文會招來嘲笑，沒想到得來的是不斷的掌聲，而且講完後，大家都起立拍手，很多人還流著眼淚！

　　這是他第一次感受到，自己是置身在被理解的環境中，這些人了解他的所作所爲，這些人可是世界一流的科學家！

坎寬巴第二次在 TED 演講，結尾時他說：

我要對每一個像我一樣的人，非洲人，貧窮卻有夢的人說「上帝保佑你！」我要對你說：相信你自己，別失去信心。無論如何，不要放棄！

坎寬巴說他常常想起馬丁路德‧金恩的話：「如果你無法飛翔，就用跑的；如果無法奔跑，就用走的；如果走不動，就用爬的。」是的，世界上有兩種人，一種是善用上帝給他的天賦，一種是忽略上帝的天賦而不用。

所以，放手一試，就能成功。

不信？看看坎寬巴就知道了！

● 坎寬巴獲邀前往 TED 演講。

● 坎寬巴建造的第一台風車。

11.21 國家的孩子

　　如果你以時速兩百公里從甲地開車到乙地，然後在以時速一百公里開回來，請問你的平均時速是多少？如果你答一百五十公里，那你答得太快，你要再想一下。

　　我們常常會用直覺來反應，殊不知看似越沒有疑問的問題，裡面陷阱越大，會直接把我們拉到以為對的地方，而忽略了可能隱藏的錯誤。

　　美國內布斯加州在 2008 年 7 月，頒布將「棄養子女」除罪化的法律。這條立法是為了顧慮那些因為各種原因而懷孕的年輕媽媽，怕她們無力撫養小孩，所以網開一面，讓她們可以合法把嬰兒送到法定的單位，棄養不處罰。由政府對孩子進行安置，這是顧及人權也合乎現實的作法。

　　但法律一公布，問題來了，9 月 1 日第一個被棄養的孩子，不是未婚生的嬰兒，而是一個十四歲的青少年。他的媽媽把兒子丟在貝瑪哈城的警察局，隨即揚長而去。怎麼會這樣？原來內布斯加州的法律，棄養的對象不限於嬰兒。照法條看，只要是十九歲以下的兒童和青少年都算。所以這個媽媽遺棄兒子，完全無罪。

　　光 9 月就有十五個孩子被丟在醫院或警局，他們都是十一歲到十五歲的青少年。最離譜的是有個爸爸，帶著十個小孩到貝瑪哈的醫院，孩子最大的十八歲，最小的一歲。他說因為他的妻子生下第十個孩子後死了，他現在是單親，一個人實在養不了這麼多小孩。他決定把九個小孩都丟給政府，只留下最大十八歲的女兒。根據新法律，他不但沒罪，

還確實有權把小孩丟給政府養。

要知道內布斯加州立這個「棄養法」並不是先驅，所以不應該疏忽犯錯。當時美國只有四州沒有這個法律。最早的是德州，但每一個州都是棄養只限定「嬰兒」。那內布斯加州是哪個笨蛋抄法條給抄漏了嗎？

不是，立法前他們有想過，他們認為只保護「嬰兒」，範圍太窄。那比嬰兒大一天的就不保護，對嗎？那比大一天再大一天的呢？所以他們決定保護「所有的孩子」。所以他們不是疏忽，而是又笨又勤快。

政府剛開始還不認錯，他們還解釋青少年被棄養，如果政府不想辦法解決，只是用法律禁止，並沒有改善問題。青少年難道不是美國的孩子？難道只有嬰兒才算國家的孩子嗎？不要緊，再拗啊！沒多久，就拗不下去。因為棄養青少年的人數越來越多，這樣下去怎麼得了？

於是在 **2008 年 11 月 21 日**，完成修法，棄養除罪的孩子限定為「三十天內的新生兒」。結束了一場鬧劇，修法前一天，還有三個青少年被丟在貝瑪哈醫院。

現在，你知道有些事，尤其是立法，實在不可以輕忽。法律像鐘錶的齒輪，一個接著一個，一個轉動也帶動其他齒輪，一個小齒輪卡住，全部成廢物。我們當然直覺想，父母都是愛孩子，怎麼會亂丟呢？事實呢？「天下無不是的父母」這句老話是不是很直覺呢？

11.22 顯靈

你抬頭看天，會不會發現雲有時像兔子？有時像鴿子？我們知道那是雲偶然成形，純屬巧合。但如果雲中出現一張臉，一張看起來像耶穌或佛陀的臉，是巧合還是神蹟顯靈？

我們的大腦會尋求模式和規則，妙的是如果它找不到解釋和規則，它會自己發明，完全不受我們控制。而這個腦部作用卻可以利用來發財喔！

2004年11月22日，eBay拍賣網上，一片吐司以二萬八千塊美金賣出。這是什麼吐司如此值錢？它的主人叫戴安·德依賽（Diane Duyser），她在1994年的秋天烤了一片吐司，正要大口咬下去，突然發現吐司上有一張臉，一張女人的臉，而且不是普通女人，是「聖母瑪利亞」正在看著她！

她把老公叫來，老公也大呼不可思議，沒錯，一定是聖母瑪利亞。接下來的事更證明他們沒看錯，戴安把吐司放在一個普通的塑膠盒，十年！

十年後吐司都沒有變壞、碎裂，聖母的臉也沒有變不見。而且她有了這片吐司後，居然在賭場贏了七萬美金，如果這不是神蹟，那什麼是神蹟？如果這張臉不是聖母瑪利亞，那什麼臉是聖母瑪利亞？

事情傳開，報紙、電視都來採訪，戴安決定把吐司放到eBay去拍賣，她還提醒下標者：「這可不是讓你買來吃的，是僅供收藏用的。」結果才一週，eBay上的點閱數超過一百七十萬次，google上的搜尋點閱率達到八萬九千次，戴安也跟著出了名，她的名字也出現三千次的搜尋。

最後買走這片聖母吐司的，是一個叫「黃金殿」Golden Palace 的線上賭博遊戲網站，他們帶這片吐司去環球旅行，做活動，讓人們看這片吐司，祈求得到像戴安一樣的好運；同時做慈善募款，第一波活動就募得二十萬美金。來瞻仰這片吐司的人，都承認他們確實感受到神秘的力量。

是的，這片吐司真的給很多人帶來好處。eBay 上出現幾十種聖母瑪利亞吐司的商品，有複製的吐司、T 恤。誇張的還有「聖母」烤麵包機，但不保證每次都能烤出聖母吐司！

人腦就是這樣，它自己會去創造根本不存在的東西或規律，所以你會在斑剝的牆上、龜裂地磚、水漬毛巾，看到人臉，只要你相信，那就是耶穌、佛祖、撒旦、聖母瑪利亞。人會把所有可能的巧合，歸結到同一個起因，說服別人，同時催眠自己。像風水師跟你說這條山脊是「龍脈」主貴，這塊地是「蟾蜍」主財，那塊是「烏龜」主壽。你耳朵聽了，腦袋自然浮現這些形象，而且越看越像，付錢也付得越開心。

所以如果有一天你喝完咖啡，發現杯底有耶穌的人像，那你要問自己，為什麼耶穌要顯靈，不在聖馬可廣場，不在紐約時代廣場的電子看板上，卻要憋在你的杯子裡？

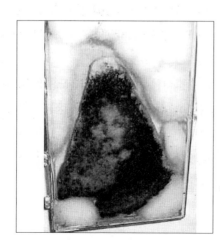

●聖母「顯靈」的吐司

11.23 聽音樂變聰明

有的音樂會讓人激動，有的會讓人平靜，有的讓人感動，有的讓人快樂。那有沒有音樂讓人聽了會變聰明？

1781 年，莫札特收了一個優秀的女學生，名叫奧爾斯哈默（Josepha Barbara von Auernhammer）。莫札特真是一個好老師，他為了栽培學生，為她寫了六首鋼琴練習曲。

其中一首編號 K448，於 **1781 年 11 月 23 日**，在奧爾斯哈默家首演。這首曲子聽來十分悅耳，大家都對奧爾斯哈默讚賞有加。莫札特也對自己慧眼識才感到得意，只是當時不知道這首曲子有超乎音樂之外的功能。

最先是出現在 1993 年的醫學雜誌，有研究顯示讓大學生聽 K448 鋼琴奏鳴曲，再接受智力測驗，分數會提高八到九分。這個研究開啟了「莫札特效應」，許多人，尤其是兒童智力開發的機構，就把聽莫札特曲子會對兒童產生的影響，當做研究的題目。1999 年知名的學術期刊《Nature》，再度刊出聽 K448 更精密的實驗報告，結果差不多，就是會提高智力測驗的分數八到九分。

這下莫札特的音樂，成了仙丹妙藥。市面出現了一大堆給兒童的莫札特音樂 CD，還有專門給孕婦做胎教用的，希望胎兒在媽媽肚子裡就開始聽莫札特，然後變聰明。不只不能輸在起跑點上，更要提早開跑，對應這種心理，莫札特的商品一時大行其道。

但大家都不仔細，真正有實驗可以佐證的只有 K448，其他的莫札特樂曲都沒有明顯差異。

但人腦是先入爲主，只對原來有印象的，且加重印象。原來沒有的，就會被忽略。所以莫札特大家都知道，K448就不熟悉了。再加上做生意怎麼可能只賣 K448 ？自然就誇大成所有莫札特的樂曲了。

不過，K448 真的很神奇，不只在腦力提升部分，它還能治病。治什麼病？癲癇症。美國伊利諾醫學中心在 1998 年發表研究，他們給二十九個癲癇症的患者，聽 K448 約三百秒，結果有二十三個病人癲癇的腦波明顯下降。即使病人是在昏迷狀態，不是清醒有意識知道自己在聽音樂，K448 也一樣有效果。

台灣高雄醫學院給五十七名十七歲以下的癲癇病童，每天聽八分鐘的 K448，然後檢測腦波，發現有四十七人腦中央異常放電頻率平均減少 30%，但對後腦沒有效果。再來，他用十八名兒童長期用 K448 治療，結果異常放電減少高達 53%，而且發現聽音樂的時間越長，功效越好，以六個月爲最佳療程。

我自己實驗聽 K448，果然心情平穩，不知道是不是心理作用？哎，要提醒一點，不是整段 K448，要聽 K448 的「第二樂章」。如果從頭聽，我覺得第一樂章還是會令人興奮。

回到變聰明，人的腦很微妙，完全受情境影響。麻省理工學院（MIT）有個實驗，學生進來做測驗，設計三種狀況：

A 考試人員給試卷時，看學生一眼，「嗯哼」一聲。

B 考試人員低頭不看學生一眼，手伸出給試卷。

C 考試人員不看學生一眼，低頭在碎紙機碎紙，叫學生自己拿試卷。

哪個狀況學生的成績會好？當然是 A 最好，B 其次，

C 最差。日本廣島大學的研究，如果讓學生在考試前看可愛
動物寶寶的照片，學生的成績會更好。所以啦，心情好，頭
腦自然靈活。如果你聽音樂，會心情好，腦子當然表現好。

　　2003 年牛津大學的研究更細，聽 K448 可以提升受測者
的空間、時間的推理能力。反正這首曲子還真神！難怪莫札
特會受世人喜愛，歷久不衰！

● 聽莫札特的 K448 可以讓人變聰明一點。

11.24 好萊塢黑名單

你一直向西走去，最後會到達東方。而世界不只地球是圓的，極端的兩邊，其實站在同一個點上。最反共的是法西斯，最反法西斯的是共產黨。希特勒與史大林互相厭惡，因為他們是同種同類，只是一山不容二虎。

這種極端的力量一旦擴大，就會製造極端的年代，對世界造成災難，尤其對文化藝術造成沉重的傷害。但搞文化藝術的頂尖份子，也是聰明過人，他們不會向笨蛋反撲，他們會尋找空間，持續成長，創造奇蹟。

二次大戰後，美國打垮了納粹，戰後卻發現更可怕的敵人——共產黨。蘇聯在戰後的政治真空狀態，快速向東歐、中國、南美輸出革命，更讓美國國內掀起了「恐共」的狂潮。這個浪頭的最高峰，就是「麥卡錫主義」。

麥卡錫是共和黨極右派的參議員，他以強烈反共的姿態，成為美國國內恐共、防共的領導者。他們把「反共」和「反美」掛上勾，就是你不反共就是反美，你愛美國就要反共。搞到在眾議院成立一個「不美國調查委員會」，矛頭首先指向藝文界。

最高任務是要把混在藝文界，尤其是好萊塢電影圈的共產黨及同路人揪出來。所以他們以公權力實施清查的行動，要求電影圈的人要交待自己是不是共產黨？有沒有參加過共黨活動？除了要坦白自己，還要舉發別人。如果拒絕，視同藐視國會。手法同共產黨整風幾乎一樣。

在這個烏雲遮蔽陽光，瘋狂取代理性的時候，有十個好

萊塢的編劇、導演在 **1947 年 11 月 24 日**這一天，引用憲法的保障條款，拒絕作證。第二天，第一份「好萊塢黑名單」出現了。他們十個人開始受到無理的壓迫、整肅。而且名單不斷擴大，範圍從電影到廣播、音樂圈，受害的有上千個藝文人士。

第一份十人黑名單，最頑強抵抗的是詹姆士‧特朗勃（James Dalton Trumbo）。他在高中時代，就開始給地方的報紙寫東西。1939 年他的反戰小說《無語問蒼天》Johnny Got His Gun，贏得國家圖書獎。他在同時間進入好萊塢做編劇，佳作不斷，成為當時收入最高的年輕編劇。

他因為反戰、反法西斯的思想，在 1943 年加入過美國共產黨，為什麼要寫「加入過」？因為他並沒有參與任何政治活動，純粹是精神上的認同。但這個記錄在麥卡錫主義者眼中，可是滔天大罪。加上他又以不屑、蔑視的態度來應對政客，更令他們火大。於是給他按了個罪名，關了十一個月。

問題是他出獄後，遭到全面封殺。他的劇本沒人敢要，他也被米高梅電影公司解雇。美國不留爺，自有留爺處，處處不留爺，他搬去墨西哥住。這時他利用筆名羅伯李查（Robert Rich）和好朋友伊恩‧杭特（Ian McLellan Hunter）的名義，繼續寫他的電影劇本，以逃避審查。他的好朋友杭特收到錢，再偷偷轉到他手上。他在這段時間前後寫了三十個劇本，三次獲得奧斯卡最佳劇本提名，兩次得獎。但人們不知道是他的傑作，一直到麥卡錫倒台，大家才知道《出埃及記》、《萬夫莫敵》是他寫的。

但他很多作品還是保持神秘，沒有揭開。你不知道瘋狂的笨蛋什麼時候會再復辟？還是要多留幾條後路。他在 1956

年得奧斯卡的《勇敢的人》就是署名羅伯李查。直到 1975 年，他死前一年，奧斯卡官方才正式改爲特朗勃的署名。而他最偉大、最受歡迎的電影，在 1993 年，他死後十七年，奧斯卡重新頒給他最佳劇本獎，這部片子就是奧黛麗赫本與葛雷哥萊畢克所主演的《羅馬假期》。這時人們才知道眞正的作者不是杭特。

特朗勃在受迫害當時，曾在給朋友的信中這樣寫：

世界存在著正和反的兩面性，奸詐和善良，誠實和欺騙，勇敢和懦弱，無私奉獻和投機主義，明智和愚蠢，絕大多數人，不管他曾站在哪一邊，在他的身上和言行中，都會存在著這些矛盾的性格。

這份黑名單會完蛋，因爲它是不正直、不道德、不合法的。總有一天我會公開在電影工業裡幹活。

● 特朗勃出席「不美國調查委員會」的聽證會。

11.25 最後一個女巫

　　第一個被燒死的「女巫」是聖女貞德，她是死於英國人之手。最後一個被迫害的「女巫」是誰？是海倫‧鄧肯（Helen Duncan），這次誰整她？也是英國人。她是古代中世紀的人嗎？不，她是現代人。

　　英國在 1735 年就通過《巫術法案》，無數的女巫和巫師被迫害，一百年、兩百年，這個法律到 20 世紀二次大戰都還在。

　　1941 年 11 月 25 日，英國海軍軍艦巴勒姆號（H. M. S. Barham），在地中海被德國發射三枚魚雷擊中，爆炸沉沒，全船八百六十一名官兵陣亡。英國政府為了保持士氣，將事件列為機密，沒有公開發佈消息。所以陣亡官兵的家屬也不知道，還以為子弟正在為國效力。

　　海倫‧鄧肯是一個靈媒，1941 年底，有一個媽媽來找她，媽媽說兒子是皇家海軍，在巴勒姆號服役，已經很久沒有收到兒子的信息。她自己有不祥的預感，她怕兒子已經犧牲。

　　所以她請鄧肯為她做法，看看兒子到底是死是活？鄧肯自己也是媽媽，也經歷過喪子之痛，於是她便為這個母親通靈，結果，她居然召喚到那個海軍的靈魂，告訴媽媽他已經不幸身亡。媽媽當然悲痛不已。

　　鄧肯當然不知道，政府把「巴勒姆號」沉沒的事列為機密，所以她在 1943 年的一次信徒集會中，向大家講到和「巴勒姆號」陣亡士兵通靈的事。消息傳出去，英國軍情處盯上她，為了避免她再通靈，洩露更多軍事機密，他們在 1944

年 1 月突襲了鄧肯的一次小聚會，把她和三個信徒逮捕。

　　結果，鄧肯被以「叛國罪」起訴，判刑九個月。她被關在牢裡時，首相邱吉爾還來看過她。不知道邱吉爾跟她說了些什麼話？鄧肯出獄後。生活很困苦，終於在 1951 年，英國廢止了《巫術法案》。鄧肯成為最後一個因「女巫」受到迫害的人。

　　但是政府沒有放過她，雖然已經不能再用女巫來整她，1956 年 11 月，警方還是在她為人通靈時，襲擊她家，罪名是「疑似有詐欺」。她雖然沒有再被定罪坐牢，但受到極大驚嚇，一個月後就過世了，享年五十九歲。鄧肯的厄運是從巴勒姆號起頭，而巴勒姆號沉沒的日子，11 月 25 日，也是鄧肯的生日。

　　鄧肯會通靈是真？是假？我不知道。但知道的是鄧肯「叛國」是假，被迫害是真。而且就算《巫術法案》已經廢止，他們還是把她當「女巫」來迫害。這點真的很怪，如果她真是女巫，那想害她的人不就倒大霉了嗎？為什麼沒有變成青蛙、變成豬？

●英國最後一個「女巫」鄧肯

11.26 眞善美

電影《眞善美》是最受歡迎的音樂片，令人最難忘的是片中的歌曲，每一首都旋律優美，異常動聽。電影是改編自眞人眞事，本來以爲故事是眞的，角色是眞的，沒想到歌曲也是「眞的」！

茱莉安德魯絲演的女主角，在眞實世界叫瑪麗亞・崔普。她本人的歌聲跟茱莉安德魯絲有得拼。她十八歲大學畢業，到薩爾斯堡一間修道院去做見習修女。正好馮崔普男爵（von Trapp）的夫人過世，男爵需要人來照顧他體弱多病的小女兒。於是有人和修道院聯絡，便請瑪麗亞去男爵家當家教。那年是 1926 年，瑪麗亞二十一歲。

男爵有七個小孩，最小的女兒也叫瑪麗亞，瑪麗亞來到男爵家，和孩子們一見如故，感情如同原來就是一家人。瑪麗亞不只把孩子們照顧得很好，她更運用音樂的天份，讓一家更融洽、歡樂，帶他們走出喪母之痛。1936 年的薩爾斯堡音樂節合唱比賽，崔普家庭合唱團勇奪冠軍。

後來納粹德國吞併了奧地利，男爵不願意與納粹合作，一家人就在 1938 年 3 月 11 日偷偷離開，先到瑞士，再到義大利，再渡海到美國。這一家人當然有瑪麗亞，她雖然名義上是家教，並無親戚關係，但感情已經分不開！

男爵失去了奧地利的土地、資產，來到美國，生活不如以往，比起過去的貴族生活，顯得清苦許多。

而在此時，**1938 年 11 月 26 日**，瑪麗亞答應男爵的求婚，在這天結爲連理。

　　之後，他們一家組成「職業」的崔普家庭合唱團（Trapp Family Choir），以巡迴演唱為生，頗受歡迎。家計才穩定、充裕下來。瑪麗亞和男爵又生了三個小孩，共有十個孩子。他們除了演唱，瑪麗亞還在佛蒙特州買一座農場，經營休閒旅店，生意做得有聲有色。直到今天還能買到他們的 CD。那純真甜美的歌聲，如同電影片名，就是「真‧善‧美」！

　　唯一和電影情節不同的是，男爵家對孩子「軍事管理」的人，不是男爵，而是瑪麗亞。也對，是她要帶十個小孩啊！

● 崔普家庭合唱團

11.27 別人眼中的你

想知道你的親人、朋友、世人對你的看法嗎？也許我們都可以為自己發個「訃聞」看看，那就能得到真實的答案！

阿爾弗雷德（Alfred）是瑞典的大富翁，他以賣火藥而致富，生意遍及全歐洲，他最常講的話：

「有錢不能使人幸福，幸福的泉源只有一個，就是使別人得到幸福。」

他還認為：「傳播知識就是傳遞幸福，科學研究的進步和日益擴大的領域，將喚起我們的希望。」

有錢人如此心懷善念，實屬難得，但別人眼中的他，卻不是他所想像的自己。當他的哥哥路德維希（Ludwig）心臟病發死去時，報紙把他們兄弟搞混了，以為是他死了。紛紛登出「死亡販子已死」之類的斗大標題，因為大家認為他以發明新的、有效的、更大威力的殺人方法而賺大錢，而他確實也是「火藥大王」。

蓋棺論定，雖然是蓋錯棺，但讓他發現世人對他的論斷。他既傷心又慚愧，所以決定要扭轉人們在他死後對他的看法。

於是他在 **1895 年 11 月 27 日**，寫下了他的遺囑，決定把他可變換為現金的財產全數捐出，成立一個基金，用每年的利息，贈給五位在物理、化學、醫學、文學和對世界和平有傑出貢獻的人，作為鼓勵。

是的，立這份遺囑的人就是阿爾弗雷德·諾貝爾（Alfred Nobel），他成立的就是「諾貝爾獎」。

　　但是，當諾貝爾真的死後，遺囑公開，事情又出乎他生前所料，他一定以為大家會因此讚揚他。

　　剛好相反，他招來了排山倒海的攻擊。瑞典的輿論第一個譴責他「不愛國」，因為他給獎金的對象，不限於瑞典人。輿論認為他應該把錢捐給瑞典，而且他在遺囑中還指定和平獎的選拔，要由挪威的議會組成委員會來評定。當時瑞典和挪威處於緊張敵對狀態，人們認為他不只不愛國，還有「叛國」的味道，所以輿論鼓動諾貝爾的家屬向法院提訴訟，把錢收回口袋。

　　最令人氣結的是，諾貝爾在遺囑中委託瑞典科學院來評選物理獎和化學獎，但科學院的院長公開拒絕，他主張諾貝爾應該把錢捐給科學院就好，不應該給他們找麻煩。

　　所以如果諾貝爾當時是裝死，想看看人們如何讚頌他，那他看到社會這樣反應，也一定會氣死！說不定還會取消這個獎。

　　幸好諾貝爾有識人之明，他指定的遺囑執行人名叫拉格納‧索爾曼（Ragnar Sohlman），是他的手下，但只跟他工作過短短三年，而且才二十六歲。他不但努力推動，而且堅定的維護諾貝爾的理念，終於在 1898 年 5 月 21 日，瑞典國王宣布諾貝爾遺囑生效，隔年 6 月 29 日國會通過諾貝爾獎基金會的章程，正式成立運作。

　　1901 年 12 月 10 日，在諾貝爾死後五年，頒發了第一屆諾貝爾獎。從此以後這個獎，成為世界最受矚目，影響最大的獎項。

　　如果沒有索爾曼，諾貝爾獎差一點就胎死腹中。現在可能沒有人會記得「諾貝爾」這個人。有錢人多半當世風光，

能在歷史上留名的極少。所以留名也跟有錢無關，終究一定
有人會有錢，有錢人太多了。有意思的是，諾貝爾說過：

　　「我對愛情不是很在行，所以諾貝爾獎沒有設愛情獎，
還請各位情場高手見諒。」

　　在狄更斯的名著《小氣財神》中，小氣鬼史顧己看到了
現在、過去、未來三個精靈，當他看到自己的未來，悔恨萬
分，回到現在，立刻改過。我們都該想想未來，才知道現在
要怎麼做？

●因為報社誤認，促使諾貝爾運用他的巨大財富
　創立諾貝爾獎。

11.28 我管定了

火炬不是要照亮自己，而是要照亮世界，當我們有能力發光發熱，要把自己當作火炬，將光與熱照耀到別人身上，爲他引路，走上光明之道。

2002 年 11 月 28 日，正好是感恩節，早上蓮安‧杜希（Leigh Anne Tuohy）開著車載老公和兩個小孩，正好經過布瑞克雷斯基督學校，看見一個非裔的少年下公車。

「老公，你看，那怎麼回事？」

「天啊，這孩子塊頭有夠大，我看最少有 6 呎 6，300 磅跑不掉。這簡直像一堵牆在走路！」

「我不是說他的塊頭，你看這麼冷的天，他卻穿著短袖、短褲，不覺得怪嗎？」

「是有點怪，也許他夠壯，不怕冷？」

「一定有問題，我要……」

「親愛的，你要幹什麼？」

「我要過去問問怎麼回事？」

「會不會有危險？」

「他只是個孩子，不過塊頭大一點，怕什麼？我不是有你嗎？」

蓮安停車，叫住大塊頭少年，原來他叫麥可‧歐爾（Michael Oher），他沒有家，住在學校的體育館。蓮安叫麥可上車，免得凍著，順道送他回體育館。

整個感恩節假期，蓮安都心神不寧，她的心一直掛著那個語氣溫和、動作溫柔的大塊頭麥可。

感恩節是星期四，假期結束的星期一，蓮安就跑到學校，弄清楚麥可是怎麼回事？為什麼他一個人住體育館？

原來麥可十六歲，出生在狀況很差的家庭，母親長期嗑藥，前後生了十二個小孩，她自己也搞不清，哪個孩子是跟誰生的？孩子也不知道自己的爸爸是誰？麥可連自己的生日也不知道，他轉過十一次學，光小學一年級和二年級就讀過兩遍。他在不同的寄養家庭待過，也幾次流落街頭。

蓮安對自己說：「這孩子我管定了。」她和老公把麥可帶回家住，帶他去買衣服，給他準備獨立的房間。

當麥可說：「我從來都沒有自己的床。」蓮安的鼻頭像泡在檸檬汁裡，心酸的想掉淚，她決心要好好照顧麥可。

不只蓮安如此，她的老公也把麥可當成自己的小孩，蓮安的女兒和兒子也把麥可當兄弟。過去麥可因為個子大，加上他個性溫和害羞，所以同學給他取外號叫「大麥克」，笑他像麥當勞賣的大漢堡。

現在有了蓮安一家的愛，麥可慢慢建立自信。蓮安還請家教給他補習，一週上二十小時，輔導他把落後課業趕上。而且鼓勵他參加學校的美式足球隊。起初呢，麥可一直沒辦法有效的攔截對手，因為他天性溫和，不喜歡衝撞。教練也沒輒，不知道如何指導他？蓮安告訴麥可：「你要把四分衛、隊友，當作我、姊姊、弟弟，像家人一樣來保護！」麥可果然開竅，將他的運動天份充分發揮。

麥可高中畢業時，GPA 成績從 0.6 提升到 2.52，取得 B 級通過的成績，符合獲得大學美式足球獎學金的資格。他收到五所大學提供的獎學金，他選擇密西西比州大學。但因為蓮安和老公都是密西西比大學的校友，所以全國大學體育協

會 NCAA，懷疑蓮安收養麥可的動機不單純，經過爭取和調查，2005 年 8 月 1 日，NCAA 同意麥可進入密西西比大學。

2009 年，麥可大學畢業，並進入職業足球烏鴉隊。他的人生本來很可能是在毒品、暴力、貧窮之間掙扎，但因為蓮安的見義勇為和愛心，把他從黑暗帶到光明。蓮安說她非常感謝麥可，因為麥可來到她家，他質樸善良的個性，也給她出身富裕的兩個孩子，帶來啟發和轉變。

要知道密西西比州是美國種族歧視最嚴重的地方，過去非洲裔的人在這裡受到不公平的對待、羞辱、虐殺。即使現在，黑白對立的問題還是存在。蓮安是當地的富人階層，周遭的朋友當然對她收養麥可，冷眼相看、冷言以對。

但她出於單純的愛心、自然的正義，根本不屑其他人想什麼、說什麼？真是為富而仁，當仁不讓的英雄。

幫助別人的同時，得到幫助的是自己。愛別人的同時，得到愛的是自己。發出光與熱的同時，自己也得到反射的光與熱。

● 麥可現在是美式足球的職業
　球員，他和蓮安一家的故事
　被改編為電影《攻其不備》。

11.29 文人傲骨

我們是誰？是什麼樣的人？取決於兩件事：

一，是我們所做的決定；二，看我們採取的行動。

1929 年 11 月安徽發生學潮，蔣中正知道後，大怒。

當時他是國民政府主席兼軍事委員會委員長，是中國的元首，權力最大的人。他下令安徽大學的校長兼文學院院長劉文典到南京來見他。

11 月 29 日下午，頭戴禮帽、身著長衫的劉文典一走進蔣中正的辦公室，蔣衝口就問：「你就是劉文典嗎？」

「我的字叔雅，文典是父母輩叫的，不是隨便哪個人叫的。」劉不客氣的說。

「無恥文人！」蔣拍桌子，說，「你慫恿共黨份子鬧事，該當何罪？」

「你不要誣賴，我是寧以義死，不苟倖生！」

「好，你要交出帶頭鬧事的共黨名單，並嚴肅處理參加學潮的學生。」

「你是總司令，就應該帶好你的兵。我是大學校長，學校的事由我來管。」

兩人越吵越激烈，蔣罵劉「你是學閥！」

劉回罵蔣「你是新軍閥！」

蔣氣不過，站起身，走過來，「啪、啪！」打了劉文典兩個耳光。

劉文典也沒在怕，起腳飛踢，正中蔣中正的下體！痛得他全身冒汗，大叫侍衛把劉文典關起來。

　　後來，蔡元培力保、陳立夫求情，劉文典吃了七天牢飯後被放了出來。但蔣答應放劉，有個條件，就是劉要馬上離開安徽。

　　蔡元培是當時北京大學的校長，他聘請劉文典去北大當教授；清華大學校長羅家倫也聘他做清華的中文系系主任。教育部批准任用，蔣也沒再找他麻煩，事情就這麼過了。

　　可見當時世道相當開明公正，人物的氣度、氣量也很大，即使有私人恩怨，還是以公共利益、真才實學為重。看看現在，只好嘆氣一聲，冷笑兩聲。

　　1931年粵系軍閥陳濟棠知道劉文典與蔣有怨，多次重金想請劉去廣東共同反蔣。劉一概拒絕，一分錢也不收。還回覆：「正當日寇侵華，山河破碎，國難深重之時，理應團結抗日，怎能置大敵當前而不顧，搞什麼軍閥混戰？」

　　一個人是誰？

　　他做的決定和採取的行動，成就了他的「人格」。

11.30 以人爲本

一個騎士乘白馬從東方來，一個騎士乘黑馬從西方來。兩人在一棵大樹下相會，樹上吊著一面盾牌。

白馬騎士說：「好一面銀盾牌！」黑馬騎士說：「好一面金盾牌！」

「不，明明是銀盾牌！」

「不，你眼瞎了嗎？是金盾牌！」

「銀的！」

「金的！」

兩人越吵越兇，索性舉起長矛，相互衝殺，兩人都受傷落馬。騎黑馬的在東邊落地，騎白馬的在西邊落地。黑馬騎士抬頭一看，怪了，怎麼盾牌變成銀的？白馬騎士也抬頭，奇怪，怎麼盾牌變金的？

原來盾牌有兩面，一面銀，一面金。是，銅板也有兩面，如果只看一面，就不能看到全面。

平面的要看兩面，立體的就是四面八方各種角度看看，才能看明。如果是建築，高大的建築，你不能只看模型，你要蹲下來，用抬頭的角度看一看，才不會失準。否則……否則會出現你意想不到的景象。

2010 年 11 月 30 日，北京人民日報新大樓開工。這棟樓高一百五十公尺，花超過五十億人民幣。設計師是周琦，他是東南大學建築歷史與理論研究所所長，在美國伊利諾理工大學取得建築學的博士學位。

他設計的重點有三大理念，第一是「以人爲本」，以人

字形的畫面來符合人民日報的人字主題。

第二是與自然環境和諧統一，保留基地良好的植被，對馬路做退讓處理，刻意弱化高層建築對視覺的衝擊，減少對周邊的壓迫。

第三是對時代精神的積極回應，外型以三角形打造穩定的動態感，利用曲線營造奔騰的氣勢，象徵發展、進步。

人民日報新大樓的設計圖公布後，有人批評說這太像杜拜的帆船酒店，是高價山寨。周琦表示，帆船酒店是三角形沒錯，但它是三面平面。人民日報的大樓是三面向內凹，是流線弧形，是創新，是獨立設計，外型相像是偶然。

有些嘴損的說這是「熨斗」、是「熱水瓶」、是「果汁機」、是「企鵝」。大樓在 2014 年 5 月 12 日完工，蓋成以後看起來如下面的圖示。你看到時，一定驚嘆，因為確實不好蓋。如果換一個角度看，保證會驚叫「哇」！設計師確實是以「人」為本，只是他的人是「男人」吧！

●三面內凹的北京人民日報新大樓

●以「人」為本的大樓，奇特的造型引發大眾熱烈討論。

12 月
December

沒有經歷過害怕，

不知道什麼時候該勇敢！

12.1 我有坐的權利

在黑暗中，螢火蟲和太陽一樣偉大！小蟲如果知道反抗，大象也得退讓。

美國南北戰爭，雖然解放了黑奴。但在南部各州，仍存在各式各樣歧視黑人的法律和規則。例如在阿拉巴馬州學校分黑白、廁所分黑白、公車的座位分黑白。像蒙哥馬利市在1990年通過一條法律，規定公車上的乘客以種族區分，坐在不同的區域。而且不是白人坐白人區，黑人坐黑人區。

而是由司機指定，前排的位子給白人坐，黑人只能坐後排。如果前面的位子坐滿了，又有白人上車，司機會叫坐得好好的黑人站起來，退到更後面。如果白人已經坐滿，司機可以不讓黑人上車。誇張吧？更扯的是，如果前排已經有白人在坐，黑人要在前門上車買票，然後下車，再走到車子的後門才准上車！

有個女生叫羅莎‧帕克絲（Rosa Parks），1943年的某一天，三十歲的她上了公車付了錢，她正想穿過走道到後面去坐，司機要她下車，從後門再上。她只好下車，當她跑到後門要上車時，司機把公車開走。

她剛剛上車為什麼不照規矩，先下車，再從後門上車呢？因為天在下雨！結果，帕克絲只好一個人淋著雨走路回家。那個壞心的司機有名字，叫詹姆斯‧布萊克（James F. Blake）。

1955年12月1日，下午6點。經過了一天的工作，帕克絲等到回家的公車。她上車、付錢，走到有色人種區的第

一排，選個位子坐下來。車子走了幾站，乘客陸續上車，白人區的座位坐滿了，有兩、三個白人沒位子坐，站著。這時司機走過來，要求原來坐在有色人種區第一排的四個黑人站起來，讓位給白人。

起先，四個人都沒動。司機揮手大聲說：「把位子給我讓出來！」三個人屈服了，往後挪。

有個人，不動，誰？就是羅莎‧帕克絲。

帕克絲認出來，這個司機是誰？對，正是十二年前，把公車開走，害她在雨中步行回家的布萊克。布萊克說：

「你為什麼不站起來？」

「我不覺得我應該站起來。」

「如果你不打算站起來，我會叫警察把你抓起來！」

「好，你就這麼做吧！」

帕克絲不動，也不下車。布萊克找來警察，警察逮捕帕克絲，把她帶走。帕克絲問警察：「你們為什麼總是要這樣為難我們？」

「我也不知道，但是法律就是法律，反正你是被依法逮捕了！」警察回答。

第二天，帕克絲被朋友保釋出來。民權運動者認為她的反抗，為平權運動找到一個施力點。他們決定要擴大抗爭，展開杯葛公車的活動。要知道，蒙哥馬利市公車的乘客，有75％是黑人。如果黑人團結起來，拒搭公車，他們應該有夠大的壓力，迫使公車改變。

12月4日，星期天，黑人的教會公開宣稱，公車應該先上先坐，不分黑白。如果市政府不改變現有的歧視規則，而且不雇用黑人做公車司機，那他們要號召教友拒搭公車。

隔天 12 月 5 日，星期一，帕克絲出庭受審，過程用了三十分鐘，她被判有罪，罰金十元。同時間，杯葛公車的傳單散發出去，傳單請求黑人不要搭公車，以抗議帕克絲被不公平的拘捕和判決。

當天雖然下雨，但所有黑人的社區都支持不搭公車。他們有人共乘汽車、共搭黑人開的計程車，大部分用走的，去上班上學。有的人甚至走了三十公里。杯葛公車激起黑人的公民意識，展現了黑人的團結力量。

晚上，他們決定成立一個新組織，來推動後續的活動。於是成立了「蒙哥馬利促進協會」Montgomery Improvement Association，簡稱 MIA，當時才二十六歲，一個名氣不響亮的牧師，從外地來到蒙哥馬利參加杯葛運動，他被推選為 MIA 的主席，他就是馬丁‧路德‧金恩。這一天起，他踏出領導民權運動的第一步。

帕克絲當然要上訴，但司法程序一再刁難，帕克絲一天得不到平反，杯葛公車的活動就一天不能停止。但要持續這個活動，其實很難，因為這樣非常不方便，要四萬居民一直如此犧牲，怎麼可能？

結果你想不到的奇蹟發生了，蒙哥馬利的黑人居然持續抗爭了 381 天。公車的乘客寥寥可數，市政府的財務負擔不了，終於改變種族歧視的規定，杯葛才結束！這是民權運動第一次重要勝利，羅莎‧帕克絲成為民權運動的象徵人物。

當那個白人司機朝我們走來，揮舞他的手要我們離開座位時，我突然感覺從心底升起一股決心，這股力量包覆我的全身，好像冬天夜晚的溫暖棉被。

　　有人說我不離開座位，是因為我累了，但那天我並沒有比平常疲累。有人說我是老了，但我當時只有四十二歲，並不老。我不是疲累，我只是厭倦了一再的屈服！

　　帕克絲後來回憶這段往事時說：

　　被逮捕不在我的計畫之內，我並不想要坐牢。但我必須面對抉擇，我並不猶豫用行動表達我的感受。因為我們都已經忍耐太久了。我們讓步越多，我們就越服從，整個社會就越壓迫！

●引發民權運動的帕克絲，她的背後是金恩博士。

12.2 只能用一次

賣書與賣包子有什麼不同？

書買回去之後，讀者看完，如果想再看第二遍，他會不會再買一本新的？當然不會，他把原來那本拿來重看，一看再看，看到翻爛，也要永遠保存。

包子呢？你吃了好吃，想再吃，能把吞下肚子裡的吐出來重吃？別噁了，而且也不可能！你非得再去買來吃，一買再買，包子店就發了！

所以「要多發明『一次性』使用的東西，這樣顧客就得回來買更多。」說這句話的人是軟木瓶塞的發明人威廉・佩因特（William Painter），他是講給他公司的銷售員金吉列（King Camp Gillette）聽的，吉列把老闆的話當作金科玉律，一直放在腦袋裡。去發明什麼人人天天需要，而能一次性使用的東西呢？

這個問題他時時來回想。1895 年的一天早上，吉列對著鏡子刮鬍子時，「賓果」，他的靈感突然冒出來，答案是「刮鬍刀片」！

舊的刮鬍刀為了不要刮傷臉，故意做的不太鋒利，所以每次使用前都要再磨一磨，否則鬍子刮不乾淨。如果能發明一種刀片，一次性使用，用完即丟，要用再換 …… 那可就發財了不是？他越想越興奮，立刻跑到五金行，找來工具，做出第一把吉列安全刮鬍刀。

「創意」要到「生意」，還有段路要走，自己手工打造出原始模型不難，要大量生產可不容易。

他的挑戰是要把鋼片壓得很薄，而且不易斷裂。要把兩樣矛盾的元素加起來，可得先找到能力高強的冶金專家。另外，還要申請專利。

這樣經過六年的努力，終於在 **1901 年 12 月 2 日**，開始販賣「吉列刮鬍刀」。從此如同「可口可樂」等於可樂，「吉列」等於刮鬍刀，成為不倒的巨人。

「吉列公司」之所以能不倒，不只是因為他第一個發明一次性使用的安全刀片，還因為他在公司秉持創新的精神，長期不斷的研發。並不是小小的創意成為大生意，而是許多小小的創意不斷的累積，才能成為大生意！

●吉列刮鬍刀的發明人金吉列

451

12.3 錢賠到哪裡去

　　1900 年發生「義和團」之亂，掌權的慈禧太后居然向「世界各國」宣戰！這是前無古人，後無來者的紀錄，因為打仗都是講明要跟誰打？沒有這種不管是誰，我都要打的搞法。結果引來了八國聯軍，打進北京。慈禧太后帶著光緒皇帝逃到西安，最後和各國談和，李鴻章簽下了「辛丑條約」，清廷要賠款四億五千萬兩。這數目怎麼算的呢？

　　當時中國有四億五千萬人，一人一兩，所以總數是四億五千萬兩，分三十九年償還。

　　這些銀兩賠到各國手裡，結果錢用到哪兒呢？

　　美國人觀察中國之所以會發生義和團，主要原因是老百姓太愚昧。絕大部分的人民缺乏教育，清廷的高官權貴雖然讀書識字，但很多人也是無知到難以想像，才會製造如此離奇的動亂。所以應該把賠款用在中國人身上，用在中國的「教育」才對。

　　1907 年 12 月 3 日，羅斯福總統（Theodore Roosevelt）在給國會的諮文中，要求國會授權退還「庚子賠款」，作為中國人的教育費用。接著 1908 年國會順利通過法案，第一次退還的賠款有一千萬美金，一用來在中國開辦「清華學堂」，就是後來的清華大學；二用來作為中國學生來美國留學的公費。後來興建中國人自己造的第一條鐵路的詹天佑，就是利用這個公費，到美國留學的第一批學生。

　　後來國會又把剩的錢做第二次退還，用這筆錢在北京建了「協和醫院」和醫學院。所以辛丑條約賠的庚子賠款，美

國人一毛也沒花，全都轉用在中國的教育、醫療上。

美國人如此重義，其他國家呢？1914 年，歐戰爆發。中國在 1917 年加入「協約國」對德國宣戰，1918 年德國戰敗，宣布放棄 1917 年以後的中國賠款，同時奧匈帝國也瓦解，奧地利和匈牙利也放棄中國的賠款。俄國經過革命成為蘇聯，當然也聲明不再拿中國賠款。

1920 年英國、法國也決定退還賠款，比利時、荷蘭、義大利也跟進退還。荷蘭指定退還的錢，65% 用在中國的水利事業，35% 用在文化事業。

講了半天，是不是漏了誰？對，日本。所有西方列強都退還賠款，只有一個東方強國不願意還錢，就是日本。但是在各國的壓力下，日本也不敢表現得太難看，只好屈服說要退還，但堅持錢不直接還給中國政府，而是用在中國的「文化事業」。其實只有一部分錢用來補助中國的留日學生，大部分用在日本設立的文化機構，這些機構表面是搞文化交流，實際是從事日本政府相關在華活動的白手套！

文明與野蠻，看怎麼用錢就知道！

現在新竹的清華大學，每年還因「庚子賠款」從美國收到二千多萬的補助。

12.4 湮滅證據

沒有經歷過害怕，不知道什麼時候該勇敢！

東德共產統治時代，最讓人民害怕的單位叫「史塔西」Stasi。它是秘密警察，專門監控東德人民的舉動和思想，就像納粹的「蓋世太保」。可是史塔西比蓋世太保更恐怖，希特勒的蓋世太保有七千人，史塔西超過九萬人，而且只監管一千七百萬的東德人民，所以平均一百八十個東德人就有一個史塔西。在蘇聯，人民與秘密警察的比例是 600：1。

而且史塔西除了正職，還有十八萬的線民，這樣加起來，等於東德每六十個人就有一個人在監視你，真的是間諜就在你身邊。

這麼多秘密警察和線民平常要幹什麼？他們要編織一張巨大的蜘蛛網，把所有人的秘密資料都編進去，這樣人民就如同可憐的小蟲，跑都跑不掉。這些龐大的私人檔案都擺在史塔西的柏林總部和各地方分局，銅牆鐵壁，重兵把守，只有高層的史塔西可以出入。每一份檔案隨時可以變成逮捕人民的罪證。

1989 年巨變來臨，東歐掀起反極權抗爭，「柏林圍牆」在 11 月 9 日竟然倒塌了。史塔西的高官當然知道要趕快湮滅罪證，他們在柏林圍牆倒塌前三天，就下令銷毀檔案。

1989 年 12 月 4 日，在愛爾福特（Erfurt）史塔西分部的大樓外，一個叫克絲汀・舍恩（Kerstin Schön）的女醫生，看到屋頂煙囪冒出黑煙。她直覺到「他們在燒秘密檔案，毀滅罪證！」當下她叫來了四個朋友，全是女生。五個人赤手空

拳衝進秘密警察的辦公大樓，對著史塔西的人員說，她們要接管所有檔案。

史塔西的人當然不答應，但很快救兵來了，有一千多位市民自動聚了過來，裡面還有檢察官和警察。史塔西的人看眾怒難犯，只好讓步。市民接管檔案室，發現已經有許多檔案被燒掉，地上全是撕掉的紙片。她們把剩下的檔案用大紙袋一袋一袋裝起來，居然裝滿了一萬六千個紙袋，還有三千九百萬張卡片。

這股「接管檔案」的潮水，迅速蔓延到全國。1990 年 1 月 15 日，柏林市民衝進史塔西的總部，存在多年東德人心中的最大夢魘，就此全部揭開。搶救下來的檔案，一份一份算是天文數字，可用檔案櫃的長度來算，共計一百五十九公里長的書面文件，四十七公里的膠片，另外還有一百四十萬張圖片，十七萬份錄音帶，和一萬五千袋的碎紙。

有時候，你真的要對德國人敬畏，他們連作壞事都鉅細靡遺、條理分明。

兩德統一後，國會通過了《史塔西檔案法》，在保護個人隱私的原則下，開放給德國人查看有關自己的檔案。共有六百五十萬份申請，個人申請的有一百七十萬人。每個人都想了解，秘密警察是怎麼對付我？是誰出賣了我？許多人看了檔案才明白自己為什麼遭到迫害？弄清楚遭遇的來龍去脈。原來很擔心檔案公開會發生「報復」的行為，沒想到真相雖然殘酷，卻居然沒有發生報復攻擊。這不只是天大的幸運，也充分表現德國人歷經劫難的成熟！

檔案的公開化，也使得德國可以清除在政府機關內的史塔西成員，並對加害者進行追訴。被判有罪的有七十多件，

但多是以緩刑來收尾。不過，史塔西在 1985 年到 1989 年的檔案大都被銷毀，所以很多事情仍是謎團。甚至現今有些政要，都可能是漏網之魚。

　　正義當然無法完全，但最重要的是真相。沒有真相，就很難建立信任。有些人會認為公開秘密檔案，會造成感情撕裂，沒錯，確實會發生。

　　但德國多數人認為「反思和記住歷史」比和解重要，因為隨著時間流逝，人們的記憶會模糊、淡忘。尤其人都願意記得過去美好的一面，逃避壞的一面，而刻意去遺忘，這樣「史塔西檔案」就更加重要，它的存在使人不能迴避歷史，不再重蹈覆轍。

　　從此看，舍恩女醫師在一念之間的勇氣和她們的行動，是多麼珍貴！

●抗議的市民衝進史塔西總部。

12.5 最貴的紅酒

世界上多的是錢花不完的人，那多的錢要怎麼花呢？

於是「收藏」的概念就出現了。收藏品除了稀有以外，怎麼樣會更有價值？要有故事，故事才能創造出獨一無二的價值。

鑽石很寶貴，但如果是黛安娜王妃戴過的鑽石項鍊，那價值就高了。口紅再貴能怎麼貴？但如果是瑪麗蓮夢露的嘴唇用過的呢？那就厲害了。貓王用過的吉他，麥可傑克森戴過的帽子，價值遠遠超過東西本身。

收藏品的原始擁有者是名人，會使價值衝高，同樣，收藏品前面的「收藏者」是名人，也會大大加值。王羲之父子的書法當然是寶貝，如果加上乾隆皇帝的「御覽」大印，那就成了寶中之寶。好像海明威寫《老人與海》用的打字機，當然不同凡物，加上這是賈伯斯收藏海明威寫《老人與海》用的打字機，哇，有名人加持，就更可觀。

剛才不是說要有「故事」嗎？為什麼都講人？人代表故事，故事就在人身上，人才能創造故事，東西是死的，沒有人，不會自己演。

1985 年 12 月 5 日，倫敦佳士得拍賣會，拍賣官落槌十萬五千英鎊，賣出一瓶 1787 年的紅酒，這是史上最貴的一瓶紅酒，買的人是美國富比士集團。

這瓶紅酒為什麼這麼貴？因為有故事。話說一棟巴黎古宅要翻修，幾個工人無意間從厚厚的牆中，挖出一批紅酒。故事的關鍵是，這批酒是美國獨立宣言的起草人、第三位總

統傑佛遜在任美國駐法國大使時，收藏的 1784 到 1787 年的紅酒。傑佛遜如此偉大，當然品味超凡。

出面賣酒的人，是德國著名紅酒收藏家羅登史塔克（Hardy Rodenstock），他也是權威的紅酒鑑賞家。他說爲了保護隱私，紅酒的所有人不肯透露姓名，也不願說出發現的地點。他是請羅登史塔克鑑定，並請他代爲出面。當時所有的紅酒權威都一致背書，波爾多五大酒莊也力挺，這樣當然不會有假，傑佛遜總統的收藏創造紅酒的傳奇。

這一批三十幾瓶刻有傑佛遜名字縮寫 Th. J. 的紅酒，陸續賣給美國的大富豪。其中一位比爾・寇許（Bill Koch）在 1988 年就花五十萬美金買了四瓶，兩瓶 1784 年的 Châteaux Lafite、兩瓶 1787 年 Branne Mouton。寇許在 2005 年準備各拿一支在波士頓美術館展覽，奇怪，酒是用來喝的？怎麼用來看？怎麼看才能看出美感？難道酒放在美術館，就能看出藝術？好，美術館要求寇許提出證明文件，證明原主是傑佛遜。寇許拿出羅登史塔克的保證書，美術館說最好找傑佛遜基金會來加保。寇許就去找傑佛遜基金會，沒想到基金會回覆他說，根據他們的考據，怎麼查也查不出傑佛遜買過一批酒，藏在巴黎。

這下事情大條。寇許花了一百萬美金，動用各種科學鑑定，還找來聯邦調查局和蘇格蘭警場的探員，終於查出所有的故事都是羅登史塔克胡編的，整批傑佛遜紅酒都是假造的。搞到 2007 年才眞相大白。

這下豬羊大變色，金龍變黑蛇。一堆富豪變成冤大頭，紅酒大師個個變小丑。你看紅酒有多妙，你把一樣的酒裝在不同的瓶子，它就會有不同的價錢，關鍵不在酒，在瓶子。

如果你再給它編故事，就會變成天價。買的人開心，賣的人賺飽。

有時候，人還真好騙。你想囉，傑佛遜就算真的有買這批紅酒，他不喝，買來幹嘛？就算要藏，也不用埋到牆壁中。法國又沒有禁酒，美國呢？美國曾在 1920 年到 1933 年禁酒，但也不是傑佛遜的時代，如果要合理一點，也是傑佛遜帶回美國，他的子孫在 1920 年才偷藏起來，所以發現地點在美國才對。也許因為美國一直有清教徒的背景，所以編這樣的故事容易取信。

這就讓人想到，故宮有許多古畫，上面都壓著「乾隆御覽之寶」的大印，好像這就是真跡。我猜想搞不好很多真跡都在和珅手中。他替乾隆搜畫，給皇帝的可能是贗品，反正皇帝有錢又看不懂，開心就好。但當初即使乾隆拿到的是假畫，一旦壓上他老爺的大印，現在反倒成了真品保證。你說妙不妙？

更妙的還有，富比士不是標下了一瓶最貴的傑佛遜紅酒嗎？你知道他們拿來幹嘛？他們拿來展覽，炫給大家看。

結果因為展覽場的投射燈過於高溫，長期直接照射紅酒，造成瓶塞乾縮掉進瓶中，那瓶最貴的紅酒，變質，成了最貴的紅酒醋！你看，真的是餵珍珠給豬吃，不要緊，珍珠是假的。真的不要緊嗎？真想看看富比士的人知道這瓶酒是假的，那時候是什麼表情？

12.6 發明與發現

　　鶴立雞群，未必是鶴長得高，而是雞太矮。但偏偏雞佔絕大多數，現在我們看來理所當然的東西，在發明當時往往不被看好，搞不好要等很長時間，才有獨具慧根的人看見！

　　伯西・斯本塞（Percy Spencer）在 1939 年十八歲時加入美國海軍，才半年就因傷退伍。然後進入美國潛艇信號公司工作，開始接觸到電器設備。第二年，他轉入專門製造電子管的雷聲公司，他勤奮好學，無師自通。很快的，從一個普通的檢驗員升職成爲電子管生產技術的負責人。

　　有一回，他剛好走過一個微波發射器，感覺很熱，然後又感覺口袋裡怪怪的，原來裡面的糖果已經融化了。他於是把一袋玉米放在微波口前，結果發現玉米就像在火爐上烤過一樣，變成爆米花。

　　第二天，他又把一個雞蛋放在微波口前，結果呢？雞蛋突然炸開，濺了他一身。這一下他確定，微波能使食物加熱並且變熟。

　　1945 年 12 月 6 日，斯本塞完成了世界上第一台「微波爐」。第一個送進微波爐的食物，是薑餅片，果然香味充滿整個實驗室，跟烹飪過的一樣好吃，最厲害的是時間超快，方便又省力！斯本塞一再改良，到了 1967 年，已經做出功能良好又價格便宜的產品。看今天家家幾乎都有微波爐，那斯本塞和他的雷聲公司應該大發了吧？

　　答案是沒有。真的是「雷聲大，雨點小」。到了 1976 年，美國有微波爐的家庭，你猜有多少？不到 4%，而且所有人

都認為已經頂到天花板，市場已經飽和。

有發明者，也有發現者。1978 年，一個叫吉姆‧瓦特金（Jim Watkins）的人，他是匹斯柏利（Pillsbury）公司的職員，他被指派去發展一個小業務，用自動販賣機賣微波食品。他「獨具慧根」，認為微波食品是未來的金礦，他決定辭職，自己開辦一家金谷微波食品公司（Golden Valley Microwave Foods Inc.）。他們推出了第一號微波食品，是爆米花。因為有特殊的包裝，玉米粒爆得非常徹底，大受歡迎。那一年金谷做了三百二十萬美金的生意。很多嗎？現在的金谷營業額是每年一億三千八百萬美金。獨具慧根的瓦特金，真的找到了「金谷」。

你看，從微波爐的發明到普遍，居然中間超過三十年，所以放大眼睛找一找，一定有眾人皆瞎我獨明的良機。

「永遠不嫌晚」，不是嗎？

12.7 贖罪

　　英雄，通常手上並沒有什麼秘密武器，他有的只是過人的道德感。英雄，所以叫人念念不忘，靠的不是他的行為，而是行為背後的道德抉擇，才真叫人動容。

　　1970 年代，世界還處在冷戰時期，東西兩大陣營，彼此對峙，關係緊張。當時西德的總理威利‧布蘭德（Willy Brandt），決定先跨出大步，實行「新東方政策」，試圖以和平的方式，來建構新的東西方關係。

　　長期以來德國一直是歐洲的霸權，東歐的波蘭、捷克、匈牙利總是在德國鐵蹄蹂躪下，備受欺壓。二次大戰雖然德國戰敗投降，但對東歐國家，德國一直沒有正式承認要歸還戰時侵占的領土，還有對戰爭的罪行，也缺乏強烈的反省。這是德國與東歐國家的兩個死結。西德和東德雖然對立，但對兩個問題的態度卻是差不多。

　　布蘭德要改變，他先從最常受德國壓迫，仇恨德國最深的波蘭開始。他在 **1970 年 12 月 7 日**訪問華沙，與波蘭簽訂「華沙條約」，確定德國歸還所有戰時侵占自波蘭的領土，承認奧德河與尼斯河為兩國的邊界，保持波蘭固有國土的完整，作為和解關係的第一步。

　　當天，雙方安排了一個行程，布蘭德到華沙的「猶太人紀念碑」，向在納粹統治期間被殘害的猶太人獻花致敬，表達哀悼。他在獻上花圈後，突然向後退了一步，然後雙膝一彎，跪在紀念碑前。這個下跪的動作，透過電視轉播，傳送回德國，傳送到全世界。

　　布蘭德這個動作，並不是事先計畫好的，事後他說：

　　「我當時突然感到，僅僅獻上一個花圈是絕對不夠的。我這樣做，是因爲語言已失去了表現力。」

　　是的，德國在戰爭時的罪行，說再多語言也沒有用。這一跪，就毋需言語解釋。

　　當時，《明鏡》雜誌做了民調，西德有 41％的人認爲布蘭德做得對，有 48％的人認爲太過頭，11％沒意見。但布蘭德卻得到世界各國的讚揚，所有人都認爲這是和平的里程碑。1971 年，諾貝爾和平獎就頒給了布蘭德。

　　布蘭德這樣做在德國並不討好，但自此開啓德國人的反省之門，德國的教科書、官方文件、文學、電影、藝術……各方面都不再避諱納粹屠殺猶太人的史實。他們坦然面對歷史的暴行，深刻反省國家的錯誤。不但使德國更成熟，也開始化解與東歐國家的仇恨。

　　相反的，日本在道德上，其實十分落後。日本的年輕人根本搞不懂，爲什麼中國、韓國、東南亞國家會敵視日本？因爲他們長期被掩蓋了戰爭的眞相，只有少數人願意面對罪行，而這些人往往被右派視爲「不愛國者」。

　　像前首相鳩山由紀夫，日本政治人物中只有他會跑去南京，參加「南京大屠殺」的紀念，向中國人謝罪認錯。但他的舉動在日本被罵翻！殊不知這種對國家罪行的掩飾，不只是對受害的國家人民不正義，同樣也會對日本國民不公義。像 311 福島核災，看日本政府和財團一再欺騙人民，置國民生死如螻蟻、賤民，就知道不反省態度是不分國外，錯誤的惡果還是日本國民要承受。這是不覺醒、不反省的要付出的代價。日本就沒有一個像布蘭德那樣偉大的政治領導者，日

後要受的苦還多著呢！鳩山在當首相時，就不敢表明內心的想法。

　　如果有一天，日本紀念南京大屠殺和廣島原爆一樣慎重，那麼大和民族才會真的偉大。

●西德總理布蘭德訪問波蘭時，在「猶太人紀念碑」前下跪。

12.8 把水倒回去

人類第一次踏上月球時，阿姆斯壯說：「我的一小步，是人類的一大步！」在我們的日常消費中，我們花的一點小錢，可是財團賺的一堆大錢。讓別人賺大錢不是壞事，但如果我們不經意花的小錢，讓他們對地球進行破壞，那就是大壞事！

八十八歲的迪爾邦（Howard Dearborn）住在緬因州的佛萊堡超過六十年，他家附近有個知名的景點「波蘭泉」Poland Spring，這裡號稱有美國最清澈的泉水，所以美國最暢銷的瓶裝礦泉水就是「波蘭泉」。

2007 年 12 月 8 日，迪爾邦召集鎮民，他發給前五十個人，每人十美金，去買「波蘭泉礦泉水」，然後把買來的水倒進波蘭泉裡。他錢多到沒地方花嗎？他要幹什麼？

事情要從 1992 年說起，雀巢公司當年買下「波蘭泉」的品牌，但雀巢並不是用冒出來的泉水來裝瓶，而是買下佛萊堡的大片土地，直接抽地下水，一年抽掉一億七千萬加侖，造成原來的波蘭泉泉水枯竭，嚴重破壞地質、生態，也危及居民的安全。

波蘭泉已經枯竭，雀巢繼續在緬因州其他土地抽地下水，仍然打著「波蘭泉」的品牌在賣抽來的水。緬因州沒有法律規定不能抽地下水，眼看自己家園的土地要被雀巢抽乾，所以迪爾邦號召民眾，以類似美國革命的序曲「波士頓倒茶葉事件」，把買來的波蘭泉水倒回枯竭的波蘭泉。他們向雀巢抗議，引起媒體關注，並呼籲立法，開啟「水資源大

戰」的爆點。

　　說起雀巢，你會想起什麼？咖啡，即溶咖啡。但雀巢眞正賺錢的項目，不是咖啡，是賣水。它現在是世界最大的瓶裝水公司，手裡有七十二個瓶裝水品牌，包括最有名的法國沛綠雅（Perrier）、義大利聖沛黎洛（San Pellegrino）、美國波蘭泉（Poland Spring）。

　　不只雀巢知道賣水有暴利，可口可樂和百事可樂更早投入瓶裝水。1980年代健康意識抬頭，含糖的汽水銷售量逐漸下滑，大家又回頭喝水，飲料公司怎麼辦？他們想到瓶子不裝可樂、汽水，可以裝水來賣。可是水很便宜又隨手可得，怎麼辦？於是他們開始「創造需求」。

　　第一步先說自來水不乾淨，只配洗碗、洗車、沖馬桶，不配高級人喝。

　　第二步給你看世外桃源美麗、純淨的小溪，告訴你這才是自然的恩典，高級人該喝的水。

　　典型就是斐濟礦泉水（Fuji）的廣告，它打出「名符其實的斐濟水，絕非克里夫蘭市製造。」斐濟是太平洋中的世外桃源，那克里夫蘭市的水很髒嗎？廣告出來後，克里夫蘭市政府很不爽，找公正機構來檢驗，斐濟水每公升含6.31微克的砷，克里夫蘭的自來水沒有雜質，水質比斐濟水好，但是斐濟水比自來水貴二千倍。

　　可是更扯的是像可口可樂、百事可樂賣的瓶裝水，水是哪兒來的？是自來水！他們直接裝自來水，再賣給你，說這個比較純淨，喝了不會生病，但你要付出二千倍的代價。說不通，對不對？

　　但大部分的人不知道眞相，而且已經被洗腦，然後養成

習慣，「需求」被成功「創造」。光美國，一星期就要喝掉五億瓶水，可以繞地球五圈。

　　雀巢在美國的瓶裝水市場占 1/3，它的作法更可怕，它不是裝自來水唬弄你，它在美國七十五條泉水流經的土地大量抽取地下水，裝瓶賣你。這裡抽乾，換個地方再抽。它在南美洲、亞洲、非洲也這樣幹，恐怖的是這些地方的水資源本來就不足，像在巴基斯坦，鄉下 90％的人民嚴重缺水，城市 40％的人缺水，雀巢再一抽，人民依賴的水井就乾涸了。喝的、用的都沒了。但雀巢把水裝瓶，賣給當地人，還打「純淨生活」Pure Life 的品牌，你說諷刺不諷刺？其實是「純粹死亡」Pure Death 還差不多。很多地方，雀巢抽乾就走，留下一片荒土。它抽原來老天給你的水，裝瓶賣你，賺你的錢，還抽掉你的未來。

　　危害更大的是，裝水的瓶子大都是寶特瓶，塑膠從哪兒來？從石油中提煉，光美國用在裝水的塑膠瓶，一年超過二百六十億瓶。所耗掉的石油，可以讓一百萬輛汽車加一年的油。而且這些塑膠瓶 80％埋入土中，一千年也不會分解。

　　你問不是有回收嗎？對，只回收 20％，回收去哪裡？再製成新的保特瓶嗎？不是，都送到印度、巴基斯坦、孟加拉、非洲，在那裡堆成一座座塑膠的喜馬拉雅山，然後做「降級回收」Down Cycling，什麼意思？就是把它切碎，找個沒人管的地方，埋掉。要知道如果塑膠真的回收再製，往往要加入更多有毒物質，怎麼用？而且成本不划算。

　　聽聽這些人說的話：

　　雀巢的總裁說：「依照目前的情勢，我們會在石油用完前，就先把水用完。瓶裝水是最負環保責任的產品。」

　　百事可樂的副總裁說：「我們最大的敵人是自來水。」

　　能聽嗎？

　　不能！所以迪爾邦老先生要號召民眾起來反抗。水和空氣一樣，是天賦、公共的資源。不應該落入私人手中謀取暴利，又殘害大部分人的生存權。

　　他們有兩步，我們有兩招。第一招，全部使用自來水，出門自己帶水壺，不要買瓶裝水。這點不難，我們小時候上學就這樣。我拿到的第一個米老鼠水壺，至今還忘不了。

　　第二招，要求政府在公共場所，廣設飲水機。這也不困難，以前就這樣。

　　這兩招很多人、很多地方都積極在做，我們要加入，不可遲疑，因為已經快來不及了。

　　這幾年在多方的努力下，像雀巢的瓶裝水銷售，有下降的跡象，它的財報連續四年下滑，但 2013 年還是超過一百億美金。是不是「革命成功尚早，同志更需努力」！

　　沒事多喝水，本來是沒事，但你要小心，要喝對水，否則你多喝水，就是幫壞人做壞事。

12.9 眼力

如果你不是一匹千里馬，要不要加強鍛鍊你的腿力？千萬不要，不要鞭打自己。你要的是「眼力」，看清誰是千里馬，找一匹千里馬來騎。

1968 年 12 月 9 日，舊金山的電腦研討會，來自史丹福研究所的道格拉斯・恩格巴特（Douglas Engelbart）展示創新的電腦互動運用、視訊會議、視窗展示、文件技術。還發表了一個木頭雕刻，手掌大小，底部有兩個輪子，可以用來取代電腦鍵盤的箭頭鍵，作為電腦螢幕上的游標。對，它就是「滑鼠」。

這個東西非常好用，使用者幾乎不會出錯。因為它小小的，後面接著電線，很像老鼠的尾巴，所以他們叫它 Mouse，中文翻成「滑鼠」。恩格巴特後來把專利賣給全錄的研究中心PARC（Palo Alto Research Center），1972 年 PARC 把滑鼠裝配到個人電腦上，效果很好。可是不知道為什麼？沒人感覺這個小東西會賺大錢，會改變世界。

1979 年，蘋果電腦的賈伯斯還在金童的年紀時，非常仰慕 PARC。他當時向全錄提議，如果全錄讓他去參觀 PARC，他願意讓全錄投資蘋果一百萬美金。全錄想賈伯斯這小子好大口氣，給他看看，讓他知道天高地厚。全錄當時犯了兩個錯誤，一個是讓賈伯斯去 PARC 參觀，一個是沒有投資蘋果。賈伯斯在 PARC 看到影響他一生命運的東西——滑鼠。1983 年，蘋果把滑鼠安裝在 Lisa 電腦上，從此滑鼠和人類好像再也分不開。

　　當然，現在這樣說又不一定了，使滑鼠降低影響力的是「觸控平板」，這也不是賈伯斯的發明，但又是在他手中發揚光大！

　　怎樣？眼力比馬力重要吧！

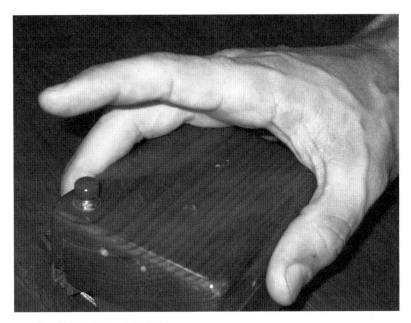

● 恩格巴特發明世界最早的滑鼠。

12.10 不想被限制的腦袋

　　歐尼斯特・拉瑟福（Ernest Rutherford）是公認繼法拉第之後最偉大的實驗物理學家，妙的是他得到的諾貝爾獎是化學獎。**1908 年 12 月 10 日**，諾貝爾獎的頒獎典禮上，他講了一個他親身的故事。

　　他在擔任劍橋大學皇家學院校長時，有一天接到一位教授的請求，這位教授出了一道物理學的考題，給了一個學生零分；但這個學生堅持他應該得到滿分。所以他和學生同意找一個公平的仲裁人，那就是拉瑟福。

　　出的什麼題目？

　　題目是：「如何利用氣壓計測量一座大樓的高度？」答案很簡單，用氣壓計測出地面的氣壓，再到頂樓測出樓頂的氣壓，兩壓相差換算回來，答案就出來了。

　　這個學生怎麼回答？他答說：先把氣壓計拿到頂樓，然後綁一根繩子，再把氣壓計垂到一樓，在繩子上做好記號，把氣壓計拉上來，測量繩子的長度，繩子有多長，大樓就有多高。

　　他確確實實是用氣壓計測出大樓的高度，不應該只得到零分吧？

　　但教授認為這個答案不是物理學上的答案，沒辦法表示他可以合格。

　　拉瑟福建議教授再給他一個機會，由他來主持學生個人的測驗。

　　拉瑟福第二天把學生找到辦公室，給學生六分鐘的時

間，請他就同樣的問題，再作答一次。拉瑟福特別提醒答案
要能顯示物理學的學術。

　　一分，兩分，三分，四分，五分鐘過去了，拉瑟福看學
生的紙上仍然一片空白，便問：「你是想放棄嗎？」

　　「我沒有要放棄。這個題目的答案很多，我在想用哪一
個來作答比較好，你跟我講話的同時，我正好想到一個挺合
適的答案呢！」

　　學生迅速在白紙上寫下答案：

　　把氣壓計拿到頂樓，丟下去，用碼錶計算氣壓計落下的
時間，用 $x = 0.5 \times a \times t^2$ 的公式，就可以算出大樓的高度。

　　拉瑟福轉頭問教授，說：「你看怎樣？」

　　「我同意給他九十九分。」

　　「同學，我看事情就等你同意，便可以圓滿解決。」

　　「校長，教授，我接受這個分數。」

　　「我很好奇，你說有很多種答案，可不可以說幾個來給
我聽聽？」

　　「答案太多了，」學生說，「你可以在晴天時，把氣壓計
放在地上，看它的影子有多長，再量出氣壓計有多高；然後
去量大樓的影子長度，同比例就算出大樓的高度。」

　　「還有嗎？」

　　「還有一種非常基本的方法，你帶著氣壓計爬樓梯，一
邊爬一邊用氣壓計做標記，最後走到頂樓，你計算做了幾個
標記，大樓就是幾個氣壓計的高度。」

　　「這個辦法會不會太『普通』了呢？」

　　「當然有複雜的辦法，你可以把氣壓計綁在一根繩子的
末端，把繩子像鐘擺一樣擺動，透過重力在樓頂和樓底的差

別，計算大樓的高度。或者把氣壓計垂到即將落地的位置，一樣像鐘擺來擺動它，再根據『徑動』的時間長短來計算大樓的高度。」

「好孩子，這才像皇家學院的學生。」

「當然，方法是很多，或許最好的方法就是把氣壓計帶到地下室找管理員，跟他說：『先生，這是一個很棒的氣壓計，價錢不便宜，如果你告訴我大樓有多高？我就把這個氣壓計送給你。』」

「你還不如說：『先生，如果你不把大樓的高度告訴我，我就要用這個氣壓計打死你！』」

「啊哈！我怎麼沒想到這招！」學生拍著大腿說。

「我問你，你是真的不知道傳統的標準答案嗎？」

「我當然知道，校長。」學生說，「我不是沒事愛搞蛋，我是對老師限定我的『思考』感到厭煩！」

問題不在答案是什麼，而在思考能不能展開四方？

像釋迦牟尼說的，佛法有八萬四千個法門，每一個法門都是方便法。從哪個門進去，都可以到羅馬。如果我們不給孩子空間想、也不給他時間問，那他得到的不是「教育」只是「教訓」。

拉瑟福遇到的那個學生，名叫尼爾斯·波爾（Niels Bohr），他是丹麥人，他後來果然成為著名的物理學家，在1922 年得到諾貝爾獎。

約瑟夫·湯姆森（Sir Joseph Thomson）
愛德華·阿普爾頓（Sir Edward Appleton）
塞西爾·鮑威爾（Cecil Powell）

歐內斯特‧沃爾頓（Ernest Thomas Sinton Walton）

派屈克‧布萊克特（Patrick Blackett）

詹姆斯‧查德威克（Sir James Chadwick）

約翰‧考克饒夫（Sir John Douglas Cockcroft）

奧托‧哈恩（Otto Hahn）

彼得‧卡皮察（Pyotr Kapitsa）

弗雷德里克‧索迪（Frederick Soddy）

這十個也是拉瑟福的學生，他們也跟波爾一樣，什麼？
愛搞蛋嗎？不，他們也都得到諾貝爾獎。

● 紐西蘭物理學家拉瑟福，是公認
　繼法拉第之後最偉大的實驗
　物理學家。

● 拉瑟福的肖像被印於紐西蘭的一百元
　鈔票上。

12.11 最有名的國王

事業，是有關改變世界；愛情，是有關改變自己。

英國最出名的國王是誰？是莎士比亞筆下的亨利五世？是殺了五個皇后的亨利八世？還是打敗西班牙無敵艦隊的伊莉莎白一世？都不是，是「溫莎公爵」。他之所以出名，是因為他為了愛情放棄事業。所謂「不愛江山愛美人」。

溫莎公爵本來是愛德華八世，他在登基前就愛上了辛普森夫人。登基後十個月，他下決心想娶辛普森夫人為妻。國王不是個人事業，結婚不能自己作主。首相史坦利・鮑德溫（Stanley Baldwin）告訴國王，他的想法在「精神」上不可能被接受。因為英國國王，同時也是英國國教的教會領袖，根據教義規定，離婚和再婚都不被接受。辛普森夫人不只已經離過兩次婚，她現在的另一個婚姻關係還存在，所以稱「夫人」。這樣的皇后，英國人民是不可能接受的。

愛德華八世提出一個方案，辛普森夫人和他結婚後，不擁有皇后的頭銜，未來他們的孩子也不能繼承王位。如何？鮑德溫的內閣拒絕。還有根據英國的法律，王位頭銜和王位繼承如果有變動，必須得到大英聯邦各個自治領地政府的同意。加拿大、澳洲、南非政府都正式反對國王娶離婚女子，紐西蘭還在觀望，愛爾蘭表示他們不關心。

愛德華八世居然說：「反正澳洲沒幾個人，他們的觀點不重要。」他拿出國王的脾氣，通知內閣，如果他不能娶辛普森夫人，他要退位。國王不幹了！

這下出現憲政危機，鮑德溫首相給國王三個選項：

一、放棄娶辛普森夫人。

二、違背內閣決議，娶辛普森夫人。

三、退位。

皇太后告訴國王，要他冷靜，不要亂來。太后的建議是：「你不妨先去度個假，事情慢慢再說。」

愛德華八世說：「媽，我這一生都在度假啊！」

愛德華八世也知道，他不可能放棄辛普森夫人；他也不願意讓辛普森夫人當他的情婦，他就是想跟她結婚。他也無力、不可能對抗人民選出的內閣，他只有一條路，退位。他改變不了他的事業，他改變自己。

1936 年 12 月 11 日，愛德華八世用廣播，向大英帝國的人民解釋，為什麼他非退位不可？

我發現無論我有多麼願意履行國王的責任，在得不到我所愛的女人的幫助和支持下，不可能去承擔如此沉重的責任。

愛德華退位後，立刻離開英國，跑去奧地利。當時辛普森夫人在法國，但還沒有結束現在的婚姻，兩人不宜見面。繼位的喬治六世為他的哥哥，特別設立一個前所未有的頭銜「溫莎公爵」。

溫莎公爵在 1937 年 6 月 3 日和華莉絲，也就是原來的辛普森夫人，在法國舉行私人婚禮。英國皇室沒有一個人出席。而那場婚禮切剩的一塊「蛋糕」，居然在 1998 年拍賣，以兩萬九千九百美金成交，是有史以來最貴的一塊蛋糕。愛情真的好無價！絕的是，這塊蛋糕怎麼能保存六十一年？好想知道是誰買了去？

● 溫莎公爵和辛普森夫人

12.12 小聰明解決大問題

金錢是不是萬能的？要看用錢的人是不是能人！如果用錢的人能力夠，就能讓錢發揮最大的效用，有時候用小錢也能解決大問題。反過來，如果錢掉在無能的人手中，那錢也會一樣無能，再多錢，也只是無能加無能，不但不能解決問題，反而會製造新問題。

2008 年 7 月，加拿大圭爾夫大學的研究生克里斯多福‧查爾斯 (Christopher Charles) 來到柬埔寨，他的任務是要在暑假期間，在柬埔寨推廣一項「補鐵計畫」。

根據世界衛生組織的統計，缺鐵性貧血是目前排名在前最嚴重的全球健康問題。在美國有接近 14% 的人患有缺鐵性貧血症，台灣的年輕女性普遍缺鐵，十九歲到五十歲生育年齡的女生，有 12% 有缺鐵性貧血症。

有錢的國家都還有這個問題，那像生活物質貧乏的柬埔寨就更嚴重，有 44% 的人口患有貧血症，其中包括 2/3 的兒童。貧血症會讓人疲勞、專注力下降、嗜睡、頭暈，嚴重會造成流產、早產、產後出血。

柬埔寨有 70% 的人每天生活費不到一美金。而富鐵質的食物像紅肉，他們根本沒錢吃。所以柬埔寨的婦女和兒童飽受貧血症之苦，尤其是小孩缺鐵更會造成腦部發育不足。

圭爾夫大學的生醫科技團隊研究出補鐵方法，只要使用鐵鍋來做菜，鍋子的鐵質就會滲入食物中，或是在燒菜時，加入鐵塊一起烹煮，鐵塊中的鐵質也能進入食物，讓人吃下肚。查爾斯就是被派來柬埔寨，向民眾推廣加鐵的煮食法。

看似理所當然的計畫，卻撞到鐵板。

第一，鐵鍋對柬埔寨的一般人來說，太貴了，而且對煮飯的婦女來說，也太重，買不起也用不起。

第二，要婦女把黑漆漆的鐵塊丟到鍋子裡，和食物一起燒，「看起來」既不衛生又倒胃口，所以推不動。

暑假結束，他打算回加拿大，開始有關賀爾蒙的研究，離開這些沒有自來水，沒有電使用電腦的柬埔寨村落。但是他的指導教授和他通電話時，要他留在柬埔寨，想辦法解決缺鐵的問題，告訴他這才是最好的論文題目。

於是他開始傾聽，嘗試去了解當地的文化，想辦法找出婦女願意接受的鐵塊。

方形太「鐵樣」，圓形好不好？失敗。那迎合宗教呢？做成蓮花狀的成不成？不成。

他發現柬埔寨人的風俗，河中的魚是吉祥幸運的象徵，而且魚是食物，放在鍋裡煮，比較對味吧？

於是他把鐵塊做成一條八到十公分的小鐵魚，尺寸正適合在鍋中攪拌。

這下賓果，村民都接受這條幸運的鐵魚，婦女都願意把小鐵魚放在鍋裡和食物一起烹煮。短短一個月，村民體內含鐵量就會大幅上升，立刻降低貧血的症狀。婦女不但更有體力，頭暈頭痛的問題也沒了。

2012 年 12 月 12 日，幸運鐵魚公司成立，查爾斯的小鐵魚最棒的是每條造價只要 1.5 美金，成本很低。而且生產簡單，柬埔寨的地方小工廠就可以做出來。每條小鐵魚可以使用三年，所以只要小小的錢，就可以創造大大的功效，這條小鐵魚已經解決柬埔寨 92% 的缺鐵問題！

　　查爾斯的小鐵魚，不僅讓他獲得更高的學位，最重要的是他向世人展現了：這個世界很多大問題，是可以運用小聰明、小錢就搞定，關鍵是你懂不懂如何用腦？

12.13 拉貝日記

千萬不要與壞人同黨，除非你也是壞人。否則，你一定會倒霉。發現誤上賊船時，要快快跳船，要不然你會被他們丟到海裡去餵魚。

1996 年 12 月 13 日，萊因哈特（Ursula Reinhardt）在紐約將她的外公約翰・拉貝（John Rabe）的日記首度公開。這部「拉貝日記」，記敘了 1937 年 9 月到 1938 年 2 月之間，拉貝在南京親身的經歷，日記中記錄了六百多個真實案例，是見證「南京大屠殺」最詳實、最重要的史料。

拉貝是誰？他在 1882 年出生於德國的漢堡，年輕時到過非洲，1908 年第一次來到中國，當時他是西門子公司的商務代表。一次大戰爆發，後來中國加入協約國，對德宣戰，他也因此被迫遣返德國。戰爭結束後第二年，他再度回到中國，這次他在中國不只是西門子公司駐中國的總經理，他還多了一個「納粹黨員」的身份。

拉貝算納粹的元老黨員，他真的相信希特勒是好人，是救星。他成為納粹黨南京分部的副部長。當時中國政府最重要的軍事顧問、最精良的武器裝備都來自德國，所以拉貝的政商關係非常好，他在中國發展很順利。

1937 年中日爆發大戰，日軍一路從華北南下，一路從上海登陸猛攻，直逼首都南京。當時在秦皇島度假的拉貝，安排家人回德國躲避戰禍，自己卻利用各種交通工具，想辦法回到南京。因為他感覺，他有責任保全西門子公司的財產。

就這樣，他回到了被日本軍機狂轟濫炸的南京。他發現

到處是難民，又發現西門子公司完全沒有被戰火波及。為什麼？因為大樓上掛著一面巨大的「納粹黨旗」。於是他打開了公司大門，讓難民進入，得到保護。

日軍還沒有攻進南京，拉貝就從丹麥、荷蘭的朋友口中得知，日軍在城外濫殺無辜的平民，連小孩、老人都不放過。強暴的範圍更可怕，也是從小女孩到老太太，連孕婦都不放過！日軍進城後，強暴，屠殺就更瘋狂！

拉貝和外國使館人員、傳教士、教授共同建立一個「南京安全區」，範圍有 3.88 平方公里大。進入這個區域的中國百姓，原則上不會受到日軍的屠殺。拉貝被選為安全區國際委員會的主席，因為他是納粹的元老黨員，加上日本已經暗暗和德國結盟，所以他才能夠發揮影響力。這個安全區保護了多達二十五萬的中國平民。光拉貝自己的家中，就收留了六百多個中國難民。

這麼多的人吃的、喝的、醫藥哪裡來？拉貝帶頭捐款，聯合外國人一起出錢，高價去收購「軍糧」，並和日軍談判，打開一條運糧、醫藥的通道。他忙著處理各種問題，每天睡不到四小時，有時候還要親自去驅趕闖進來的日本兵。而且他自己患有糖尿病，勞累加上胰島素不足，使他的病症每日發作。

但他在心力交瘁的同時，知道有一件事必須要做，他要留下記錄，留下這慘無人道大屠殺的證據，否則你講給別人聽，沒有人會相信有這麼恐怖的事！於是他還每天帶著助理，冒著生命危險，跑遍南京街頭，用相機拍下大量日軍暴行的照片。而且仔細記錄收留在他家那六百多人的案例。

然後，他把證據資料交給德國駐日本大使館的情報頭子

佐爾格（Richard Sorge），這傢伙當然也是納粹，但他是正常的納粹，他對中國人民的災難、日軍的暴行根本不屑一顧。在拉貝的堅持下，他複製一份回報柏林。更絕的是，佐爾格也是「蘇聯的間諜」，所以拉貝的資料，後來在蘇聯的秘密檔案也找得到。

德國當然沒有反應，所以拉貝不斷寫信給希特勒，向他說明日軍的暴行。希特勒很煩，日本也很煩，兩邊講好，德國把拉貝召回。拉貝的糖尿病已經惡化，他決定先回德國治療，把難民營託付給其他外國人，在 1938 年 2 月回到德國。

他一回到德國，就被警告不要亂說話。他想他是希特勒的老朋友，而且希特勒是好人，一定是底下的人在亂搞。所以他沒在怕，他在漢堡、慕尼黑、漢諾威發表很多場演講，公開日軍在南京大屠殺的證據，呼籲德國不能坐視日本的暴行。結果他被蓋世太保逮捕，但是又找不到罪狀，只好把他軟禁在家。拉貝不但沒有屈服，還不斷要求，他要回中國、回南京。

二戰結束後，照理他應該翻身。結果沒有，因為他還是納粹黨員，而且是元老黨員，所以又被盟軍抓起來關。幸好中國政府給他擔保，並提出許多證據，他才能被英國方面釋放。才救出來沒多久，又被蘇聯抓去，同樣是中國方面的營救，南京的人民為他發起了一次募捐，給他湊了幾千美金，這在當時不是小數目，才把他從蘇聯監獄贖出來。他差一點就因糖尿病缺乏治療死在牢裡。

但是，拉貝雖然出獄，並沒有獲得「自由」。因為他「納粹」的身份，還是被列為重點監視名單。他也因此完全找不到工作，生活陷入困境。這就是我說的，你與賊同黨，偏偏

你是好人，這下你永遠「裡外不是人」。

　　幸好中國感念他當時的義舉，由南京市政府按月接濟他金錢，並且每個月從瑞士訂一個「食物包裹」，裡面有香腸、起司等食物，也是按月寄給拉貝，幫助他全家人度過戰後艱困的日子。這份接濟一直持續到國民政府撤離南京才停止。

　　1950 年 1 月 5 日，拉貝因中風在西柏林過世。他的日記就由家人收藏，一直沒有公開。終於在塵封近六十年後，重見天日。「拉貝日記」是有關南京大屠殺，記錄事件最多、保存最為完整的史料。更是中、日交戰雙方以外的「第三方」公正、詳實的第一手見證。拉貝的「濟難扶危、佛心俠骨」才廣為後人所知。

　　2009 年德國把拉貝的故事拍成電影《拉貝日記》，得到德國電影的幾座大獎，在歐美、中國上映，票房也不錯。唯一不能上映的地方是哪裡？對，就是日本。在片中演日本軍官的香川照之，就是在「半澤直樹」和堺雅人演對手戲的香川照之，他因演出此片還受到日本輿論的批評。面對壓力，他表示：「這個角色雖然招致很多人的批評，但我用我的生命去經歷了這件有意義的事。在日本，南京題材的電影不能上映，日本人也不會拍這樣的電影。但我希望這部電影能稍稍消除一點中國人的痛苦。這是日本人不能阻止的。」

● 拉貝和一群見義勇為的歐洲人士,組成「南京安全區」國際委員會,
中間戴眼鏡的就是拉貝。

12.14 白宮是白的

小布希是一個超級搞笑的總統，因為他，英文出現了一個新字，Bushism，意思是說神經混亂的人格。他總是能在不對的地方說不對的話，或是在對的地方說不對的話。

他說過：「我都是從我或許犯過，或許沒犯過的錯誤中學習的。」I have learned from mistakes I may or may not have made.

他在和法國總統席哈克一同開記者會時，忘了記者的問題，他說：「當你過了五十五歲的時候就會這樣。」That's what happens when you are over 55.

問題是席哈克那時六十五歲，法國總統居然用英語問他說：「你知道你說這話是什麼意思嗎？」

他在美國國慶的舞台上，見到歌手史提夫・汪達，居然伸出手想和汪達握手，他感覺汪達沒反應，就把手縮回去。天啊，誰不知道汪達是盲人歌手？

他去訪問英國，倫敦有個小孩問他「白宮」是什麼樣子？他回答說：「是白的啊！」It is white!

記者問他聽到飛機撞上紐約世貿雙塔時，他在想什麼，他說：「無論如何，那真是個有趣的一天。」Anyway, it was an interesting day.

他會說一些他，自己懂，而沒人懂的話，例如他說：「當我說——當我說到我自己，還有他說到我自己的時候，我們都是在談論關於我的事。」When I'm talking about — when I'm talking about myself, and when he's talking about myself, all of us are talking about me.

還有他說：「我必須質問一下質問我的人。我都沒有機會拿他們一直質問我的問題，來質問這些質問我的人。」
I would have to ask the questioner. I haven't had a chance to ask the questioners the question they've been questioning.

別小看小布希，他不是沒有強項。

2008 年 12 月 14 日，他在伊拉克訪問。舉行記者會時，一個電視台的記者叫扎伊迪，突然脫下他自己的鞋子，站起來，朝小布希丟過去！結果小布希閃得快，沒砸中。所有的安全人員嚇了一大跳，還沒反應過來，扎伊迪又丟出另一隻鞋。小布希頭左右晃了兩下，又給他躲過去！

要知道向人丟鞋子，對穆斯林來說是最大的侮辱。此時歐巴馬已經當選新總統，小布希這是畢業旅行。扎伊迪怕以後沒機會，於是抓住機會拿鞋子丟小布希，還一邊丟一邊喊「道別禮物」、「布希是狗」。他丟出兩隻鞋子後，才被安全人員制止。

連續兩次、近距離閃躲成功，讓全世界，尤其是記者對小布希刮目相看，大家都評論說，這是他總統任內做得最成功的事！

小布希自己也很得意，他跟記者說：「閃躲，是我的強項，我想你們也發現了這一點，包括你們的提問也是這樣。」

記者紛紛稱讚他，還故意給他戴高帽，他真的更開心，說：「你們才讓我擔心，真怕你們會嚇出心臟麻痺。」

被他打敗了吧？你說他怎麼能這麼麻痺，這麼自我感覺良好？要曉得，他可是當選過兩任總統，美國有很多人價值觀跟小布希一樣，他們以為美國就是世界，所以和美國不一

樣的就是有問題。小布希在當選總統以前，是沒有「護照」的呢！對，他做總統以前沒有出過國，美國有 85% 的人民，一生沒有離開過美國。所以他會說：「加拿大和墨西哥的邊境關係從來沒這麼好過。」他不知道加拿大和墨西哥中間隔著美國，兩國哪來的「邊境」？

他會說：「非洲是一個國家。」

「我的法語不行、英語不行、墨西哥語也不行！」他的腦袋裡不只是只有美國，根本只有德州。

他說：「我是在西部長大的，我是說，德州的西部。那裡離加州很近。雖然華盛頓離加州也很近，但我們更近。」

所以他看似天真，很好笑，但如果掌握大權，隨時有摧毀別人國家的力量，那就很恐怖，笑不出來啊！他卸任後，寫了一本回憶錄。書中他承認在伊拉克根本沒找到任何「毀滅性武器」，他為此大發脾氣了三次。可是他說他認為攻打伊拉克，還是對的決定！

「我明白我相信的是什麼。我會不斷讓你們明白我所相信的，以及我相信的——我所相信的就是：我相信的就是對的。」I know what I believe. I will continue to articulate what I believe and what I believe—what I believe is right.

這是他在 2001 年上任後不久所說的話，看來他真的「一路走來，始終如一」。所以他的坦白無知，正是他討某部分人喜歡的原因，也正正是他可怕的原因。他看似沒有邪惡到去害人，也許是個好鄰居，但他有力量害整個國家、整個世界。難怪他剛上任時說：「我想，凡是認為我的才智不足以接這份工作的人，都是低估了我。」I think anybody who doesn't think I'm smart enough to handle the job is underestimating me.

不要光笑小布希，笑美國人。

笑別人搞不好正是在笑自己。

笨蛋雖笨，但還有比他更笨的人爲他喝采！

●小布希到學校參訪時，與孩子
　一起唸圖畫書。照片被人惡搞成
　小布希將書拿反。

12.15 人獅奇緣

　　約翰（John Rendall）和艾斯（Anthony Bourke，暱稱 Ace）兩個大學畢業，不知道未來要幹什麼，又滿懷希望的澳洲年輕人，第一次離開家鄉，前去倫敦闖天下。他們各自旅行幾個月，在倫敦相會。

　　他們從一堆觀光景點中，先排了去倫敦塔，之後為了對比效果，決定去哈洛斯百貨逛逛。哈洛斯有句廣告標語：「我們什麼東西都賣！」有人問店員有沒有賣駱駝？店員會問你：「請問想要單峰的，還是雙峰的呢？」

　　當約翰和艾斯逛到二樓「動物園區」，竟然發現有兩頭小獅子蜷縮在籠子裡。一頭母，一頭公。顧客走過時先是驚呼，然後就好奇逗弄小獅子，弄得小母獅不堪其擾，而小公獅卻是一副若無其人的模樣。小公獅身上好像有塊磁鐵，緊緊吸住約翰和艾斯的目光。他們在籠子旁邊坐下，一看就是好幾個鐘頭。

　　突然間，他們的生命變得好像缺少一頭小獅子，就會失去完整。然後，他們研究買下牠的可能性。而且商量好替小公獅取名「克里斯汀」，這名字有基督徒的意思，而在羅馬時代，被迫害的基督徒會被送進獅子嘴裡。這樣很有對比反諷的趣味。

　　他們問店員，小獅子賣不賣？店員說母的已經有人訂了。小公獅還可以出售。開價二百五十英鎊，相當於今天的三千五百英鎊。店員可以安排採購專員面談，哈洛斯要確定顧客能照顧獅子才會出售。接下來，就是一連串的面談，主

要的問題是養獅子的空間。約翰和艾斯找上他們住處樓下的家具店，店名叫「精巧貓」。店主很愛護動物，所以同意可以讓小獅子住在地下室，約翰和艾斯可以在店裡打工，同時照顧獅子，一舉兩得。運氣好的是，有朋友家在離「精巧貓」不遠，有一個三十公畝大，四周有圍籬的庭園。這下他們可以保證獅子有足夠的活動空間。

1969 年 12 月 15 日，約翰和艾斯從哈洛斯百貨公司買到了小公獅「克里斯汀」，開始一段人與獅子的奇妙情緣！克里斯汀來到精巧貓家具店，牠可愛逗趣的模樣，很快成為鎮店之寶，許多人都專程來店裡看獅子，媒體也十分好奇，克里斯汀成為小明星。克里斯汀基本上很溫馴，很喜歡跟人玩耍，尤其喜歡和小孩親近，因為牠也只有幾個月大，就是一個獅子嬰兒。牠和約翰、艾斯感情日深，幾乎時刻分不開。

但是，獅子成長的速度很快，真的不只一天大一寸。約翰、艾斯要為克里斯汀未來著想，經過朋友介紹，他們結識了拍電影《獅子與我》的製片和導演。他們建議應該要把克里斯汀送去非洲肯亞，交給致力於讓獅子復育回原野的喬治·亞當森（George Adamson），由他來教導克里斯汀，使牠能回歸自然。

約翰和艾斯雖然萬般不捨，但這是對克里斯汀最好、最負責任的辦法。1970 年 8 月 22 日，他們帶著克里斯汀來到肯亞，加入亞當森的獅子團，然後與克里斯汀道別，回到倫敦。過了將近一年，克里斯汀的情況很理想，野放已經初步成功，克里斯汀也有了自己的獅群王國。約翰和艾斯再度來到肯亞，想看看他們的克里斯汀。但是獅子已經野放，是不是還記得他們倆？會不會有危險？

　　當他們到達野外時，獅子群躺在距他們八百公尺遠，他們得耐心等上幾小時，等太陽小、天氣涼，獅子才會移動。終於，約翰和艾斯走向獅子在的岩石堆，亞當森爬到高處，呼叫克里斯汀。

　　不一會兒，克里斯汀出現在另一堆岩石的頂端，距離七十公尺遠，牠盯著約翰和艾斯看了幾秒鐘，然後慢慢移到近一點的地方，想要看得更清楚。

　　約翰和艾斯忍不住大叫克里斯汀，獅子立刻衝下來，跑向他們，跳到他們身上，緊緊擁抱，就像久別重逢的親人，後頭還跟著三頭母獅，和一頭五個月大的小獅子。

　　克里斯汀已經長成龐然巨物，分開時牠只有七十公斤，現在足足有一百四十公斤。但是牠還是像以前一樣溫柔，興奮的和約翰、艾斯又抱、又跳、玩在一起。這一幕感動了千千萬萬人，四十年後又在網路流傳，點閱人數超過五千萬人次。約翰說：

　　我們一直想了解為什麼這段影片能引起上百萬人的情緒共鳴？是克里斯汀流露出那種無條件的愛嗎？是關於成長與分離嗎？還是關於失落、寂寞與重逢時的喜樂？是不是大家把自身對於有動物陪伴的感受或需求投射在其中呢？當科技充斥在生活中，電腦遊戲取代了戶外活動，現在的我們是否都與大自然太疏離了？那個無憂無慮的童年，比現在更安全、有更多自由去冒險的年代，是否已經成為鄉愁？

　　不管是什麼原因？每個看過影片的人，無不感動落淚。因為真情難得吧！

重逢後一年，約翰、艾斯又回到肯亞，這時克里斯汀已經是二百三十公斤的森林之王。牠不會跳上去抱他們，因爲這樣會撲倒約翰和艾斯，但他們感情依舊，牠的動作更加溫柔輕巧。誰說動物沒有靈性呢？

這是他們最後一次相見，後來克里斯汀帶領獅群向更遠的地方，去擴展牠的王國。人與獅子之間的奇緣到此完美而無遺憾！

遺憾的是成功野放過十七頭獅子的亞當森，最後被盜獵者殺害，但以他爲名的基金會，現在繼續他的志業，在非洲爲保育動物奮戰。

●約翰和艾斯與克里斯汀結下動人的人獅情緣。

● 克里斯汀立刻衝下來，跑向約翰和艾斯，跳到他們身上，緊緊擁抱，
就像久別重逢的親人。

12.16 超巧克力棒

「你是弓，子女是從你身上射出去的生命之箭。」我最喜歡紀伯侖如此說出孩子和父母的關係。對，弓願意用力彎曲，讓箭射得又穩又遠。但要記住，你不是弓箭手，你不能決定箭的方向，弓要付出的是給足箭需要的力道，讓它飛到要去的地方。

有一種小兒病，叫「第一型肝醣儲積症」的亞型 lb 症。光聽病名，就知道它很罕見。簡單講就是因為基因缺陷，無法將肝醣轉化成葡萄糖供應人體的需要。這種病在 1980 年以前，得病的小孩活不到兩歲。現在可以用玉米澱粉來維持病童的血糖，但要能活著長大，還不樂觀。一百萬人中只有一個會得到這種病。

七歲的約拿（Jonah Pournazarian）不幸就是這一百萬分之一的小孩。對六歲的狄倫（Dylan Siegel）來說，約拿也是他在一百萬人中，才會遇到的最好朋友。他們三歲就上同一個幼稚園，從此就成了分不開的「兄弟」。他們兩個還有自己的密語：「超巧克力棒」So Chocolate Bar!

只要碰到很棒的事，他們就會說「超巧克力棒」！他們感覺這樣說很酷！

狄倫決定為他的「超巧克力棒」約拿募款，給醫生研究費用找出如何治這種病，這樣約拿才能跟他一起長大。他的爸媽建議他可以義賣餅乾，或是賣檸檬水。狄倫不喜歡這些主意，他覺得這些別人都做過，不夠「超巧克力棒」！

那他要幹嘛？他要做繪本，書名是《超巧克力棒》。他

花了一個小時完成了十六頁的圖畫和文字，故事是講有個叫狄倫的男生，超愛巧克力棒，他遇到許多「超巧克力棒」的事。他把稿子交給爸媽，要求他們把它印成書，他要賣書，把賣書的錢捐給約拿治病。

約拿的爸媽也加入幫忙，印了二百本《超巧克力棒》繪本，當地的超商願意捐一百五十條巧克力棒一起義賣。沒想到在學校一天就賣光，募到六十四美金。狄倫的爸爸是迪士尼的行銷主管，媽媽是辦公關活動的達人。他們發揮「弓」的功能，讓狄倫這支箭，射得更遠更有力。

2012 年 12 月 16 日下午 2 點，在洛杉磯的邦斯諾博書店（Barnes & Noble），狄倫和約拿舉辦了《超巧克力棒》簽書會，狄倫和約拿輪流為大家朗誦，並且簽書。一天就募到六千美金。越來越多「弓」加入，現在已經募到二十七萬五千美金，狄倫的目標是一百萬美金，他要把錢交給加州大學專門研究罕見疾病的大衛·韋恩斯坦（David Weinstein）醫生。如果他能治好約拿，也能救更多小朋友。

韋恩斯坦醫生本來很懷疑，靠《超巧克力棒》這本繪本，能募到夠多的錢。現在他還是感覺像做夢，因為他所知道的任何醫療基金會，都募不到這麼多錢！

兩個好朋友每次接受媒體採訪，都是重複說同樣的話。

約拿說：「狄倫寫書幫助我！」

狄倫說：「我想要約拿快點好起來！」

狄倫的媽媽說：「孩子有許多棒點子，他們對世界總有不可思議的看法。他們根本不知道悲觀是什麼？我們應該多認真聽聽他們說的話。」純真的箭可以穿透一切。唯有單純、天真的露珠，才能找到心的清晨，而煥然一新吧！

12.17 成功屬於有夢的人

人類因有夢想而偉大！

是的，但如果同一個夢想有不同的人都在做，那成功會屬於哪一個人呢？

1903 年 12 月 17 日，萊特兄弟設計的「飛行者一號」在俄亥俄州小鎮的平坦沙地上，成功的飛離地面，雖然只有短短的十二秒，卻是實現了人類千百年來「飛行」的夢想。當天的第四次試飛，記錄是 59 秒，259.7 公尺。人類能操作一架比空氣重的動力機器，自由穩定的在空中飛行，這個夢想確定實現。

現在我們都說飛機是萊特兄弟發明，可是當時有一樣飛行夢的人，其實很多，為什麼最後是萊特兄弟成功？是因為他們有比較高的學識？有比較強的團隊？有比較多的資金？

同時有個人叫賽繆爾・蘭利(Samuel Pierpont Langley)，他是天文學家、物理學家，受過高等的教育，曾在哈佛大學工作，他發明測熱輻射計，得到美國科學院的獎章。他鑽研空氣動力學，也有「飛行夢」。他設計的無人飛機模型，在 1895 年 5 月和 11 月，兩度試飛成功，所以美國軍方撥了五萬美金給他，史密松研究所給他二萬美金，支持他製造有人駕駛的飛機。

他因此能雇用最好的機械師，組成最專業、最強的團隊。他的支持者都是政商要人，像鋼鐵大王卡內基、貝爾電話公司的老闆貝爾。所以他得到主流媒體高度關注，可以說全世界都在等著他成功！

　　反過來，萊特兄弟只是兩個開腳踏車公司，賺到一點錢的老闆，根本沒上過大學，團隊裡也沒有一個人受過高等教育，沒有來自政府或民間的任何贊助，更沒有媒體關注。按理說，應該是蘭利會成功才對。

　　結果，蘭利在 1903 年 10 月 7 日和 12 月 8 日，前後兩次在波多馬克河試飛，引來全國矚目，但兩次都失敗，飛行員都成了落水雞，被各大報紙猛烈的抨擊、奚落、嘲諷，使得他決定終止造飛機的計畫。

　　而在俄亥俄州鄉下，不到一週後，12 月 17 日，萊特兄弟悄悄的試飛，悄悄的創造了歷史。

　　蘭利為什麼失敗？萊特兄弟為什麼成功？你用分析和算計是找不到答案的。

　　真正的關鍵在萊特兄弟有一個「飛行夢」，所以再多失敗都不能使他們的夢消失，反而更加強他們實現夢想的力量。簡單的說，就是他們比較「感情用事」。

　　蘭利也有相當的熱情，但是他精於計算，最後「理智」下了一個判斷，這個夢應該終止，尋找一個停損點來下台。所以反而只差一步就登頂。

　　蘭利在 1906 年過世，八年後，1914 年有人把他當年沈在波多馬克河底的飛機打撈上來，裝上更大的發動機，結果飛行成功！

　　是吧！人算不如天算，算得太精、太細，反而把成功算掉了，成功是算不出來的！

●萊特兄弟「飛行者一號」的
　首次飛行，成功完成任務。

●蘭利同樣響製造飛機，
　但他不是真的有飛行夢。

12.18 救一棵樹

當你從生死邊緣走過，你會更珍惜生命的意義！

茉莉亞（Julia Lorraine Hill）從小就喜歡接觸自然山林，她七歲時有一個奇妙的經驗，有一天她跟家人去爬山，有一隻蝴蝶突然停在她的手上，結果當她走完全程，蝴蝶都沒有飛走，好像特地來陪她穿過森林。從那天起，家裡的人就叫她「蝴蝶」。

1996 年，二十二歲的茉莉亞和朋友出門，回家時因為朋友喝了酒，茉莉亞便自願當駕駛，開車送朋友回家。沒想到她們這樣小心，卻被一個酒醉開車的傢伙，從後方追撞，方向盤斷裂，刺穿她的骨頭。後來花了一年的時間治療，她才能正常走路。復原後她和朋友到加州旅行，正好遇到保護森林的活動，有一大片古老的紅杉林將被砍伐，主辦單位選定了一棵高六十公尺、有二十層樓高的大樹，問有沒有人志願在樹上住一個星期，好日夜守護這棵樹，不讓它被砍掉。

茉莉亞立刻挺身出來，她在 1997 年 12 月 10 日爬上這棵大紅衫，開始了護樹行動。

本來活動只準備進行一週，但茉莉亞發現這樣時間不夠長，伐木公司隨時會來砍掉這棵一千五百年才長成的大樹，他們用電鋸只要十五分鐘就能搞定。茉莉亞決定在樹沒有得到百分之百安全前，她的雙腳不碰到地面。她在樹上搭了一個小帳棚，吃的東西靠其他志工送，她自己收集雨水，用來洗臉擦身，利用太陽能電池給收音機充電，用小木桶如廁。

她除了要應付天寒地凍，暴風大雪，還要對付地上伐木

工人的騷擾，伐木公司還派直昇機從空中惡整她，她立起橫幅布條，上面寫著：「人類，尊重你的長輩！」

茱莉亞在樹上守護了 738 天，終於得到伐木公司的保證與協議，他們不砍這棵樹，也不砍附近的紅杉林。

茱莉亞在 **1999 年 12 月 18 日**才從樹上下來，雙腳踩到地面。她爲護樹運動開創了新的典範！結果記者蜂擁而上，除了問她如何洗澡、上廁所？居然還問她有沒有男朋友？

我十六歲開始工作，當服務生，後來升到經理，沈浸在一般物質的享受。直到那場車禍喚醒了我，讓我了解生命的每一刻都如此重要，也讓我決心要替未來做點事。方向盤刺穿我的骨頭，正是意味它讓我找到生命的新方向！

眞的是那場車禍就改變了茱莉亞的生命方向？我看不盡然，外在的力量是風，隨風逐流反而容易迷失。心才是船的舵，不管風往哪個方向吹，掌舵正確才能航向正確的方向。

茱莉亞就算沒出車禍，沒有爬上一千五百年的紅杉樹，她一定也會在其他的「機緣」下，早晚挺身出來，走出不同的生命之路。因爲她的「蝴蝶」一直都在，並沒有飛走！

● 茱莉亞為了保護森林不被砍伐，在樹上住了 738 天。

12.19 給黃鼠狼拜年

黃鼠狼給雞拜年，我們知道牠安的什麼心。如果是雞給黃鼠狼拜年，那牠到底想幹什麼啊？

1970 年 12 月 19 日，貓王艾維斯・普利斯萊（Elvis Presley）的爸爸對他碎碎念，說他花錢不只是如流水，簡直是水庫洩洪，這樣亂花錢已經到失控的程度。接著貓王的太太也加入，一起唸他。他超不爽，因為他只不過一口氣買了幾輛車，一台賓士給自己，一台賓士給一個女性友人，一台賓士給助手，一台凱迪拉克送給一個警察，當結婚禮物。重點是，錢都是他賺的！

更氣的是，艾維斯為了不讓他爸爸唸他，還多買一台賓士送給老爸來安撫他，沒想到老爸還是一直唸。他受不了，站起來大叫：「我要離開這裡!」然後就奪門而出，沒說他要去哪裡。

他去了哪兒呢？他先搭飛機從曼菲斯到華盛頓，再從華盛頓飛到達拉斯，又飛到洛杉磯，然後再飛往華盛頓。

他在飛機上，心血來潮，給當時的美國總統尼克森，寫了一封短信：

親愛的總統先生，

首先，我要向你自我介紹。我是艾維斯・普利斯萊，我欣賞你，而且對你的職務懷有崇高敬意。三個禮拜前，我和安格紐副總統在棕梠泉談過天，我表達了我對國家的關切。

嗑藥文化、嬉皮族群、爭取民主的學生組織、黑豹黨……這些人，並不把我看成是他們的敵人，或者是他們講的權勢集團的一份子。閣下，為了這個國家，我能夠，而且將會，盡我所能，去做任何我能幫忙的事。

我有個要求，希望被任命為無特定任務的「聯邦調查員」，但我是個藝人，我需要聯邦政府核發的證明文件。

我已經在從事藥物濫用和共產黨洗腦技巧的深入研究，我希望能和總統見面，只是打個招呼，如果您不是太忙的話。

隔天早上，他到了華盛頓，便把信送去白宮，結果沒多久，他在旅館接到白宮打來的電話，他們問他四十五分鐘內可不可以來白宮一趟，總統想見他。

貓王穿上紫色的緊身上衣，腰上繫著金色的皮帶，脖子上掛著金色的項鍊，外面套上黃銅鈕扣的外衣來到白宮。他特地帶了一個禮物，一把鍍鉻的四五手槍，要送給尼克森總統。結果安全人員說什麼都不給他帶進去。

他在中午時走進總統的橢圓形辦公室，兩人握手後，他拿出兩張簽名照送給尼克森，然後又拿出他收集的「警徽」給尼克森看。兩人有一搭沒一搭的聊天，貓王這時突然罵起「披頭四」，說他們反美，卻又跑到美國來撈錢。他一再表示他和尼克森總統是同一國的，他願意幫忙，讓年輕人恢復對國旗的敬意！

尼克森同意貓王的觀點，表示這會很有幫助。貓王這時向尼克森要求，可不可以給他一個「麻醉藥物和危險藥物管理局特勤人員」的徽章，他想要做「榮譽的收藏」。

尼克森問幕僚，可以送貓王一個徽章嗎？幕僚人員說總

統說可以，他們就去弄一個。尼克森點頭說好，就這麼辦。貓王很興奮，一直說這個徽章對他意義重大！

　　貓王作勢要擁抱尼克森，尼克森遲疑了一下，拍拍貓王的肩膀，感謝他的熱心。貓王還是身體向前，要抱抱，尼克森退後一步，說：「你穿著有點奇怪，不是嗎？」

　　「總統先生，你有你的表演方式，我有我的。」

　　在還算愉快的氛圍下，結束這簡短的會面。貓王拿到了藥物管理局的特勤徽章，但是他真的是為了要「收藏」做紀念嗎？

　　原來，貓王有了這個徽章，他就可以堂而皇之的在車上載大麻或藥品，都沒有警察會找他麻煩！

　　政客再奸詐，玩不熟悉的遊戲時，其實很容易被唬弄！

●尼克森與貓王在白宮會面。

12.20 騎士精神

在殺戮的時代，仁慈是一種高貴的勇氣。

1943 年 12 月 20 日，美國飛行員查理‧布朗（Charlie Brown）少尉駕駛 B-17 轟炸機「老酒館」，奉命對德國布萊梅的兵工廠進行轟炸。任務雖然成功，但要安全回航一樣危險重重。途中「老酒館」遭到至少十五架德國戰鬥機的攻擊，機尾砲艙毀了，一側的機翼嚴重受損，十名機組員，有一人陣亡，六人受傷，身為機長的布朗，自己也在戰鬥中一時昏迷，飛機搖搖擺擺直向下俯衝，幸好他及時恢復意識，緊急拉起操縱桿，才勉強讓飛機保持飛行狀態。

就在這時，布朗看見一架德國戰機朝他飛來，他想這下死定了！沒想到，德機不知道為什麼，一直沒有向他開火。飛機飛到他可以清楚看到對方飛行員眼睛的近距離，他看到對方向他打手勢，意思是叫他往前飛。他不知道對方是什麼意思？但此時也只能聽天由命。

這架敵機一路「護送」他們飛越北海，飛行三十二公里後，看著他安全降落在諾福克機場後，才回頭飛走。

布朗運氣很好，大戰結束，他保住性命，光榮退伍。但這段遭遇像個謎團，一直在布朗的腦中打轉，敵機明明可以輕鬆的把他解決，為什麼沒開火？又為什麼放過他之後，還護送他們回航？他想了四十四年，也沒想通。

1987 年他決定要找到當年放過他的德軍飛行員，好解開他的疑惑。於是他在報紙登尋人啟示，「尋找曾在 1943 年 12 月 20 日，救了我一命的人」。

　　事隔多年，當年的人不知道還在不在人世？但他一直登報，終於在三年之後，1990 年 1 月 18 日收到一封回信。

　　寄信的人叫法朗士・施帝格勒（Franz Stigler），他是德國人，戰後移民加拿大，定居在溫哥華。他看到了布朗登的「尋人啓示」，他正是那個救了布朗一命的德軍飛官。他的來歷可輝煌，當年他才二十六歲，擊落二十二架敵軍戰機，是德國王牌的飛行員。當時只要他再敵落一架飛機，就可以得到騎士十字軍的最高榮譽。

　　施帝格勒突然想到他的教官古斯塔夫・洛德爾（Gustar Rödel）上尉在他出第一次出任務時，對他說的話：

　　「榮譽高於一切。如果我看到或聽說你朝一個跳傘的人開火，我會親手斃了你！遵守交戰的規則是爲了你自己，而不是爲了你的敵人。能保持這種遵守，才能讓你在戰爭中，保持人性！」

　　對施帝格勒來說，擊落一架幾乎失去作戰能力的飛機，跟擊殺跳傘中的人，一樣不榮譽。

　　但他也有後顧之憂，如果德軍發現他沒向敵人開火，他一定會吃上「叛國罪」。他已經發現地面有德軍的高射炮塔；同時「老酒館」號上滿身是血的機槍手，正瞄準他的飛機，準備他一開火，就奮力最後一擊……。

　　於是他當機立斷，朝布朗猛揮手勢，指示他跟著自己迅速飛離德國領空。後來，好人做到底，乾脆護送布朗返航，然後才飛回德軍的基地。

　　布朗安全降落後，向指揮官報告，說敵人不可思議的救了他們。長官叫他不准講出去，免得聲張後造成不良影響。所以事情一直沒被公開。

　　如今，兩個戰場上的敵人，因命運機緣在四十七年後，又奇蹟式的重逢。這時他們彼此心中都是感恩，成了情感最特殊的好友。這兩位二戰飛官，在 2008 年相繼去世，前後相隔不到六個月。布朗活了八十七歲，而施帝格勒活了九十二歲。

　　我就是相信好人有好報！

●飛行員布朗與當年救過他的施帝格勒在四十七年後重逢。

12.21 眾人推，牆就倒

所向無敵的哥利亞巨人，大衛用一顆石頭就把他摔倒。

不要被高牆的外表所震懾，說不定它的地基早已鬆動，只差最後一顆石頭，就能使城牆崩塌，而這顆石頭正好握在你的手上。

羅馬尼亞的獨裁者希奧賽古以殘暴、腐敗而惡名昭彰。從 1965 年奪得政權後，羅馬尼亞人民便長期籠罩在冷血、恐怖的高壓統治下。他除了愛權、愛錢，怪癖還很多，像他跟任何人握過手，事後立刻用酒精消毒，超怕死。他最怕吸血鬼，他真的相信羅馬尼亞是吸血鬼的故鄉。其實他在人民心中，比吸血鬼還可怕！

1989 年 11 月，在羅馬尼亞共產黨大會，全體黨代表為希奧賽古起立鼓掌四十次，他再度當選總統。12 月羅馬尼亞西部的城市提米什瓦拉（Timisoara）發生騷亂，17 日希奧賽古下令開槍鎮壓，拘捕鬧事的人。

1989 年 12 月 21 日，他決定在首都布加勒斯特公開對群眾演講，藉機震懾人民，休想亂說亂動。當然廣場上的群眾都是安排好的，大家的任務就是對偉大領袖熱情歡呼。

中午 12 點鐘，希奧賽古和他太太出現在中央大廈的露臺，準備對廣場上十萬人民講話。群眾中有個叫理昂（Nica Leon）的，他雖然也是被動員來，可是心中恨透了希奧賽古，不知道哪裡來的膽子？哪裡來的勇氣？他突然舉起手大喊：「提米什瓦拉萬歲」！

其他人不知道他在喊什麼？以為這是新的政治口號，反

正有人哭就跟著哭，有人笑就跟著笑，準沒錯！到時候你沒跟著哭、沒跟著笑，準倒霉！於是大家跟著喊「提米什瓦拉萬歲」、「提米什瓦拉萬歲」！越喊越賣力，十萬人一起喊可大聲呢。可能因為大家喊，理昂的腎上腺素更高，直衝沸點，他聲嘶力竭的喊：「打倒希奧賽古！」

這下人們發現不妙，剛剛到底喊了什麼？完蛋了，被這神經病、二百五給害了！趕快劃清界線先，否則等會兒跳到黃河也洗不清，哭天搶地也來不及。於是理昂周圍的人，開始迅速往後退，想離他越遠越好。十萬人的群眾，有一堆人亂動，會怎樣？沒錯，一陣你推我擠，你跌我倒，女生開始尖叫，男生開始叫罵，接著就是哀嚎！小旗子掉下來任人踩，大旗子倒下去打傷人。

就像你在客滿的戲院大叫一聲「失火了」，就像你在滿場球迷中大叫「有炸彈」。場面大亂，驚慌失控。負責維持秩序的軍警也一樣混亂，有人喊「不要開槍」，有人喊「可以開槍，先警告，再開槍」，有人喊「不要亂打，打腿部」！

站在露臺上的希奧賽古，看著這失控的一幕，整個人僵在那兒，本來舉起來要向群眾揮手的右手，停在半空中，放不下來，嘴巴不由自主的一張一合，活像爆笑片的「傻瓜」！

這精采的一幕正好透過全國電視現場轉播，傳到羅馬尼亞人民的面前，這時希奧賽古的保安頭子跑到他身邊，低聲說：「他們要打進來了。」偏偏麥克風沒人關，這句話也傳出去，所有人聽得一清二楚。

革命就這樣點著，就這樣爆發！

才一天，22 日軍隊倒戈，鎮暴警察放棄阻擋，群眾圍向中央大廈，希奧賽古要搭直昇機逃走的前一刻，被逮捕。

　　他立即被審判，罪名一堆，25 日，血腥統治羅馬尼亞 1/4 世紀的希奧賽古和他的太太，被槍決。

　　他死後，羅馬尼亞宣布永遠廢除死刑！

　　事情過去又快 1/4 世紀，很多羅馬尼亞人對那天發生的事很不滿，因為「在聖誕節把人像野狗一樣處死」，想起來就不好受！

　　別說牆有多高、牆有多大，搞不好不用石頭，你用一根手指輕輕一推，就戳破了！

●羅馬尼亞的獨裁者希奧賽古在露臺上發表演講。

12.22 重生

一隻螞蟻爬過你的眼前，把牠捏死？還是放牠過去？生死都在你一念上下、彈指之間。你也可以作勢要殺，手指來回嚇牠，看牠為活命而掙扎，然後放過牠。

但不管你如何操弄牠的命運，螞蟻仍是螞蟻，並不會因此折磨而有變化。但如果換做是人呢？

1849 年 12 月 22 日，白雪靜靜的落在大地，寒風如針刺進骨髓。費奧多爾・米哈伊洛維奇和十四名囚犯被人從牢裡拉出來，帶到一個練兵場。他是幾個月前，在清晨 4 點被叫醒，接著便被押進監獄。他不清楚自己為什麼被捕？也沒人告訴他罪名。倒是有人告訴他會有審判，他只能等結果。和他關在同一個牢房的人情況也差不多，不過他們有一個共通點，就是都讀過「社會主義」的書和許多被禁的文學。

他們被推上一個平台，士兵荷槍看著他們。一名執行軍官從雪中走出來，對他們宣讀審判的結果。他們的罪名是反叛沙皇，判決是死刑！

這下費奧多爾明白他們站的地方是「刑台」。接著雪中又出現一位神父，翻開聖經，為他們做死前禱告。神父聲音顫抖，不知道是出於對年輕生命的不忍心，還是因為天冷。

費奧多爾沒有聽神父在唸什麼，他眼前閃過因肺結核而離開人間的母親。絕望悲傷中想到他最崇拜的詩人普希金的猝死 …… 他想用寫作來釋放哀痛，但終日只能在沈默中度過 …… 他在街上看見出殯的隊伍，猛一回頭，他便暈倒在地，原來他患有癲癇症 …… 他反對農奴制度，他和朋友想

秘密印刷禁書 …… 他的短短一生，厄運不斷，現在已經在盡頭邊緣。行刑隊在十五步遠的地方，站成一排。前三名死囚從平台被拉到旁邊分立的柱子前綁住。下一批就輪到他。

「舉槍——瞄準——預備——」

費奧多爾心跳快得像要爆裂，他的腦子動得更快，意念在他眼前快速浮現、旋轉，他要抓住生命最後可以抓住的片段，他要思想生命最後可以思想的永恆。

突然，雪中出現一個騎馬的軍官，他揮著白手帕，大喊暫停。軍官下馬後，告訴大家：沙皇仁慈，赦免他們的死罪。然後宣讀每一個人的刑期。費奧多爾被判決在西伯利亞服苦役，他這一去就是十年。

費奧多爾不知道，其實這一切都是沙皇精心設計，他不想奪走這些年輕知識分子的生命。但他要給他們一點教訓。所以安排執行槍決，然後槍下留人。

沙皇不知道，他留下的生命當中的費奧多爾，後來流放回來，寫出俄國最偉大的幾部小說，《地下室手記》、《罪與罰》、《白癡》、《卡拉馬助夫兄弟們》。是的，他就是杜斯妥也夫斯基。

你讀杜斯妥也夫斯基，一定會震驚他的筆如手術刀，能鋒利得剖析人內心的分裂，揭開人肉體與精神的痛苦。尤其對死刑犯的內心、思想的描寫，沒有人能寫得比他更深入；因為他喝過生命盡頭的河水，才能唱出如此悲傷的歌。就如他在《卡拉馬助夫兄弟們》中寫的：

　　人一旦拋棄了奇蹟，他同時也就會拋棄了上帝，因為人尋找的與其說是上帝，還不如說是奇蹟。而既然人沒有奇蹟就無法過下去，他就會為自己去造出新的奇蹟。他自己的奇蹟來。

　　是的！人生有多少步要走？無法預料的又有多少？

12.23 燃燒的星空

　　藝術史上，最令人驚駭、悲傷的自殘事件，就發生在 **1888 年 12 月 23 日**。這一天，在法國南部的阿爾勒，梵谷和來看他的高更，兩人激烈爭吵。高更一氣之下，決定搬離梵谷住的地方。晚上，情緒激動的梵谷，竟然割下自己的左耳，寄給當地一個妓女。

　　梵谷是不是有精神的疾病？為什麼發瘋？有人認為兇手是「苦艾酒」。

　　苦艾酒是一種有茴香味的烈酒，材料主要是大艾草的花和葉，加上其他香草和藥材，蒸餾過後，酒精純度可到 90~148。

　　19 世紀末到 20 世紀初，苦艾酒在法國大受歡迎，特別在巴黎的文藝圈非常流行。許多作家像波特萊爾、王爾德、亨利土魯斯、海明威、莫迪利亞尼，都是它的愛好者。還有梵谷也是。

　　苦艾酒除了味道強烈，還有一個好處，便宜。尤其是劣等的苦艾酒，比紅酒、白蘭地便宜太多。梵谷窮，要喝，很容易選喝苦艾酒。據說苦艾酒喝多，會造成自律神經興奮，產生幻覺。所以有人說梵谷在死前兩年，畫風劇變，他最知名的作品「星夜」、「向日葵」、「空椅子」、「麥田群鴉」，都是這段期間畫的，每一筆都像藏著燃燒的火焰。很可能是苦艾酒引發他的幻覺。

　　而苦艾酒喝多的後遺症，就是會出現緊張性頭痛，有時喪失意識，導致精神錯亂。這和梵谷的症狀很相似，加上他

原來的癲癇症又在此時多次發作，在經濟拮据的壓力和狂熱創作的動力，兩相激盪之下，他崩潰了，做出自殘的舉動。

後來梵谷被送進精神病院療養，在痛苦中他還是持續作畫。持續十四個月後，1890 年的 7 月 27 日，三十七歲的梵谷舉槍自殺，結束烈火般的人生，留下令後世震驚的傑作。

苦艾酒呢？在 1908 年 7 月 5 日瑞士全民公投，通過禁止苦艾酒，還把它寫在憲法裡。比利時、巴西、荷蘭、美國都陸續禁止販賣，最風行的法國也在 1914 年明令禁賣。到了 20 世紀 90 年代，苦艾酒又從英國重新起步。因為英國不流行喝苦艾酒，所以沒禁賣。陸續各國都解除了禁令，有個法國苦艾酒的牌子還叫「清醒」Lucid 呢！

苦艾酒可能真的使梵谷產生一些幻覺，但沒有梵谷的天才，喝再多苦艾酒也不會變梵谷。如果有人以為可以靠苦艾酒變天才，那他很不清醒喔！小心他不會割自己的耳朵，而是會割你的耳朵！

● 梵谷割耳後的自畫像

12.24 科學界的貝多芬

　　如果你是鑽石，即使有再多的塵土遮蔽，早晚要發亮，沒有人能掩蓋！

　　麥可・法拉第（Michael Faraday）是牛頓和愛因斯坦之間最偉大的科學家。現在大學裡每一個理工科系，都有他偉大的身影。他是電機工程學之父，發現「電磁感應」。在機械工程學，他發明了第一部「發電機」、第一部「馬達」。在化學工程，他是第一個蒸餾石油發現苯的人。化學，會看到「法拉第常數」。物理學，會研究法拉第的「磁力場」。可是這顆閃亮的鑽石，原來是深埋在塵土中。

　　1791 年，法拉第出生在倫敦一個鐵匠的家庭，他的父親健康情形不佳，加上有九個子女要養，經濟能溫飽，就謝天謝地，所以無力送他進好的學校。而且當時階級地位非常分明，鐵匠的兒子，只能做學徒。法拉第十三歲時，到一家書店學習裝釘，他努力工作很快就成為一個優秀的裝釘工。這個工作成了他最好的學校，每一部他經手的書，他都仔細閱讀，自己教自己。他對科學類的書特別有興趣，還把省下來的錢，拿去買一些簡單的儀器，自己做實驗。

　　那個時代，科學不光只是學問，還可以拿來「表演」。最有名、最貴的「演講」，就屬皇家學會會長韓弗瑞・戴維（Humphry Davy）爵士。他常把「電流」展現給觀眾看，如同在看電光特技，特別受歡迎！

　　法拉第用盡千方百計，搞到入場券，聽了戴維的四場演講。別人驚嘆、鼓掌、歡呼，他卻努力做筆記。這份厚達

三百頁的筆記，帶來他一生的轉捩點。

法拉第鼓起勇氣，寫了一封信給戴維爵士，並附上他聽講的完整筆記，希望戴維能給他一份工作。戴維看了筆記，大為驚艷，便在 **1812 年 12 月 24 日** 給法拉第回信。

戴維在一次實驗中，意外傷到眼睛，視力減弱的他雇用法拉第為實驗室的助手。剛開始只是打雜和保管儀器，不久戴維看出他的天份和能力，升他為實驗助理。但戴維因他的出身寒微，並不尊重他；所以戴維的妻子更是把法拉第當下人看，讓他不時受到屈辱。

法拉第雖然因此難受，但並沒有澆熄他對科學的熱情，很快就有了驚人的成就。他找到控制電力的方法，製造實驗型的馬達。我們現在所有的機器，都從此開始。

法拉第不只發明了馬達，在化學上也十分傑出，他研究出如何把氣體轉變為液體。他的成就如此明顯，皇家學會有人提議，應該讓他成為會員，投票的結果，所有人都贊成，只有一票反對，誰？就是提拔他的戴維。

戴維自認是英國最偉大的科學家，眼看法拉第已經超越自己，心中很不是滋味。加上他的階級意識，一個沒受過正式教育，身分低微的釘書工，怎麼配有如此榮耀？

於是戴維便藉口要研發一種光學玻璃，來和德國人競爭，在 1825 年打發法拉第去玻璃工廠，名為研發，其實是把他排除在重要的實驗之外，以免他搞出更大的名堂。他在玻璃工廠做了六年無意義光學玻璃，一事無成，因為光學玻璃不只要有理論，還要有精密的工藝，到現在光學玻璃還是德國人的天下。1829 年終於戴維死了，他又能夠回到皇家科學院實驗室，他最重大的突破即將來臨。

當時科學家都知道，鐵通電會變成磁鐵，法拉第在想「電」能變成「磁」，那「磁」能不能產生電？

1831 年 10 月 28 日，他用二百二十呎長的銅絲，繞成一個中空的圓柱，接上電流計，銅絲並沒有電流。然後用一塊圓柱形的長條磁石，快速插入中空的銅絲卷，電流計立刻反應，有電！接著，他把磁石快速抽出，指針還在反應，還有電！這是科學史上的重大發現，如果讓磁石和金屬線圈快速的相對運動，就能以感應的方法產生電流。

過去的實驗，磁石和金屬圈都是靜止的，所以找不到互相的關係。這次實驗成功，法拉第進一步發明了世界第一台「發電機」。他爲人類創造了前所未有的巨大「動力」！

有些天才生來就命苦，命運好像見不得他好，非拿苦難一再錘鍊他，法拉第如日中天時，可怕的打擊來了，四十九歲時，他得了「失憶症」。一個科學家會時時失憶，就像貝多芬，身爲音樂家卻失去聽覺，眞的是命運殘酷的玩笑！所以他深爲失憶所苦，陷入極度憂鬱。可是貝多芬能克服聽力的障礙，創造更偉大的作品。法拉第呢？

他如同科學的貝多芬，他居然在病痛折磨下，解開了牛頓解不開的謎團。牛頓發現了萬有引力定律，他知道蘋果會掉下來，怎麼掉下來。但不知道爲什麼掉下來，而不被其他星球的引力吸去？

太陽和地球、金星、火星 …… 各星球都有磁力，但爲什麼能彼此保持一定的軌道運行？

法拉第推想磁力會產生磁波，而磁波會形成一個「磁場」，太陽與各行星都有磁場，磁場與磁場相吸又相抗，所以保持一定的平衡。

　　你有沒有搞懂我在說什麼？如果不懂沒關係，不是你不聰明，也不是我說不清，而是你要知道這個磁場問題，像牛頓這些天才，想了幾百年也沒想出來啊！就是電會產生磁，磁以光來傳遞，這就是我們能用「光」攝出影像，藉電磁波傳送，然後接收、呈現，就是「電視」的原理！

　　反正結果被法拉第想出來了。但是怎麼「確定」呢？他想利用「光波」來證明電磁力可以控制光，但光只要碰到任何東西就會反射，所以他用盡各種物質，包含氣體都解決不了問題。

　　在即將放棄時，他突然看到架上擺著一個玻璃塊，那是他耗費六年光陰唯一的「成果」。原來是個沒用的東西，他只是擺著當紀念，這時他便拿這塊玻璃來姑且一試，沒想到當他把玻璃放入磁中時，奇蹟出現，他看到了極化光平面受磁力造成的偏轉及被磁力排斥的現象。這是科學的重大突破，怎麼說冥冥中沒有天理呢？

　　真理必須能得到人們的認可，才會成立。法拉第的問題是，他沒有受到正規的高等教育，有一個弱點，數學不好。

　　所以他沒有辦法用數學運算證明他的理論正確，結果科學界都認為他已過氣，是不是病瘋了？對他說的嗤之以鼻。如果你解不開謎就算了，現在你發現真理，別人卻聽不懂、不信，那才叫人沮喪！

　　這時另一個偉大的天才來接棒！

　　他就是科學界的明日之星詹姆士‧馬克士威（James Maxwell），馬克士威和法拉第的出身是天地之差，他在一個權貴家庭成長，從小被寵愛到不行。他二十歲時，看到法拉第的理論，英雄所見相同，他立刻知道這是千古大突破，他

也知道法拉第無法用數學證明，偏偏馬克士威是數學天才，他主動用他的天份，把法拉第的理論，用數學完整寫出報告，證明是對的。

他把報告寄給法拉第，法拉第收到報告時，當然欣喜若狂。像不像他當年寄筆記給戴維？好戲彷彿一再重演，但演的人不同，發展也不同！

法拉第對馬克士威非常感激，也驚艷他的天才，不但沒妒忌，反而全力提攜，造就馬克士威成為科學巨星。兩人成了忘年之交，共同建構電磁學的理論，為日後的愛因斯坦奠定登頂的台階。

法拉第的成就簡單的說是，一、發明馬達，二、發明發電機、變壓器，三、解開電、磁、光三位一體磁場之謎。

今天我們生活的一切，全拜法拉第開啓大門。但他沒有申請任何專利，成就全部貢獻給世界共享！

用一個最簡單的方式來說明他有多重要、多偉大？

愛因斯坦在他的牆上掛了三張人像，分別是牛頓、法拉第和馬克士威！

●出身寒微，卻自學成功　　●提拔法拉第又壓抑他的
　的偉大物理學家法拉第　　　戴維爵士

12.25 爲何而戰

　　成功，不會是單一原因造成的。但只要有一個原因，就可以導致失敗。所以成功者的個性，不可能是單一的，他會同時擁有看似矛盾的性格。如同貓，動作快如閃電，一會兒又躲藏不見。大膽的同時要小心，否則就會大意；小心的同時要大膽，否則就變成懦弱。

　　1776 年在北美的紐澤西，屬於英軍，戰力強大的德國傭兵團，連打幾場勝仗，把華盛頓的雜牌軍打得落花流水。到了聖誕夜，外面冷得要命，溫暖的屋子裡，德國傭兵團的軍官正在慶祝聖誕，大吃大喝後，團長拉爾（Johann Rall）上校和幾個軍官打牌。正打得難分難解。

　　剛過午夜，一個僕役送來一個紙條：「報告上校，這是一個農夫送來的紙條，他說是華盛頓軍的情報。」

　　「胡說，華盛頓已經逃到河的對岸去了。」

　　「萬一他渡河來偷襲我們呢？」

　　「不可能，這種凍死人的天氣，他哪有裝備渡河？」

　　「對啊，恐怕他還沒渡河到一半，就成了冰棍了吧！」

　　「我看一定是哪個農夫想討賞，所以來報軍情。我看沒什麼大不了，你就把剩的火雞都給他，算是我代表英國國王給他的聖誕禮物！哈哈哈，趕快該你出牌了，這把我一定要贏死你們！」拉爾上校瞄也沒瞄一眼，順手就把紙條收在衣服口袋。沒錯，華盛頓和他的殘兵正在德拉瓦河的對岸。他們衣衫破舊，在寒風刺骨下，更顯得襤褸。他們在岸邊推著小船，準備渡河。

1776 年 12 月 25 日，華盛頓帶領部隊，渡過德拉瓦河。他打算趁德國兵團在聖誕節狂歡時，偷襲他們。他大膽選擇戰機，但他的軍隊武器彈藥已用盡，火力根本不堪一擊，他這樣做無異是雞蛋碰石頭。

不，華盛頓料定因為天氣太濕冷，所以火藥一定多半被浸淫，槍枝無法開火，而且是突襲，是近身肉搏，對方武器裝備再多，火力再大，也無用武之地，討不了什麼便宜。這就是他心細的部分。

天剛破曉，華盛頓下令全軍插上刺刀，衝殺！還在醉夢中的德國傭兵，哪裡是對手，被殺得大敗，九百多名士兵被俘。拉爾上校身受重傷，醫生解開他的上衣，為他治療時，從口袋裡彈出一張字條，字條上寫著華盛頓正在渡河，他就要來襲的情報。

如果拉爾把這張字條當回事，那華盛頓和他的手下一定會全被俘虜，歷史可能就要改寫。正如拿破崙所說：「你有一天遭遇的災禍，是某個時間點疏忽懶惰的報應。」

事情還沒完，華盛頓派人要拉爾投降，重傷快死的拉爾提出一個條件，他可以投降，但不能隨便向一個小官投降，他希望華盛頓親自受降。

華盛頓聽到這個條件，舊恨浮上心頭，大罵：「我才不要去見那個『為了錢』，根本沒有榮譽感，打死我無數兄弟的傢伙！」

這時華盛頓身邊有人對他說：「將軍，話不能這樣講。你想想看，我們是為什麼打仗？」

對呀！美國要脫離英國是為什麼？為了自由。什麼自由？為了英國國王沒有經北美的人民同意，就亂抽稅；為了

不給國王搶人民錢的自由。說到底，不能說不是為了錢嘛！

　　華盛頓將軍立刻醒悟，穿上正式的軍裝，親自接受拉爾上校的投降。

　　現在有一張收藏在大都會博物館，由伊曼紐‧魯茲（Emanuel Leutze）所繪，華盛頓站在船頭，士兵奮力划船，英勇向前的名畫，就是描繪這場美國獨立戰爭中重要的特倫頓戰役。華盛頓從這次勝利，才確定由他領導軍隊的地位。

● 德國畫家伊曼紐‧魯茲在 1851 年所繪的名作《華盛頓橫渡德拉瓦河》。

12.26 上課學到的事

陽光、大海、藍天
小孩、堆沙、遊玩
午後、悠閒、浪漫
普吉島上，
觀光客、在沙灘。

「媽媽、媽媽，你快看！」

「提莉寶貝，什麼事？」

「你看海水在冒泡！」

「是啊，真的在冒泡，是有大烏龜在水底吧？」

「還有……還有海水在往後退！」

「噢，是不是退潮？」

「不是……不是，我上課時有學到如果海水冒泡、海面往後退，表示海底發生地震，等一下就會變成海嘯！」

「真的嗎？寶貝！」

「真的，老師上課時有放夏威夷海嘯的影片給我們看，現在跟影片上的一模一樣！」

「真的，海水真的在冒泡、真的在後退……」

「媽媽，快叫大家逃命！」

「對，大家聽我說，海嘯要來啦！大家快跑、趕快離開沙灘！」

2004 年 12 月 26 日，南亞大海嘯當天，在普吉島的沙灘上，英國十歲的小女孩提莉史密斯（Tilly Smith）正在玩，

她發現海水有冒泡、倒退的現象，這和兩個星期前，老師上課時放映的夏威夷海嘯的影片，幾乎一樣。

她立刻判斷海嘯要來了，警告沙灘上的遊客，果然大海嘯淹沒了整個沙灘，但是因為提莉的機警，使得邁豪沙灘（Maikhao Beach）沒有一個人傷亡。英國皇家海事協會特地頒獎給提莉，她是有史以來年紀最小的得獎人。

誰說「學校教的東西都沒用」？

要看你怎麼教？怎麼讓孩子學會活用？

●提莉機警發現海嘯徵兆，救了整個沙灘的遊客。

12.27 原來如此

追求眞理的人，可貴。占有眞理的人，可怕。

請問你過生日是過「陽曆」，還是「陰曆」？有人說要過「陰曆」，就是「農曆」。爲什麼？他們說陰曆比較準，他們說中國人應該過中國老祖宗的陰曆。眞的嗎？

這件事，古代的中國人就吵過。

1668 年 12 月 27 日，大清康熙皇帝下令西洋傳教士南懷仁和中國的天文官員辯論、鬥法，展開第一次的中西曆法比賽。

講這個故事要先講湯若望。湯若望是天主教耶穌會的傳教士，在 1620 年來到中國傳教，那時候是明朝。他把伽利略的學說和歐洲採礦冶金的書，翻譯成中文，得到朝廷的賞識。後來經徐光啟推薦，爲朝廷編修《崇禎曆書》。他還幫明朝製造火炮，阻擋清軍。

明代的曆法初期是沿用元代的《授時曆》，但日月天行有差，曆法如果長久不調整，就會不準確。所以到了明朝中期，這部曆法已經累積二百年的誤差，等於是失去磁性的指南針，根本難用。這時西方的傳教士來到中國，以他們先進的科學知識，填補了中國天文官員的無能，幫助朝廷修正曆法。這樣傳教士也能爲朝廷立功，而被恩准傳教。

問題來了，當時西方已經使用「太陽曆」，而中國用的是「陰陽合曆」，就是不只以太陽爲準，還要把月亮「陰」的算進來。否則沒辦法配合傳統的節氣、節日。比方中國是把一天分成一百單位，西方是二十四小時，九十六刻。中國是

以太陽走一天為一度，所以圓周是365.25度，西方是360度。很複雜吧？對，曆法很複雜，牽一髮動全身。

所以當時在中國傳教士真的很厲害，他們改變中國原來的基本參數，決定放棄中國原來以太陽的平均轉速定節氣，而使用太陽在黃道上行十五度來定節氣。這樣就能準確的推斷日蝕、月蝕的時間，而且符合中國傳統的形式。其實這已經改變中國的曆法，例如「置閏」的規則就變了。

湯若望才把曆書刻出來，還沒頒行，明朝就亡了。清兵入關後，湯若望把他的曆書獻給清廷，得到攝政王多爾袞、順治皇帝和孝莊皇太后的賞識，重用他，並把這部曆書賜名《時憲曆》。

順治親政後，叫湯若望為「麻法」，這是滿州話「尊敬的父親」。給他封官到一品，連湯若望的父母、祖父母也受封。俸祿還按時寄到歐洲湯若望的家鄉。

湯若望的曆法用了十多年好好的，有個叫楊光先的漢人跳出來攻擊。楊光先本來是崇禎皇帝的臣子，這個人行事很激烈，他當時抬棺材，上書彈劾大學士溫體仁，結果被皇帝打屁股，流放遼東。溫體仁倒台後，他被赦免回鄉。

清朝建立後，順治的晚期，他和當時欽天監的官員吳明煊裡應外合，上書攻擊南懷仁的曆法，不合中國傳統，並指曆法的封面寫有「依西洋新法」這五個字，可見南懷仁圖謀不軌，想立新曆法，改變正朔來造反。說「寧可使中夏無好曆法，不可使中夏有西洋人。」絕了吧？楊光先是漢人，他留著辮子反西洋人，卻不反滿人？

順治沒理他，但不久康熙即位，皇帝年紀小，鰲拜當權。他本來就不滿順治喜歡傳教士，正好利用楊光先的議論，在

康熙三年下令逮捕湯若望、南懷仁，還有義大利傳教士利類思、葡萄牙傳教士安文思。人抓來後一連審了十二堂，可憐的湯若望已經七十三歲，又中風，都由南懷仁代答。結果湯若望被判凌遲處死，其他三人革職充軍。

　　幸好第二年春天，發生多次大地震。這下沒有科學知識的官員們嚇壞了，孝莊皇太后趁機赦免湯若望等傳教士的罪，但欽天監中，屬於湯若望一派的李祖白等五個中國官員還是被殺了。你看，好不容易有幾個中國人跟著老外學會科學，不明不白就給搞死，難怪科學生不了根！

　　好，這個楊光先推倒新曆法，恢復舊曆法。鰲拜當然是叫他當欽天監監副，就是副部長。可是他楊光先根本不懂曆法，他自知當不了這官，請辭。朝廷駁斥他，不准辭，還升他官，叫他做欽天監監正，就是正部長。

　　他不得已，硬著頭皮上任，找來同黨吳明烜爲監副。改用明朝初期的舊曆，其實這部曆法前面說過，是從元朝傳下的，元朝是從阿拉伯人那兒學來的，所以是「回回曆」。說穿了也不是中國固有的。

　　1668 年，也就是康熙七年，鰲拜倒台，十五歲的皇帝奪回政權，他知道楊光先是科學草包，也發現曆法老是出錯，便把南懷仁找回來。南懷仁當然不放過這個機會，指出回回曆的許多問題。康熙雖然明白南懷仁對，但大臣們也都是科學白癡。所以他就下令南懷仁和楊光先、吳明烜等人，在 12 月 27 日大辯論，辯了三天，辯不出結果。

　　不是沒結果，是大臣們其實都聽不懂，根本沒知識判斷誰對誰錯。康熙剛親政，也不好意思獨斷。所以他再下令雙方在午門前比試比試，看誰能推算出日光投射在東西上影子

的長度。楊光先和吳明煊連算都不會算，棄賽；而南懷仁的推算全部正確無誤。

這還不夠，隔年一月康熙下令再比一次，比賽誰能準確算出立春、雨水兩個節氣，以及月亮、火星、木星運行的度數。結果南懷仁全部準確，而吳明煊全部算錯。這下再沒有科學知識的大臣也無話可說，康熙任命南懷仁為欽天監監副，再度使用《時憲曆》。

而楊光先呢？先判死刑，不是因為他是白癡，而是說他是鰲拜一黨。但康熙赦免死罪，趕他回家吃自己。他在回鄉的半道，死了。

回到我開頭的問題，中國人過生日該用中國的陰曆嗎？現在的陰曆就是沿用南懷仁所創，說到底還是西洋貨，也不是中國固有。怎麼樣？我的意見是哪個準，過哪個。不準的，過好玩。我是追求真理的人，害怕想占有真理的人。

● 天主教耶穌會修士南懷仁，
　清康熙時來華傳教。

● 天主教耶穌會修士湯若望，明神宗
　時來華傳教。

12.28 第一個

　　厄哈特這位傳奇女英雄之所以選擇飛行，其實出於偶然。**1920 年 12 月 28 日**，父親帶她去參觀加州長灘航空展。著名飛行員法蘭克‧霍克斯（Frank Hawks）邀請她同乘飛機。

　　短短十分鐘的天空之旅引發她的夢想，改變了她的一生。她回憶當時的心情：「當飛機飛到兩、三百英尺高時，我就知道我不飛不行。」為了籌措航空學校的學費，她做過攝影師、卡車司機，以及電話公司的速記員。1921 年 1 月 3 日，她如願上了第一門航空課程。在 1932 年 5 月 20 日，成為史上第一個獨立駕飛機飛越大西洋的女飛行員。

　　凡事要人記得你，要做第一。第二是沒人知道的。美國第一個總統是誰？華盛頓，對，大家都知道。第二個呢？不，不是傑佛遜，是約翰亞當斯，你不知道了吧？

　　第一個登陸月球的人是誰？阿姆斯壯，對，那第二個呢？不好記吧？是艾德林。第一個開飛機飛越大西洋的是誰？林白，沒錯。那第二個呢？是辛克勒，他飛機開得比林白快，他還飛過北極和南極，後來在一次南極救援任務中，失去聯絡。沒人知道他去哪兒？也沒人記得他的名字。

　　但第三個飛越大西洋的飛行員，大家卻都知道，她是愛蜜莉‧厄哈特（Amelia Earhart）。為什麼第三個有人知道？因為是女生。所以她不是老三，她是第一。女生中的第一。

　　厄哈特當時獲得美國國會十字飛行勳章、法國榮譽軍團勳章、美國國家地理學會金質勳章。不只名利雙收，更成為女權主義的象徵人物。因為她是第一。

　　所以如果別人已經佔了第一，你不應該努力做更快、更多、更好。而是應該要分類，做另一類的第一。

　　本來林白成功飛越大西洋後，美國有個交際名花蓋絲特（Amy Phipps Guest）就宣布她要成為第一個飛越大西洋的女性。後來她發現開飛機可不是喝香檳、開派對。真要飛起來可要十幾個小時，而且當時飛機並沒有保護艙罩，搞不好會凍死！對大小姐來說，太危險！

　　她決定如果有名聲良好的女生，願意冒險，那她可以出錢。後來有個出版社老闆幫她找到了厄哈特。蓋絲特是誰？你不知道，因為她只有出錢，她沒有飛。飛的人，才會讓人知道。

　　我聽說有個貴婦，每天要唸百遍心經，當做功課。朋友說，怎麼可能？你真的有唸？佛前不可說謊！貴婦說：「沒有啦，我都是叫外傭唸，等她唸完了，再『回向』給我！」

　　哇，最後開悟得救的是誰？當然是外傭囉！

●第一位飛越大西洋的女性飛行員厄哈特

12.29 瘋狂雞尾酒

金錢加政治加民族主義，可以做什麼？可以調製「瘋狂雞尾酒」！任何事情，只要加上這三樣，很難不失控加離奇加瘋狂。

2004 年 2 月，著名的《科學》Science 期刊登出黃禹錫撰寫的論文，他是第一個從人體細胞中，成功製造出胚胎幹細胞的人。一夕之間，震驚世界。一夕之間，黃禹錫成了韓國的民族英雄，眼看他即將成為韓國第一個得到諾貝爾科學獎的得主。韓國政府授與他「最高科學家」的頭銜，宣布每年補助他三十億韓元，合二百九十二萬美金，成立「黃禹錫科學院」，發行他的紀念郵票，樹立了高五公尺的銅像，他身邊二十四小時有隨扈，大韓航空送他十年免費搭頭等艙，網路上有數不清的粉絲後援團，電視每天播他苦學向上的故事。他是最偉大的韓國人，韓國小朋友最值得學習的模範。

到了第二年 6 月 17 日，他又在《科學》期刊，發表更驚人的論文，宣稱他已從十一名罹患不同疾病的病患身上，成功取得早期胚胎，培育出幹細胞，而且把幹細胞成功移植到人的未受精卵，這等於說下一步就是要邁向「複製人」！這篇論文引起世界更大的注目，韓國當然頓時陷入樂不可支的瘋狂狀態。韓國的「文化放送」MBC 對他小小批評，結果被韓國人罵爆，招致拒看抵制。有人想討論複製人的道德爭議，根本被看成癩痢狗，惹人嫌棄，沒人理會。

先是曾經協助黃禹錫的美國學者質疑胚胎有問題，接著與黃禹錫共同研究的盧聖一出來踢爆數據是造假，首爾大學

不得不展開調查，結果在 **2005 年 12 月 29 日**正式公布調查報告，證實黃禹錫並沒有從胚胎中培育出幹細胞，整個事情是造假。

這下韓國人不只是頭上被澆了一桶冷水，簡直是被踢下冰洞。黃禹錫的「最高科學家」被收回，教授職位也保不住。檢方要追查他得到的政府和民間補助，是不是被他私吞，連帶他的家人也管制出境。經過五年的折騰，黃禹錫被法院判刑十八個月，緩刑二年。他從韓國之光成了韓國之恥。

黃禹錫的造假，世界也很吃驚，驚訝他怎麼會「假這麼大」？但如果細究他造假的背後，我們就不會太驚訝，整個過程很像「科學的馬克白」，他很難不走向莎士比亞的結局。

在韓國，大多數的科學研究，經費都來自國家。主管補助的政府官員，他們的績效和升遷，與研究者的成果是掛在一起的。官員當然想快、快、快升官，那他們當然會給研究學者壓力，要快、快、快創造成果。如果你慢，那他們就不會給你錢，你就只能坐冷板凳。

加上「科學」不是人人都懂，好像諾貝爾獎每次公布，媒體、大眾對醫學、物理、化學三個獎的得主，哪敢有意見？因為根本不懂他們在研究什麼？可是對文學獎、和平獎的得主，那就人人都可以有意見。所以造假的事件可說是層出不窮。因為論文太多、太專業，防不勝防。而黃禹錫，他確實是一個有成就的科學家，他好像不應該造這麼大的假，何必呢？是吧？

但我們不知道他有多受「期待」，國家花這麼多錢在他身上，全國希望都在他身上，他能辜負國家和人民嗎？這跟有孩子沒考上建中、北一女，會去跳樓以謝父母很像。黃禹

錫就這樣被金錢、政治、民族主義三個轎夫給抬上轎，轎子要往懸崖去，他本人可能是無力控制的了。

黃禹錫的事件，其實各國都有，德國、美國、荷蘭、日本、中國、台灣……都有，重要的事件都寫的話，可以比這本書更厚。他們都是發表在《科學》、《自然》這兩大期刊，而且要經過一段時間，才會被人踢爆。

像 2011 年出事的荷蘭籍的教授戴德里克‧斯塔佩爾（Diederik Stapel），他發表過著名的「吃肉的人會易怒暴躁」、「在髒亂的環境中，人會更容易產生偏見」……等三十篇以上的論文，原來都是他瞎編，可是發表時，人人深信不疑。

2014 年日本學術界最令人吃驚的造假風波，是日本理化學研究所的小保方晴子。小保方晴子日前在《自然》期刊上，發表了世界首例有效製作 STAP 細胞的論文。STAP 是一種可以發展成任何器官和組織的萬能細胞，若證實也能用於人體細胞，將成為安全又合乎道德的幹細胞製造新方法，為再生醫學領域帶來革命性的進展。

論文一發表，媒體一窩蜂報導的不是學術的探討，全部集中在小保方的年齡、身材、穿著、打扮、辦公室的可愛貼紙……這些與科學不相干的東西上。結果小保方的論文不久被質疑造假，指導教授笹井芳樹更因此在 8 月上吊自殺，留下一堆疑團。

希臘神話裡的伊卡利斯，用蠟做成了翅膀，黏在身上飛了起來，他成功了，但一時太興奮，忘了父親的警告，距離太陽太近，結果蠟都融化，他從空中倒栽掉進大海。

千萬不要為了「成功」，而毀掉了一生！

12.30 亂搞

權勢越高的人，搞不好會遇到越笨的白癡！爲什麼？因爲他們相信自己的權勢，如同一道高牆，可以擋住笨蛋，或者笨蛋不敢來亂搞。

錯了，眞正的笨蛋是越不該幹的，他卻偏偏膽子越大，越敢幹！

美國總統是世界最有權勢的人，身邊謀臣策士一大堆，都是頂尖的人物吧？照理來講，應該可以防止笨蛋近身，可是事實不然。

1997 年 12 月 30 日，美國卡特總統訪問波蘭，當天他舉行來訪的記者招待會。他們找來一個波蘭當地的翻譯叫瑟摩爾（S. Seymour），付他一天一百五十美元。沒想到這傢伙一開口，就寫下了美國總統出糗的歷史。

卡特總統說的第一句話：

「我今天早上離開美國，」

瑟摩爾翻成：「我離開了美國，永遠都不回去了！」

「我此行的目的，是了解你們的想法和對未來的期盼。」卡特說。

結果翻成：「我對波蘭棍子飢餓難耐！！」

卡特當然不知道翻譯在亂翻，他的幕僚、大使、所有美國人也都不知道。所以翻譯越翻越離譜，中間還消遣了波蘭的憲法。

新聞一出，卡特栽了一個大跟頭，摔在屎坑中，變成國際笑話。美國國內的人又氣又好笑，這回可丟臉到外國去，

我大美尚有人耶？

　　翻譯當然被炒了。到了訪問的最後一天，在國宴上，這回請了一個新翻譯。卡特上台致詞，講了一句，等翻譯翻，結果翻譯沒反應。他只好再說一句，停下來，等翻譯翻，還是沒反應，不知道是卡特的英語翻譯聽不懂；還是翻譯不懂英語。沉默、尷尬、很冷！波蘭領導人的英語翻譯只好出手來解圍，權充卡特的臨時翻譯。

　　你說那是以前的事，現在不會發生了吧？是嗎？最近有個更厲害的翻譯，才真叫大家開眼。2013 年 12 月 12 日，曼德拉的追悼會在南非盛大舉行，全球的重要領袖都來了，當歐巴馬上台講話時，一旁的「手語」翻譯，只看他雙手不停比劃，非常專業。其實他都是在亂比，根本是鬼畫符！懂手語的聽障朋友，完全不知道他在比什麼？我們不懂手語的當然也不知道。他老兄就這樣畫全場，把幾國領袖的感人演講都畫成笑料！

　　所以笨蛋不知道自己笨，他還以為別人是笨蛋！

　　不過這些只是鬧笑話、出洋相，倒不致造成大問題。但有時錯誤的翻譯，會推動歷史往不同的方向。

　　1956 年，正是冷戰的時代，事情不是發生在波蘭，是發生在波蘭駐莫斯科的大使館。領導人赫魯雪夫對著各國的外賓，大讚共產主義好，資本主義爛。結論時說了一句名言：「我們會埋葬你們！」

　　《時代》雜誌把這句話刊登出來，引起美國的反感和緊張，鷹派更是抓住這句話，大作文章，鼓動增加國防預算，加強在全球圍堵蘇聯。蘇聯當然也不是好欺負的，雙方從此陷入武器競賽的惡性循環。

「我們會埋葬你們！」赫魯雪夫真的是這樣說的嗎？

不，他說的原話是：「當你們被埋葬時，我們會在場！」意思是我共產主義會比你資本主義活得久。

結果因為《時代》雜誌誤翻，可能造成了歷史不同的進程。但怪的是，西方媒體流傳錯誤的意思，而蘇聯方面、赫魯雪夫也沒出來「訂正」、「澄清」，就讓這個誤會一直越滾越大。難道赫魯雪夫身邊也有瑟摩爾般的翻譯？

12.31 **有錢做不到的事**

　　重賞之下必有勇夫，眞的嗎？

　　有一個關於「功能固著」的心理實驗，給你一根蠟燭、一盒大頭釘、一包火柴，任務是要把點著的蠟燭，固定在牆上，燃燒的蠟油不可滴到地上，怎麼辦？

　　百分之九十的人，會想用大頭釘把蠟燭直接釘上牆，結果蠟燭會碎掉，就算勉強釘上，蠟油也會滴在地上。要不就是會將蠟燭燒熔一部分，想把它黏上牆壁，蠟燭太重會掉下來，也行不通。大多數人試過二次就會放棄。

　　其實很簡單，只要把裝大頭釘的盒子用大頭釘釘在牆上，再把蠟燭底部燒熔一些黏在盒子上，點亮蠟燭，滴再多油也不會滴在地上。

　　大部分的人解不開，是因爲他們把盒子當作裝大頭釘的，沒想到盒子也能利用。

　　所以如果把大頭釘和盒子分開，就是給你一根蠟燭、一包火柴、一堆大頭釘、一個紙盒，幾乎所有的人都能解開。

　　再來，看看獎勵會有什麼效果？如果對實驗者說，最快找到解答的前十名可以得到一百塊，第一名可得一千塊，會不會讓更多人解開？更快速解開？有獎勵應該有進步，對吧？錯，剛好相反，加了獎金，卻反而使找到解答的人數變少，解開的時間更慢，獎金加倍呢？結果是獎金越大，效果越差！爲什麼會這樣？

　　沒錯，錢會激勵你，但一有錢，任務就變成競爭。錢會讓你的腦力集中，精神集中，意志集中，你越集中，就越跳

不出框框，心思全集中在蠟燭、大頭釘、火柴，想不到還有「紙盒」。

反過來，如果現在是把大頭釘、紙盒分開給你，那獎勵就有用，有獎金，解開的速度就會加快，獎金越大，成績越好，所以獎勵用在「創意」、「想像」的方面，不但沒用，反而會有反效果。但用在明顯容易，不用複雜思考的工作，獎勵就會有效。所以重賞之下，確有「勇夫」，但無法找到「謀夫」，只能找到有勇無謀之夫！

微軟在 1993 年開始一個網上的百科計畫叫 Encarta，這個計畫雄心萬丈，砸下了無數的金錢、人力，可是成效呢？結果努力了十六年，終於在 **2009 年 12 月 31 日**全部關閉，正式宣佈結束。從此煙消雲散，空夢一場。那網上就沒有百科了嗎？有啊，就是維基百科（Wikipedia）。

維基百科與 Encarta 完全相反，它號召全世界的網友來一起做夢，來一起實現，所有參與的人都是義務，沒有一個人為一個字拿到一分錢。

結果呢？大家出於興趣、愛好，居然共同完成了以前要幾百年，傾國家之力才能完成的百科大夢。

所以如果還在跟小孩說，考一百分就給你一百塊，搞不好適得其反，除非學校的功課都不用腦。同樣的，長期以來的企業管理法則，重賞重罰以求績效，也已經不好用了，因為現在的企業要面對的不是努力不努力的問題，而是如何產生創意。

用筷子吃小籠包很好用，但如果現在要吃牛排，就得用刀叉，用筷子就不靈囉！

12月31日不是結束
而是另一個1月1日嶄新的開始

你生活中每一天發生的事
都蘊含著豐富的意義

有沒有哪一個「今天」
是你人生的轉捩點
或特別值得記憶

美好的際遇．應該珍藏
動人的故事．應該流傳

請把你心中的故事寫下來
這一天將不只是你自己的記憶
而能成為大家的珍寶
創造出非凡價值

請你進入

www.grimmpress.com.tw/today366/

讓我們一起保存屬於你的「今天」
讓「這一天」成為永恆的記憶

圖片來源

● 0701 "Dan Wieden 2014" by Sam Beebe http://commons.wikimedia.org/wiki/File:Dan_Wieden_2014. jpg#mediaviewer/File:Dan_Wieden_2014.jpg

● 0704 "AKW Zwentendorf" by Thomas Macht http://commons.wikimedia.org/wiki/File:AKW_ Zwentendorf.jpg#mediaviewer/File:AKW_Zwentendorf.jpg

● 0709 "Andy Warhol by Jack Mitchell" by Jack Mitchell - User:X4n6 http://commons.wikimedia.org/ wiki/File:Andy_Warhol_by_Jack_Mitchell.jpg#mediaviewer/File:Andy_Warhol_by_Jack_Mitchell.jpg "Black font crop from Campbells Soup Cans MOMA" by User: Hu Totya - Image: Campbells Soup Cans MOMA.jpg. http://en.wikipedia.org/wiki/File:Black_font_crop_from_Campbells_Soup_Cans_MOMA. jpg#mediaviewer/File:Black_font_crop_from_Campbells_Soup_Cans_MOMA.jpg

● 0711 Photo Credit: Getty Images

● 0712 圖片提供：達志影像

● 0713 Photo Credit: Getty Images

● 0718 Photo Credit: Getty Images

● 0719 Photo Credit: Elvis & Kresse / Photo Credit: Give Me Tap

● 0721 "Lance Armstrong 2005" by Bjarte Hetland http://commons.wikimedia.org/wiki/File:Lance_ Armstrong_2005.jpg#mediaviewer/File:Lance_Armstrong_2005.jpg "Jan Ullrich Nacht von Hannover 2005" by Heidas http://commons.wikimedia.org/wiki/File:Jan_Ullrich_ Nacht_von_Hannover_2005.jpg#mediaviewer/File:Jan_Ullrich_Nacht_von_Hannover_2005.jpg

● 0722 圖片提供：達志影像

● 0725 "Bob Dylan 1978" by Chris Hakkens - http://www.flickr.com/photos/chris_hakkens/5109375515/ in/photostream/

● 0727 圖片提供：達志影像

● 0728 Photo Credit: Getty Images

● 0801 "Alex holding lemonade" http://www.mnn.com/sites/default/files/imagecache/node-gallery-display/lemonade_kids.jpg.

● 0803 Photo Credit: Getty Images

● 0805 國立故宮博物院藏品

● 0807 圖片提供：達志影像

● 0810 "Galerie nationale du Jeu de Paume" by TCY http://commons.wikimedia.org/wiki/File:Galerie_ nationale_du_Jeu_de_Paume.jpg#mediaviewer/File:Galerie_nationale_du_Jeu_de_Paume.jpg

● 0813 "Window chrisgueffroy" by Brewer Bob http://commons.wikimedia.org/wiki/File:Window_ chrisgueffroy.jpg#mediaviewer/File:Window_chrisgueffroy.jpg

● 0814 "Zimbardo in Warsaw 2009" by Jdec http://commons.wikimedia.org/wiki/File:Zimbardo_in_ Warsaw_2009.jpg#mediaviewer/File:Zimbardo_in_Warsaw_2009.jpg

● 0815 "Howard-Schultz-Starbucks" by Sillygwailo http://commons.wikimedia.org/wiki/File:Howard-Schultz-Starbucks.jpg#mediaviewer/File:Howard-Schultz-Starbucks.jpg

● 0816 "St Peter's Square, Midlands Hotel, Central Library, Town Hall" by Gtosti http://commons.

wikimedia.org/wiki/File:St_Peter%27s_Square,_Midlands_Hotel,_Central_Library,_Town_Hall.
jpg#mediaviewer/File:St_Peter%27s_Square,_Midlands_Hotel,_Central_Library,_Town_Hall.jpg
● 0817 "North River Steamboat Model" by Alexisrael http://commons.wikimedia.org/wiki/File:North_
River_Steamboat_Model.JPG#mediaviewer/File:North_River_Steamboat_Model.JPG
● 0821 圖片提供：蘋果日報
● 0822 圖片提供：達志影像
● 0827 "2009-0724-CA-MarhallDiscoverySite" by Bobak Ha'Eri
http://commons.wikimedia.org/wiki/File:2009-0724-CA-MarhallDiscoverySite.jpg#mediaviewer/
File:2009-0724-CA-MarhallDiscoverySite.jpg
● 0829 Photo Credit: Getty Images
● 0831 Photo Credit: Getty Images

● 0903 "TomHopper10TIFF"
http://www.flickr.com/photos/gdcgraphics/5249946379/
● 0904 "Hill Top Farm" by Richerman http://commons.wikimedia.org/wiki/File:Hill_Top_Farm.
jpg#mediaviewer/File:Hill_Top_Farm.jpg
● 0905 "Portrait of Pablo Picasso, 1908-1909, anonymous photographer, Musée Picasso, Paris." http://
www.photo.rmn.fr/cf/htm/CSearchZ.aspx?o=&Total=103&FP=78278632&E=2K1KTSJS0PEBC&SID=2
K1KTSJS0PEBC&New=T&Pic=13&SubE=2C6NU0X1XDIK.
● 0906 "David Attenborough (cropped)" by Shojo http://commons.wikimedia.org/wiki/File:David_
Attenborough_(cropped).jpg#mediaviewer/File:David_Attenborough_(cropped).jpg
● 0908 Photo Credit: Getty Images
● 0917 Photo Credit: Bridgeman
● 0920 Photo Credit: Chiquinho Scarpa
● 0923 "Kafka Das Urteil 1916" by Foto H.-P.Haack http://commons.wikimedia.org/wiki/File:Kafka_
Das_Urteil_1916.jpg#mediaviewer/File:Kafka_Das_Urteil_1916.jpg
● 0925 " 荒川秀俊 " by Hajimux http://commons.wikimedia.org/wiki/File:%E8%8D%92%E5%B7%9D
%E7%A7%80%E4%BF%8A.png#mediaviewer/File:%E8%8D%92%E5%B7%9D%E7%A7%80%E4%BF
%8A.png
● 0929 "Bundesarchiv Bild 183-R69173, Münchener Abkommen, Staatschefs" by the German
Federal Archive http://commons.wikimedia.org/wiki/File:Bundesarchiv_Bild_183-R69173,_
M%C3%BCnchener_Abkommen,_Staatschefs.jpg#mediaviewer/File:Bundesarchiv_Bild_183-R69173,_
M%C3%BCnchener_Abkommen,_Staatschefs.jpg

● 1001 Photo Credit: Chronicle Live
● 1002 "Muhammad Yunus - World Economic Forum Annual Meeting 2012" by World Economic Forum
- Flickr: Muhammad Yunus - World Economic Forum Annual Meeting 2012.
● 1007 Photo Credit: Fairfax
● 1011 "Arianna Huffington 2012 Shankbone" by David Shankbone http://commons.wikimedia.org/
wiki/File:Arianna_Huffington_2012_Shankbone.JPG#mediaviewer/File:Arianna_Huffington_2012_
Shankbone.JPG
● 1012 Photo Credit: Getty Images

● 1013 "Muehle sanssouci1" by Wo st 01 http://commons.wikimedia.org/wiki/File:Muehle_sanssouci1.jpg#mediaviewer/File:Muehle_sanssouci1.jpg

● 1014 "2008-08-28 Yellow ribbon marking a tree" by Ildar Sagdejev (Specious) http://commons.wikimedia.org/wiki/File:2008-08-28_Yellow_ribbon_marking_a_tree.jpg#mediaviewer/File:2008-08-28_Yellow_ribbon_marking_a_tree.jpg

● 1020 "N. Joseph Woodland" http://www.nytimes.com/2012/12/13/business/n-joseph-woodland-inventor-of-the-bar-code-dies-at-91.html?hp.

● 1021 "Menlo Park Laboratory" by Andrew Balet http://commons.wikimedia.org/wiki/File:Menlo_Park_Laboratory.JPG#mediaviewer/File:Menlo_Park_Laboratory.JPG

● 1024 圖片提供：達志影像

● 1029 Photo Credit: Conor Grennan

● 1031 圖片提供：達志影像

● 1101 "CAPPELLA SISTINA Ceiling" by Michelangelo (by Qypchak). http://commons.wikimedia.org/wiki/File:CAPPELLA_SISTINA_Ceiling.jpg#mediaviewer/File:CAPPELLA_SISTINA_Ceiling.jpg

● 1106 "Rupert Murdoch - Flickr - Eva Rinaldi Celebrity and Live Music Photographer" by Eva Rinaldi http://www.flickr.com/photos/evarinaldiphotography/8293081091/

● 1109 "Berlinermauer" by Noir http://commons.wikimedia.org/wiki/File:Berlinermauer.jpg#mediaviewer/File:Berlinermauer.jpg

"Berlin Wall (13-8-2006)" http://commons.wikimedia.org/wiki/File:Berlin_Wall_(13-8-2006).jpg#mediaviewer/File:Berlin_Wall_(13-8-2006).jpg

● 1117 "Shakespeare and Company store in Paris"
http://flickr.com/photos/56685562

● 1120 "William Kamkwamba at TED in 2007" by Erik (HASH) Hersman http://commons.wikimedia.org/wiki/File:William_Kamkwamba_at_TED_in_2007.jpg#mediaviewer/File:William_Kamkwamba_at_TED_in_2007.jpg

"William Kamkwambas old windmill" by Erik (HASH) Hersman
http://www.flickr.com/photos/18288598@N00/622366993/

● 1122 Photo Credit: Getty Images

● 1128 "Michael Oher" by Keith Allison
http://www.flickr.com/photos/27003603@N00/3791740499

● 1130 Photo Credit: Getty Images
圖片提供：達志影像

● 1204 "Bundesarchiv Bild 183-1990-0116-013, Berlin, Stürmung Stasi-Zentrale" by Uhlemann, Thomas http://www.bild.bundesarchiv.de/archives/barchpic/search/_1410762505/?search[view]=detail&search[focus]=1

● 1207 圖片提供：達志影像

● 1209 Photo Credit: Getty Images

● 1210 "Ernest Rutherford cropped" http://commons.wikimedia.org/wiki/File:Ernest_Rutherford_cropped.jpg#mediaviewer/File:Ernest_Rutherford_cropped.jpg

● 1211 Photo Credit: http://www.flickr.com/photos/nationalmediamuseum/7936243672/

● 1213 圖片提供：達志影像

● 1214 圖片提供：達志影像

● 1215 圖片提供：達志影像

● 1218 "Juliabutterflyhill" by Carl-John Veraja http://www.flickr.com/photos/45212072@N00/306079940/

● 1220 圖片提供：達志影像

● 1221 "Revolutie Bucuresti1" by Romanian National History Museum

http://en.wikipedia.org/wiki/Romanian_Revolution#mediaviewer/File:Revolutie_Bucuresti1.JPG

● 1226 圖片提供：達志影像